La reine vénitienne

SILVIA
ALBERTI
DE MAZZERI

La reine vénitienne

ROMAN

Traduit de l'italien par Alexandre Boldrini

Titre original :
LA REGINA VENEZIANA

© Edizioni Piemme Spa, 2006.

Pour la traduction française :
© Pygmalion, département de Flammarion, 2008.

Préface

J E NE SAURAIS DIRE POURQUOI je me suis mise à écrire ce livre. Catherine Cornaro est venue à ma rencontre pendant un voyage dans les îles grecques. J'avais l'impression qu'une femme très belle et silencieuse me suivait pas à pas pendant que je visitais des forteresses et des châteaux en ruine, pendant que je me baladais dans les plaines de Chypre, jusqu'au sommet des montagnes couvertes de cèdres qui faisaient face à la mer.

L'île de Vénus. J'ai cherché un portrait de Catherine. J'ai immédiatement eu la certitude qu'il ne lui ressemblait pas du tout. Cette dame austère au regard perdu dans le vide, la main levée en un geste élégant vers un interlocuteur invisible, n'avait rien de la femme qui avait régné sur l'avant-poste le plus important du Levant durant une période dramatique pour la chrétienté : celle de la lutte éprouvante contre la puissance de conquête musulmane.

J'ai longuement observé le portrait et, soudain, il m'a semblé que Catherine venait une nouvelle fois à ma rencontre. Le visage sur ce tableau n'était rien d'autre qu'un masque. Elle me demandait de découvrir qui elle était vraiment. Ainsi, j'ai commencé à suivre ses traces comme on s'enfonce dans un labyrinthe. J'ai mené des recherches minutieuses dans le but d'écrire une biographie académique, mais il s'est passé quelque chose d'étrange. Peu à peu, son histoire m'a submergée, laissant affleurer les joies, les drames et les passions dissimulés derrière le masque.

Quelqu'un a écrit que s'aventurer dans le passé est dangereux. Il arrive que les personnages étendent leurs ombres sur notre vie et la modifient en profondeur.

C'est peut-être vrai, mais ceux qui trouvent l'issue du labyrinthe en ressortent plus forts.

J'ai suivi la trace de Catherine pendant dix ans, aussi longtemps qu'a duré son règne à Chypre.

Ce que j'espère, à présent, c'est qu'au moins une partie de mes lecteurs réussira à discerner le message dans les fils de la trame.

C'est à vous, mes amis, que je confie cette histoire.

Numen vel opposita iungit.

La puissance divine réunit même les contraires.

Prologue

Agnadello, mai 1509

EN HAUT DE LA COLLINE, DIEGO D'ARAGON, grand capitaine des lansquenets de l'empereur, regardait l'armée vénitienne commandée par Bartolomeo d'Alviano descendre vers la plaine. La République était vaincue. La ligue formée par le roi de France et l'empereur Maximilien avait triomphé.

L'étendard jaune du maréchal de Trivulce, qui menait la cavalerie française, se détachait sur le gris argenté des armures des chevaliers lancés à la poursuite des Vénitiens. Mais les mercenaires estradiots de Bartolomeo d'Alviano ne battirent pas en retraite. Comme dans un rêve, le grand capitaine d'Aragon les vit se dresser tel un mur sur la verdure aveuglante de la plaine, s'interposant entre les cavaliers français et les fantassins qui fuyaient. Il sourit. Estradiots et Suisses, les meilleurs soldats. La cavalerie percuta la muraille humaine : les chevaux s'effondrèrent, écrasant sous leur poids les cavaliers qui, gênés par leurs cuirasses, ne parvinrent pas à se relever. Un essaim d'estradiots convergea vers la colline. Lorsque Diego essaya de se redresser pour mieux voir, la douleur le terrassa et il retomba sur l'herbe. Le coup d'arquebuse avait défoncé sa cotte de mailles, le frappant en pleine

11

poitrine ; son escorte, restée en arrière, n'avait pas pu le protéger. Les estradiots approchaient rapidement. Diego fit tournoyer sa masse dans l'air cristallin du matin, prêt à recevoir le coup de grâce. Rien. À l'improviste, la clameur des armes s'était tue. Cerné par les estradiots, Diego sentit leurs regards qui le fixaient à travers les visières. Le silence se fit autour de lui.

— *Mala suerte, señor*, dit quelqu'un en espagnol, sa langue natale.

Le grand capitaine leva une main gantée en un signe de salut que les mercenaires connaissaient bien. Les estradiots se mirent à genoux ; le jaune des étendards se mêlait à l'or des blés piétinés.

Le jaune, couleur de la chance et de la vie. Jaune comme les cheveux de la femme qu'il aimait, qu'il avait toujours aimée, depuis le début. Malheureusement, nul n'en saurait jamais rien, pas même elle. C'était injuste.

— Catherine, appela Diego à voix basse.

Personne ne répondit. Les estradiots étaient en train de prier pour son âme.

Avec un bruit sourd, la masse du grand capitaine tomba dans les blés mûrs.

PREMIÈRE PARTIE

1

Venise, été 1510

L E BRUIT D'UN OBJET heurtant le sol attira
l'attention de Catherine Cornaro. Le portrait préféré du roi de Chypre, la *Dame
voilée*, s'était décroché du mur. Nue derrière un
voile, des roses rouges sur les genoux, la dame fixait
Catherine de ses yeux ambrés, les lèvres à peine
écartées. Pour la première fois, Catherine soutint
son regard. Elle ne l'intimidait plus. Les rayons du
soleil mourant filtraient à travers les rideaux tirés.
« Ah, la lumière de la lagune ! » songea-t-elle. Pour
combien de temps encore ? Elle entendit un bruissement : quelqu'un venait d'entrer dans la pièce.

— Giulio, vous voilà enfin. Je vous ai attendu
toute la journée.

S'asseyant au bord du lit, le cardinal Giulio
Orsini prit la main de Catherine.

— La ponctualité devient un luxe quand la peste
sévit et que les lansquenets infestent les rues,
madame. Si le comte de Foix ne m'avait pas prêté
ses chevaux, je n'aurais pas réussi à atteindre
Venise. Les Français se préparent à livrer bataille,
ajouta-t-il avec détachement.

— Rien ni personne n'a jamais pu vous arrêter,
mon prince.

— Je vous en prie, ne m'appelez plus ainsi, dit-il en indiquant la soutane de soie écarlate et le crucifix serti de rubis qui lui pendait au cou. Je suis à présent un serviteur de Dieu. Rien d'autre.

— Nul costume ne saurait masquer ce que nous sommes réellement. Le rouge vous sied, Giulio. Pourquoi êtes-vous venu ?

— Vous savez pourquoi.

Le cardinal tira une poudre blanche de son vêtement et la mélangea au vin du calice.

— C'est une drogue aussi puissante que rare : elle dissipe la douleur sans obscurcir l'esprit.

Catherine but à petites gorgées : fort, au bouquet intense, le liquide avait la couleur des rubis du cardinal. Le vin des Templiers de Chypre. Des vignes désormais disparues. « Il possède le parfum de l'île », disait Jacques. Son époux. Le roi. Elle crut entendre sa voix grave, profonde comme une caresse, et même voir sa silhouette se découper dans la lumière rosée du crépuscule, vêtue de noir et blanc, munie de son épée au pommeau en forme de croix. La drogue. Le cardinal patientait, un livre à la main – non pas un missel, mais le *Canzoniere* de Pétrarque. Son visage anguleux, avec son nez aquilin et ses yeux bleus jaspés, lui rappelait le faucon préféré de Jacques. Les prédateurs n'étaient jamais pressés.

— Je suis prête. Par où dois-je commencer ?

— Par le début, naturellement.

À l'instant où leurs regards se croisèrent, il sembla à Giulio que la femme malade avait cédé la place à une autre femme, qui portait un masque en or et une tunique romaine transparente, interprétant une comédie de Plaute. Lorsque Catherine sourit, le cardinal retrouva l'autre, la sirène. Dans la galerie de la villa d'Altivole, sous le regard émerveillé de Diego d'Aragon. « Seigneur, pensa-t-il, donne-moi la force ; je suis trop faible pour affronter tout ceci. » L'obscurité s'était presque emparée de la pièce. Le cardinal se leva pour aller écarter les rideaux, laissant entrer la brise du canal. À la lueur tremblotante des torches, le palais Cornaro se reflétait sur la surface de l'eau.

— J'ai le collier, murmura-t-il. C'est Ghul, le lieutenant du grand capitaine d'Aragon, qui me l'a apporté après la bataille.

Catherine frémit au contact des perles froides sur son cou.

— Je vous remercie, Giulio.

— Et maintenant, la confession. Racontez-moi depuis le début.

Le début ? Catherine baissa les paupières. Un cri s'éleva du canal – une voix aussi stridente que celle du singe de la mère supérieure. Catherine eut l'impression d'apercevoir la figure noire et élégante de l'abbesse, ondoyant sur le velours rouge des rideaux. À ses pieds, l'animal faisait des cabrioles en criaillant vers le ciel dégagé au-dessus du jardin.

— Le couvent de Padoue. C'est là que tout a commencé.

Il s'était écoulé toute une vie. L'espace d'un instant.

Padoue, automne 1471

« Le diable existe-t-il ? » se demandait la supérieure des bénédictines en se promenant dans le potager. « Et quelle est la mesure de son pouvoir ? » La nuit précédente, sa femme de chambre, croyant l'abbesse endormie, avait invoqué le nom de Satan. Elle aurait dû la dénoncer, même si c'était risqué. Les plus illustres maisons de Venise envoyaient leurs filles au couvent ; elles les en auraient aussitôt retirées à la moindre mention de sorcellerie. Une conséquence regrettable, car le couvent de Padoue n'avait pas son pareil. Il se distinguait par un règlement des plus indulgents : comment imposer la rigueur à des religieuses issues de familles qui les avaient habituées à voir chacun de leurs caprices satisfait ? Chiens, chats et autres perroquets de compagnie étaient notamment autorisés. Le singe qui suivit l'abbesse dans le potager, attaché à une fine chaîne en or, lui avait été offert à Noël par un marchand. L'animal portait une veste carmin à brandebourgs ainsi qu'un béret à clochettes d'argent. La nonne s'était prise d'affection pour lui. Soudain, il poussa un cri. « Nous avons de la visite », songea-t-elle : le singe percevait la présence des étrangers avant même de les voir. Une novice traversait justement le pré en courant.

— Deux gentilshommes de Venise, révérende mère, annonça-t-elle en anhélant. Dépêchés par le doge.

Le singe se mit à la caricaturer en sautillant sur les fleurs de camomille. Sa maîtresse tira sur la chaîne en soupirant.

— Installe-les dans mon bureau. Apporte-leur des biscuits avec du rossolis. Et ne cours pas.

La jeune fille partie, l'abbesse contempla distraitement les dernières roses de la saison. Après en avoir choisi une, elle s'achemina sans hâte vers le couvent. Sous les arcades, les novices étaient en train de broder – toutes sauf une : Catherine Cornaro, qui cachait un livre dans les plis de sa robe. La mère bénédictine soupira à nouveau. Catherine. « Je devrais la gronder, songea-t-elle, mais ce serait inutile : elle n'apprendra jamais la broderie. » Elle l'observa brièvement en passant devant elle : une chevelure blonde si dense qu'elle dépassait de la coiffe, des iris bleu saphir, la silhouette svelte et sinueuse d'une sirène. Ce n'était pourtant pas pour sa beauté qu'elle appréciait Catherine. En vérité,

ses années employées à éduquer des adoles-
centes avaient convaincu l'abbesse qu'il n'existait
au monde que deux types de femmes : les dames
et les autres. Ce n'étaient pas les origines, l'argent,
le pouvoir ou l'érudition qui les distinguaient. De
cœur et d'esprit, les vraies dames appartenaient à
une caste invisible, et ce dès la plus tendre enfance.
L'éducation pouvait tout au plus en reproduire
l'apparence. Catherine en était la preuve : simple
fille de marchands, elle n'en était pas moins une
dame.

En haut des escaliers, l'abbesse s'arrêta un instant devant la porte de son salon. Pourquoi le doge,
son propre cousin, lui avait-il envoyé ces gentilshommes ? D'habitude, il lui écrivait personnellement. Les rumeurs de sorcellerie s'étaient-elles
répandues jusqu'à Venise ? À l'image de sa maîtresse, le singe porta la main à son front. La nonne
ouvrit alors la porte d'un geste décidé.

Les émissaires du doge faisaient les cent pas tels
des oiseaux exotiques dans une volière. Assise sur
une chaise aux armoiries de famille brodées sur le
dossier, l'abbesse patientait. Après avoir servi le
rossolis, la novice se retira.

— Révérende mère, commença le plus âgé des
visiteurs, le doge nous a chargés de vous informer
que Catherine Cornaro a été promise en mariage.
Elle devra quitter le couvent au plus tôt.

La religieuse hocha gracieusement la tête, sans
rien laisser paraître de son immense soulagement :
nulle question de sorcellerie.

— Son futur époux est le roi de Chypre, Jacques II de Lusignan.

— Je le croyais sur le point d'épouser la nièce
du roi de Naples, dit l'abbesse sans montrer aucune
réaction.

— Il a changé d'avis en découvrant qu'elle comptait parmi ses ancêtres une princesse byzantine. Quelle folie... Le roi de Naples est furieux.

— Catherine n'est pourtant pas de sang noble. Ses parents sont des marchands.

— Des marchands qui possèdent les plus belles terres de l'île et envers lesquels Jacques est endetté. Peut-être n'est-il pas si fou que cela : c'est une décision très sage, voire rusée, bien qu'il s'en défende.

— Comment cela ?

— Il prétend être tombé amoureux d'un portrait de Catherine que lui a montré Andrea Cornaro, l'administrateur du patrimoine familial à Chypre. Il affirme même qu'il la connaît déjà. Une autre de ses folies.

« Pas forcément », pensa la bénédictine. Contrairement à l'émissaire du doge, le roi avait manifestement lu Platon. D'après le philosophe, la connaissance n'est autre que la réminiscence des idées que l'âme a oubliées.

— Poursuivez, monsieur, je vous en prie.

— Malgré ses excentricités, Jacques n'est pas sans vertus : c'est un vrai chevalier pétri de courage. Lorsque les Turcs attaquèrent Negroponte, il se joignit à notre flotte, fermement déterminé à livrer bataille. Seuls les ordres de Nicolò da Canal, notre capitaine général, l'empêchèrent de se précipiter vers une mort certaine. Les Turcs étaient trop nombreux, et les vents contraires.

— Ainsi l'île fut-elle perdue, et ses habitants massacrés, l'interrompit l'abbesse.

« Et mon oncle, brûlait-elle d'ajouter, le gouverneur Paolo Erizzo, qui négocia la capitulation, fut scié vivant sur la place publique. » Du reste, tout le monde le savait. Le Vénitien posa sa coupe de rossolis et respecta quelques secondes de silence.

La sœur caressa doucement la tête du singe.

— J'ai entendu dire que Pietro Mocenigo partageait l'avis du roi. Il s'apprêterait d'ailleurs à remplacer Nicolò da Canal à la capitainerie du Levant.

— En supposant qu'il accepte, révérende mère, en supposant qu'il accepte. À l'instar de Jacques, Mocenigo est un homme bizarre. Pardonnez-moi, mais il se fait tard.

Le gentilhomme déposa un coffret sur la table.

— Voici le gage de fiançailles du roi. Le doge a insisté pour que je vous le remette en personne.

L'abbesse eut le souffle coupé en découvrant le contenu de l'écrin : un rang de perles parfaites, de grosse taille et d'un blanc éclatant, miroitait sur le velours cramoisi.

— Je n'ai jamais rien vu d'aussi beau.

— Elles appartenaient à la petite-fille du dernier empereur de Byzance, la belle-mère de Jacques. Son ambassadeur, Filippo Mistabel, est en route pour Venise avec le contrat de mariage. Si tout se déroule comme prévu – autrement dit, si le roi ne change pas encore d'avis –, la cérémonie sera célébrée l'été prochain.

— L'été prochain, répéta à mi-voix la religieuse.

Elle se leva et accompagna les visiteurs jusqu'à la porte. Le plus jeune n'avait pas pipé mot ; il était resté poliment debout dans un coin, écoutant attentivement la conversation. L'abbesse sourit avec satisfaction. Francesco Giustinian. Dix-sept ans plus tôt, elle avait été sa marraine de baptême ; depuis, elle suivait de loin chacun de ses pas. Elle savait notamment que Pietro Mocenigo l'avait nommé officier dans la flotte du Levant.

Tirant un grand coup sur la chaînette, le singe se libéra de son collier et s'élança en criant à la poursuite des deux étrangers.

La cloche sonnait quand Agnese Vendramin alluma la lampe du dortoir.

— Catherine, décide-toi… C'est ce soir ou jamais.

— J'ai peur.

— Sottises ! On va s'amuser. J'ai donné une pièce d'argent à la Grecque. Elle nous attend.

Catherine frissonna. La flamme de la chandelle projetait de longues ombres sur les parois dépouillées du dortoir humide. Le lendemain, la jeune fille abandonnerait le couvent pour toujours – ce qui la désolait, au fond, surtout pour Agnese qui n'aurait plus personne avec qui lire en cachette, tard la nuit. Pour Catherine, Agnese Vendramin était la meilleure amie dont on pouvait rêver. Elle n'avait que deux défauts : sa santé fragile et sa manie des démoneries. Une manie héréditaire, d'ailleurs. Ses lectures se résumaient aux livres sur la sorcellerie que lui fournissait sa tante Elisabetta à l'occasion de ses visites. Elisabetta était une grande dame qui se teignait les cheveux en rouge, selon la mode, et portait en toute occasion brocarts et bijoux. La mère supérieure l'estimait à tel point que, sur sa simple suggestion, elle avait engagé la Grecque en tant que servante personnelle. Comment s'étonner que celle-ci se fût révélée sorcière ?

— Allez, viens, dit Agnese en lui jetant une pèlerine.

Elle sortit pieds nus de la salle. Dans le couloir, elle s'arrêta net.

— J'entends les piétinements du singe… Prends garde, il pourrait te sauter dessus. Reste près de moi et il ne t'arrivera rien.

Catherine gonfla les joues et souffla.

— Les singes ne bondissent pas sur les gens. Et d'abord, je n'entends rien du tout. Dépêchons-nous, j'ai froid.

Elles grimpèrent un escalier en colimaçon jusqu'à la chambre de bonne. La cloche retentit à nouveau.

— Entrez, vous êtes en retard, fit une voix à l'intérieur.

La pièce exiguë était plongée dans une obscurité quasi totale, à part deux chandelles rouges disposées par terre au centre d'un cercle. La Grecque tenait entre ses mains un miroir au cadre en bois doré, qui semblait tellement vieux que l'or avait noirci. Des faunes aux sabots de chèvres étaient sculptés sur les poignées.

— Asseyez-vous au milieu du cercle. Il nous reste peu de temps. Gare à nous laisser surprendre par l'aube !

Dehors, il avait commencé à pleuvoir. Catherine s'étonna du froid mordant qui régnait entre ces murs. La Grecque s'agenouilla et, sans lâcher le miroir, se mit à murmurer une litanie.

— Maître suprême, stérile et glacé, pernicieux, impénétrable et solitaire… Je t'invoque, ô toi, le Malin, l'Ancien, le Prince de tout mensonge. Je t'invoque, ô Dieu à la splendeur inégalée. Viens, montre-toi devant nous…

Bercée par les mots de l'incantatrice, Catherine ferma les yeux, en proie à des sensations contradictoires de frayeur et de honte face à sa propre bêtise. Elle eut l'impression que la voix de la Grecque avait changé. Son visage aussi, dont l'expression bovine avait cédé la place à un mélange de fourberie et de malveillance qui rendait ses traits méconnaissables.

— Donnez-moi un objet qui vous appartient.

Agnese lui tendit promptement les boucles d'oreilles en turquoise, un cadeau de Noël du père de Catherine pour sa fille. La Grecque reprit la parole.

— Je vois une île. Une mer à la surface bleue comme ces turquoises et aux profondeurs ténébreuses. Je vois des temples engloutis, des démons qui errent sans trouver la paix. Mais voilà que l'eau se transforme en sang et déferle sur la terre… C'est

23

le sang qui nourrit les vignes, les fruits et les cèdres qui la recouvrent. L'île attire le sang comme le miel les abeilles, oh, elle dissimule bien le mal qui la ronge... Un mal ancien, sans remède. La divinité aux pieds de bouc est le maître de l'île. Dionysos. Regardez.

La femme souleva le miroir. Catherine s'en empara, les mains tellement engourdies qu'elles lui paraissaient détachées du reste de son corps.

— Voyez, c'est Dionysos. Dorénavant, il sera votre maître à vous aussi... Portez une pierre rouge au doigt, rouge sang.

Catherine fixa le miroir. Au début, elle ne vit rien : il était lisse et sombre comme une flaque d'eau. Puis, une forme fluide se dessina à sa surface. Cela ne dura qu'un instant, juste assez pour que Catherine soit certaine de l'avoir aperçue. Elle lâcha brusquement la glace, qui se brisa en mille morceaux sur le plancher. La Grecque se couvrit le visage à deux mains. Seul le crépitement de la pluie sur le toit troublait le silence. Catherine était paralysée. Le froid... Le froid : elle ne sentait rien d'autre, ne pensait à rien d'autre.

— Vous avez cassé le miroir ! Vous êtes maudite : vous vivrez dans la solitude, stérile comme le dieu que vous avez invoqué. Quant à moi, je mourrai – et vous aussi, Agnese Vendramin, vous mourrez pour l'avoir emmenée ici.

Derrière les vitres sales de la petite chambre, le ciel s'éclaircissait. La Grecque se leva. Débarrassé de toute trace de malice, son visage avait retrouvé son air obtus coutumier.

— C'est l'heure, je dois aller chez l'abbesse. Adieu.

Agnese entraîna Catherine par la main. Elles rebroussèrent chemin vers le dortoir. Soudain, un cri strident déchira la quiétude absolue qui précédait l'aube. Le singe riait.

L'écho du tonnerre fit trembler les poutres peintes du palais Cornaro ; Filippo Mistabel, ambassadeur du roi de Chypre, n'y prêta pas attention. Le retard de Catherine le tracassait. Elle aurait dû arriver de Padoue depuis plusieurs heures. Il ouvrit l'écrin et en tira une bague sertie d'un rubis.

— La bague de fiançailles. Elle appartenait au premier des Lusignan, le Croisé français qui conquit l'île.

Marco Cornaro, le père de la mariée, prit l'anneau. Des serpents en or étaient lovés autour de la pierre d'un rouge sang très pur – bien que d'un goût barbare, c'était indéniablement un bijou de grande valeur, comme tous ceux contenus dans la boîte. Il le passa à sa femme Fiorenza.

— Vous remercierez le roi de sa générosité. C'est une pièce magnifique.

« Et ce qui serait encore plus magnifique, conclut-il intérieurement, ce serait de fixer la date des noces. »

— En ce moment, c'est la saison idéale pour prendre la mer.

Mistabel fit la sourde oreille.

— Comme je vous le disais, la bague appartenait à Guy de Lusignan, chevalier favori de Richard Cœur de Lion. La légende raconte qu'il éloigne le mal. Et maintenant, voici le dernier cadeau du roi.

Il déroula sur le tapis une robe en soie vert-de-mer superbement brodée.

— La robe de mariée de mademoiselle Catherine.

— Permettez-moi de la montrer à mes deux fils, demanda Fiorenza, admirative.

Un instant plus tard, Alvise et Giorgio furent introduits dans la pièce. Mistabel les observa de près, ravi qu'ils aient détourné la conversation du sujet du mariage. Alvise était un garçon blond d'une douzaine d'années, grand et robuste, avec des yeux d'un bleu intense qui, à en juger par le portrait, ressemblaient à ceux de sa sœur ; Giorgio, en revanche, était un bambin vif et grassouillet, brun comme sa mère, qui se précipita aussitôt sur le coffret et en éparpilla le contenu sur le tapis. De ses doigts boudinés, il agrippa le collier du souverain croisé et le passa autour de son cou, sous le regard indulgent de ses parents et celui préoccupé de Mistabel. L'aîné, quant à lui, étudiait les dentelles de la robe.

— Une prière en grec. Curieux.

— Vous lisez le grec ancien, monsieur ? s'étonna Mistabel.

Lui-même le comprenait, naturellement, mais il n'était pas près de traduire le sens de la prière. Les Cornaro n'auraient pas apprécié.

— Alvise est destiné à une carrière ecclésiastique, expliqua Marco. À Rome, la pratique du grec est à son apogée. Le pape…

Un roulement de tonnerre couvrit sa voix et fit de nouveau trembler la charpente. Un éclair zébra le ciel. C'est alors que la porte s'ouvrit d'un coup pour laisser entrer une créature monstrueuse : une naine bossue et difforme, avec une tête énorme plantée sur un corps rachitique, qui apportait un plateau de biscuits. Mistabel s'écarta de son chemin.

— J'en veux, j'en veux ! s'écria Giorgio en laissant tomber le collier.

— Goûtez donc aux biscuits de Giacinta, monsieur Mistabel. Vous m'en direz des nouvelles. Giacinta est la naine de Catherine, elle l'accompagnera à Chypre.

— Mais…, objecta faiblement l'ambassadeur.

Les mots restèrent bloqués dans sa gorge quand apparut sur le seuil une autre créature, l'une des plus belles qu'il eût jamais vues. Élancée, gracile, une cascade de cheveux blond miel, et cette bouche, ces yeux… Ah, ces yeux ! Bleus comme les pervenches dans les cols de Nicosie. Les yeux d'une sirène. Elle portait un rang de perles autour du cou. Les perles d'Hélène, la petite-fille de l'empereur de Byzance, offertes par Jacques pour les fiançailles. Il s'agissait donc de Catherine. Mistabel, sous le charme, la regarda s'approcher avec la grâce d'une danseuse.

— Catherine ! dit son père en écartant les bras.

Ses frères coururent vers elle et dame Fiorenza, qui n'avait jusque-là cessé de broder, leva la tête pour lui envoyer un baiser.

— Catherine !

On aurait dit que la pièce s'était soudain éclairée, que les murs avaient trouvé un éclat nouveau, le tapis persan des couleurs ravivées. Même les nuages dans le ciel semblaient plus blancs et lumineux. Tel est le « pouvoir de la beauté », songea Mistabel.

L'horrible naine s'avançait avec des biscuits lorsqu'un chat bondit sur le tapis ; Giorgio l'attrapa par la queue et le plateau de Giacinta se renversa sur la robe de mariée. Alvise en profita pour arracher le collier à son frère et le mettre à son tour. Catherine prit les garçons par la main et tous trois se mirent à danser dans la chambre. Mistabel se rendit compte que personne ne se souciait plus de lui. Enfin, Catherine s'arrêta et le remarqua.

— Monseigneur, je ne vous attendais pas aussi tôt.

— C'est une saison propice aux voyages en mer, mademoiselle. Et le roi est un homme impatient.

En réalité, Jacques s'était contenté de lui confier l'écrin et le contrat de mariage. « Et la date ? » lui avait demandé Mistabel. Le roi lui avait tourné le dos sans répondre, reportant son attention sur son nouveau cheval. S'il n'avait pas été son précepteur et ne le connaissait pas aussi bien, Mistabel l'aurait pris pour un fou : après avoir concédé aux Vénitiens tout ce qu'ils avaient souhaité – le droit d'occuper le port de Famagouste et les forteresses de l'île –, n'avait-il pas intérêt à avancer son mariage avec Catherine, et ainsi, effacer ses dettes ? Peut-être que le responsable de cette indolence était son secrétaire particulier, Rizzo da Marino, qui ne le quittait jamais.

« Pensez-y à deux fois, majesté, je vous en conjure, insistait-il d'un ton faux et geignard. La nièce du roi de Naples vous apportera une dot comparable à la Cornaro. Et c'est une princesse ! »

Mais Jacques s'obstinait : « Sa mère était byzantine. Je refuse que mes enfants aient du sang byzantin. »

Rizzo et Mistabel savaient mieux que quiconque qu'il n'en démordrait pas.

Marco Cornaro était en train de remplir les précieux calices de Murano qui attendaient sur la table depuis le début de l'après-midi.

— Trinquons au mariage. À la santé du roi et de Catherine ! Une reine vénitienne !

Le tintement des verres se mêla aux derniers roulements du tonnerre. Le ciel s'ouvrait aux teintes d'un arc-en-ciel. Mistabel goûta le vin : le cru des Templiers, les meilleures vignes de Chypre, qui mouraient malheureusement à petit feu.

Il admira la robe du vin, chaude comme la peau de Catherine. Un rayon de soleil tomba sur ses cheveux encore humides de pluie. Une sirène à peine sortie des flots. L'ambassadeur savoura lentement sa dernière gorgée. « Je vieillis, je me laisse trop facilement émouvoir par la beauté. »

Il ramassa la robe vert-de-mer pour la reposer soigneusement dans son coffre. Mieux valait ne pas laisser à Alvise le temps de déchiffrer le texte en grec ancien, un hymne à Aphrodite aussi sensuel que sacrilège. C'était Hélène, petite-fille de l'empereur et belle-mère de Jacques, qui l'avait fait broder. Une église sonnait les vêpres. « C'est l'heure de prier », pensa Mistabel. Ce soir-là, il prierait pour le roi. « Le mal est tellement puissant, et nos efforts pour le refouler tellement dérisoires et pathétiques... » Inclinant le buste pour prendre congé, il sentit que Catherine le fixait.

— Quand partons-nous, monsieur ?
— Le plus tôt possible. À bord de la flotte du capitaine général Mocenigo qui va bientôt appareiller pour le Levant.

La nuit était déjà bien entamée lorsque Mistabel se décida à écrire au roi.

« *Majesté,*
Aujourd'hui, j'ai enfin rencontré Catherine.
J'ignore si elle ressemble à son portrait, mais je peux vous assurer qu'elle est ravissante. Vous me trouverez peut-être risible si je vous dis qu'elle m'est apparue telle une sirène. Je préfère ne pas vous la décrire, afin de ne pas vous gâcher le plaisir de l'attente. Tout est prêt pour notre départ – tout, sauf le nouveau capitaine général, Pietro Mocenigo. Vous vous souvenez certainement de lui, à Negroponte. Il n'a pas changé. Il refuse d'accueillir une femme sur son vaisseau amiral, ce dont il n'a pas hésité à faire part au doge lui-même. »

Mistabel déposa sa plume. Il aurait souhaité écrire une lettre bien différente, dans une autre langue que le français. Seul le grec pouvait communiquer ce qu'il ressentait à ce moment-là. La joie, la colère et la jalousie. Joie face à la beauté de Catherine, jalousie envers le roi, et colère car pas même une sirène ne saurait rendre Jacques heureux.

— Dehors ! ordonna-t-il au domestique qui venait d'apparaître sur le pas de la porte.

— Vraiment, vous refusez de me recevoir, monsieur l'ambassadeur ?

— Excellence, fit Mistabel en se levant précipitamment. Capitaine général, je ne m'attendais pas à votre visite. Quel honneur.

— Que de formalités, cher Mistabel.

Pietro Mocenigo donna son manteau au serviteur. Son regard passa du crâne chauve de Mistabel à la lettre et à la chandelle presque consumée.

— Vous travaillez toujours trop pour notre roi.

— J'ai de l'affection pour lui. J'étais son précepteur.

Pietro s'approcha de la fenêtre et regarda le canal plongé dans l'obscurité. Le silence se prolongea un instant.

— Les mosaïques dans la chapelle de votre palais sont-elles achevées ? demanda finalement Mistabel.

— Pas encore. Un nouvel artiste est arrivé de Constantinople, où il ne pouvait plus travailler puisque la religion des Turcs ne tolère aucune représentation sacrée.

— Mosaïques et navires de guerre. Vous nourrissez des passions singulières, capitaine.

À la lueur de la chandelle qui s'éteignait, il observa Mocenigo, son visage long et sec, bruni par le soleil, ses cheveux blonds, les quelques rides qui lui creusaient le front, son corps sec et agile. Ce qui l'attirait surtout, c'étaient les yeux du capitaine, clairs comme ceux d'un enfant, glacés comme ceux d'un guerrier. Fidèle à son habitude, Pietro était habillé de manière négligée : chemise de lin, vareuse et bottes en cuir, sans breloques ni fioritures. À Venise, on disait que ce style participait de sa superbe : un Mocenigo n'a pas besoin de soieries et de bijoux en or pour être important. Mistabel, lui, pensait surtout que Pietro se moquait éperdument de la mode.

— Je l'expédierai à Chypre demain par un caïque des Cornaro, dit-il en indiquant la missive sur le bureau.

— Autant la remettre à Jacques en mains propres, ma flotte arrivera la première. Je suis venu capituler : j'accepte de conduire mademoiselle Catherine à Chypre. Je n'ai pas le choix, si je veux devenir capitaine général.

Mistabel sourit. Mocenigo était trop jeune pour une telle fonction, mais, après Negroponte, nul ne la méritait plus que lui.

— Jacques sera heureux de l'entendre. Vous êtes l'un des rares Vénitiens qu'il apprécie.

Le regard de Pietro était perdu dans les ténèbres au-delà de la vitre.

— Nicolò da Canal a été condamné à l'exil pour manquement à l'honneur, mais il avait peut-être raison. Les vents étaient contraires, et les Turcs tellement plus nombreux...

— Vous vouliez pourtant combattre, tout comme le roi.

— Oui, mais je n'étais pas capitaine général.

Pietro s'écarta brusquement de la fenêtre. Dans la nuit, il avait l'impression d'entendre les suppliques des assiégés.

— Nicolò da Canal est innocent, poursuivit-il. Les coupables, ce sont les sénateurs vénitiens : s'ils lui avaient accordé plus de soldats et de canons, Negroponte ne serait pas tombée aux mains des Turcs. Et si le roi et moi avions attaqué nos ennemis, nous serions morts ce jour-là.

— Au lieu de quoi vous avez obtenu la capitainerie générale, et Jacques s'apprête à épouser l'une des femmes les plus belles et riches de Venise, tandis que Nicolò da Canal doit vivre en exil. Ainsi vont les choses en ce bas monde.

Mistabel apposa son sceau sur la lettre. L'air soudain épuisé, Pietro s'assit face à lui.

— Comment est Catherine Cornaro, physiquement ?

— Est-ce important ?

— Faites en sorte qu'elle sorte le moins possible de sa cabine. Qu'elle ne vienne pas distraire mon équipage. En haute mer, la moindre distraction peut se révéler fatale.

Mistabel acquiesça. Mocenigo nourrissait une piètre opinion des femmes. Il s'était marié, jadis, pour obéir à son père. Après la mort de son épouse en couches, suivie par celle de leur fille un mois plus tard, il avait fermement décidé de rester célibataire.

Tous le croyaient incapable de sentiments, mais on disait la même chose du roi, et Mistabel savait que c'était faux. Jacques et Pietro Mocenigo se ressemblaient beaucoup.

— Vous rencontrerez Catherine très bientôt. Peut-être saura-t-elle vous étonner.

Lido de Venise, été 1472

Il faisait une chaleur étouffante. Vêtue d'une lourde robe damassée à losanges d'or, Catherine se sentait défaillir. Le collier du roi croisé lui pesait tel un rocher. Mais le luxe, avait déclaré son père, était parfois une obligation. Une foule considérable s'était en effet rassemblée sur le Lido pour assister au départ. Les gens se pressaient de toutes parts contre le cordon de sécurité : ce n'était pas tous les jours qu'on voyait une jeune fille vénitienne partir vers l'est pour épouser un roi. Le clocher sonna douze coups, Pietro Mocenigo ne se montrait toujours pas.

À l'ombre d'un large baldaquin rouge, le doge murmura quelques mots à l'oreille d'Antonio Bragadin, ambassadeur de la République à Chypre. Appareillés et lustrés, les navires – le vaisseau amiral et deux escortes plus légères – tanguaient paresseusement sous le soleil. Le reste de la flotte les suivrait quelques jours plus tard, à peine terminés les nouveaux canons en construction à l'arsenal. Les marins se tenaient au garde-à-vous sur le pont, immobiles. Tout le monde attendait. Bragadin, un homme chauve et replet, commençait à transpirer copieusement. Il pestait entre ses dents. Bien qu'il s'efforçât de le cacher, en bon diplomate, il était d'humeur exécrable : l'idée de passer au minimum un mois à bord de la galère de Mocenigo ne lui plaisait guère – pas plus que ne lui plaisaient les silences et l'impolitesse du capitaine, sans oublier son mépris pour la bonne chère. Il tenta de se consoler en pensant à sa nièce Maria, qui l'attendait dans leur vaste maison de campagne près de Famagouste. Dès son retour, il s'attellerait à lui trouver un mari : depuis qu'il avait négocié clause par clause avec Mistabel le contrat de noces de Catherine, il se considérait expert en la matière. Mocenigo daigna enfin paraître sur le quai. Il s'approcha du baldaquin, où il s'inclina devant le doge avant d'adresser un salut rapide à la voiture des Cornaro.

— Son excellence, une partie de nos denrées alimentaires était périmée. Nous avons dû les remplacer. Avec votre permission, nous sommes désormais prêts à lever l'ancre.

Le doge opina en souriant, Bragadin en ressentit une pointe de jalousie. Incroyable : à peine quelques jours plus tôt, Mocenigo avait osé lui dire en face que son devoir était de lutter contre les Turcs, pas de chaperonner une future mariée. Au lieu de le jeter dans la prison du palais ducal, le doge lui avait confié le commandement général de la flotte. Et voilà qu'après l'avoir attendu des heures dans cette canicule, il lui souriait. Sans se faire remarquer, Catherine descendit du fiacre ; derrière elle, l'horrible naine et ses deux frères. Pendant qu'Alvise, l'aîné, poussait des sanglots désespérés, Giorgio alla tirer sur le manteau du capitaine.

— Excellence, pouvons-nous ramener ma sœur à la maison, maintenant ? Nous sommes fatigués.

Bragadin, Mistabel et les autres notables le fixèrent avec stupéfaction. Un enfant qui se permettait d'interpeller le capitaine général, et ce en présence du doge ! Comment les Cornaro avaient-ils donc élevé leur progéniture ? Et Catherine ? Tous les regards étaient tournés vers Mocenigo. Étonnamment, il sourit. Toute dureté disparut de son visage, ses yeux se firent aussi doux et limpides que ceux du garçon.

— Je ne peux pas ramener ta sœur à la maison. C'est toi qui, un jour, viendras la voir à Chypre.

Giorgio se mit à sautiller sur place, faisant trembler les planches de la jetée.

— Pour de vrai, monsieur le capitaine général ? Pour de vrai ?

La foule se pressait de plus en plus compacte contre les gardes. Chacun voulait saluer Pietro Mocenigo, adresser ne fût-ce qu'un mot au héros de Negroponte. Personne ne prêtait plus attention à Catherine, qui blêmissait à vue d'œil. Le doge s'avança vers le vaisseau amiral, le baldaquin se déplaçant avec lui. L'heure était venue. Marco Cornaro prit sa fille par les épaules, Fiorenza descendit du fiacre en pleurant, les enfants s'accrochaient à la robe damassée.

Catherine ne parvenait pas à s'arracher à sa famille. « Je vais m'évanouir », pensa-t-elle, les paupières closes. Elle sentit alors un bras qui la soutenait, accompagné par une voix grave et rassurante.

— Gardez les yeux fermés jusqu'à ce que je vous dise de les rouvrir.

Se cramponnant à ce bras, Catherine monta à bord.

Quand elle rouvrit les yeux, le Lido, déjà lointain, se réduisait à une poignée de maisons blanches, de clochers et de tours qui ondoyaient tels des mirages. La foule se dispersait. Seul restait sur la jetée le petit Giorgio, se débattant contre la figure noire du père qui le traînait vers la terre ferme. La robe de Catherine lui pesait plus que jamais. Elle peinait à respirer, les larmes coulaient librement sur ses joues. Lâchant son bras, le capitaine s'éloigna. Peu après, un officier la conduisit gentiment à l'ombre d'une voile. Grand, très jeune, il avait les yeux noisette, des cheveux bruns frisés et les joues ombrées de barbe. Catherine espéra qu'il ne l'avait pas vue pleurer.

— Je m'appelle Francesco Giustinian, mademoiselle. Je suis le second capitaine du navire. Si vous avez besoin de quoi que ce soit, faites-le-moi savoir.

« J'aurais besoin que le bateau arrête de rouler, de prendre un bain parfumé, et de dormir chez moi, dans mon lit », songea Catherine. Mais elle esquissa un demi-sourire.

— Je vous remercie.

Une lame plus forte que les autres frappa la coque et une gerbe d'eau éclaboussa le pont. Catherine trébucha et serait tombée si Giustinian ne l'avait pas promptement retenue.

— C'est le grand large. Vous sentez le vent ? Le mistral. N'est-ce pas merveilleux ?

Catherine considéra sa belle robe trempée, sa coiffe qui s'était envolée, ses cheveux ruisselant d'eau salée.

— Merveilleux, oui.

Giustinian s'esclaffa et, bientôt, tous deux éclatèrent de rire, fouettés par le vent et les embruns.

— La marée monte. Pas de quoi s'inquiéter. Je dois aller prendre mes ordres.

Le bateau houlait de plus en plus. Catherine avait l'impression que le ciel, la mer et le soleil lui tourbillonnaient autour.

— Merveilleux, répéta-t-elle juste avant de s'évanouir.

Par la grande fenêtre qui dominait le port, Jacques contemplait la mer qui rougeoyait dans le crépuscule. C'était son heure préférée, celle où les derniers rayons traversaient les rideaux couleur crème ; privés de l'éclat violent du jour, ils nimbaient d'une lueur délicate ses objets favoris : une icône qui appartenait à l'empereur de Byzance, des coupes en or probablement ramenées de pillages en Terre sainte, des tapisseries françaises, un tapis persan, des vases de Murano pleins de roses rouges, et enfin, plus précieuse que tout le reste, son épée. L'épée des Lusignan.

« Elle te protégera du mal. » Il crut presque entendre la voix du grand maître de Rhodes, le jour où il était devenu chevalier. Il lui arrivait de converser avec des gens absents comme s'ils étaient là devant lui. Il en venait parfois à douter de sa santé mentale, mais frère Guglielmo, son confesseur, affirmait que c'était sa conscience qui lui parlait.

L'ambassadeur aragonais Fabricies de Rocas venait de partir. Jacques était épuisé. Toujours la même rengaine : « Pourquoi épouser la fille d'un commerçant au lieu de la princesse Sofia, la nièce du roi de Naples ? » « Parce qu'elle a du sang byzantin. » « Et alors ? »

L'ambassadeur était assommant de béotisme. Perdant patience, Jacques avait fini par le congédier sèchement. À présent, de Rocas allait envoyer son épouse, la séduisante Anna, pour lui extirper la vérité. La vérité. Le roi caressa la garde cruciforme de l'épée. Elle s'adaptait parfaitement à sa main.

La vérité.

« Jure d'honorer les trois vertus du chevalier : foi, courage et miséricorde. » À nouveau le grand maître, pendant qu'il bénissait Jacques. La croix écarlate sur sa tunique gonflait comme un poumon s'emplissant d'air.

— Suffit, grommela Jacques. Assez !

Le grand maître l'ignora. « Et surtout, mon fils, rappelle-toi ceci : tu ne dois jamais mentir. »

Le soleil avait disparu derrière l'horizon, les dernières barques de pêcheurs quittaient le port. À cette heure-là, sa belle-mère Hélène venait souvent le rejoindre à la fenêtre. Elle lui parlait de sa voix grave et rauque, lui décrivant les coupoles en or des cent églises de Constantinople, les mosaïques en or du palais impérial, les voiles dorées des galères déployées dans le vent.

Elle continuait à parler jusqu'à ce que Jacques eût l'impression de voir, à la place des bateaux de pêche, l'océan de roses rouges des jardins de l'empereur, et même d'en sentir la fragrance. Il avait fait planter ces roses dans les jardins de Famagouste, mais Hélène disait qu'elles n'égaleraient jamais celles de Constantinople.

Il tenta de se ressaisir : les jardins de Byzance n'existaient plus, et le croissant de lune rouge des Turcs avait remplacé les voiles dorées. L'empereur était mort, Hélène aussi. Il perçut un bruit de pas léger derrière lui. Le roi n'eut pas besoin de se retourner. Il l'avait reconnue à son parfum.

— Vous êtes en retard, ce soir.

— Fabricies vous a accaparé trop longtemps.

Anna de Rocas prit une grappe de raisin sur un plateau et l'offrit au roi. Il mordit un grain, elle l'embrassa dans le cou ; son parfum capiteux eut tôt fait de chasser la mélancolie de Jacques.

— Le portrait de la Vénitienne, susurra Anna. Montrez-le-moi.

S'écartant de lui, elle s'approcha de la toile, posée sur un chevalet dans la lumière. Elle l'examina pendant un bon moment, laissant Jacques savourer le désir et l'attente. Elle défit ensuite les lacets de son corset et ôta son peigne d'ivoire. Noirs comme les ailes d'un corbeau, ses cheveux lourds lui tombèrent sur la poitrine.

— Anna, Anna...

Le roi enfouit le visage dans cette chevelure si semblable à celle d'Hélène. « Non, pensa-t-il, pas maintenant. » Les lèvres d'Anna avaient un goût de raisin. Son parfum enveloppait tout.

— Demain, je vais chasser dans la montagne. M'accompagnerez-vous ?

Pour toute réponse, Anna le mordit. Tel était son tempérament : Catalane, elle ne se laissait dominer par personne, pas même un roi, pas même pendant qu'il la possédait. Quand il eut fini, elle s'enroula dans son châle sans prendre la peine de resserrer son corset, et disparut. Elle n'avait pas prononcé un mot. La passion est une étrangère.

Chaque fois que Jacques avait cherché à l'interroger sur ses sentiments, ses rêves, ses souhaits, il s'était heurté à son mutisme. Peut-être ne l'aurait-il pas désirée si intensément si elle avait répondu.

Les pleurs des goélands percèrent le silence. Le portrait de Catherine le fixait de ses yeux d'azur, comme pour lui dire quelque chose. Lui dire quoi ? Qu'il avait vidé son calice trop vite, que ce qui restait ne suffirait pas à étancher sa soif ? Non, c'étaient là des paroles de trouvère. Il se pencha sur la toile, œuvre d'un peintre médiocre : le père de Catherine ne comprenait rien à l'art. Puis, à nouveau, cette étrange sensation qu'il la connaissait

déjà. Aimer, c'est se reconnaître. Encore Platon...
Quelle ineptie.

— Majesté.

Onofrio de Resquens, le grand chambellan, se
tenait sur le pas de la porte. Le roi réprima un geste
d'agacement. Un autre Catalan. Sa cour en accueillait décidément trop.

— Pour quelle heure dois-je faire préparer les
chevaux pour la chasse ?

— Une heure avant l'aube. J'emmènerai les fauconniers, personne d'autre.

Jacques s'en retourna à la fenêtre. Les goélands
s'étaient posés à l'abri sur les rochers et les pêcheurs
rentraient au port. « Signe de tempête », se dit-il.
Et, soudain, il crut voir le beau visage buriné de
Pietro Mocenigo, faisant face aux flots.

Sur la route de Chypre, été 1472

Pietro Mocenigo s'appuya sur la balustrade du
pont et ferma les yeux ; il n'avait pas dormi depuis
longtemps. La tempête les avait contraints à
changer de cap, ils avaient perdu contact avec les
bateaux d'escorte, et ils ne savaient même pas
exactement où ils se trouvaient. Au large de la Dalmatie, soit, mais à quelle latitude ? Ce n'était pas
le moment de se reposer, décida-t-il – pas avant
d'avoir mieux étudié les cartes et le courant. Il
regarda les nuages d'un blanc sale qui couvraient
l'horizon : après la tempête, calme plat.

« On peut dire que nous n'avons pas eu de
chance », songea-t-il. Vu la masse du navire, les
rameurs seraient bientôt à bout de forces. La fatigue
lui troublait la vue.

— Terre ! Terre !

Pietro se ressaisit. Les contours d'une île se dessinaient dans le brouillard. Elle était très petite,

certainement absente des cartes. Un repaire idéal pour les pirates. Francesco Giustinian arriva derrière lui.

— J'ai inspecté la soute, capitaine. La tempête nous a coûté quasiment tous les tonneaux d'eau potable. Nous n'avons pas le choix : il faut accoster.

Pietro ne répondit pas. Si l'île était vraiment un repaire de pirates, leur vaisseau imposant serait une proie facile en l'absence de vent ; or, sans eau et sans savoir où se situait le port le plus proche, ils étaient obligés de courir le risque.

— Préparez une chaloupe et attendez la nuit pour débarquer. Je me méfie des îles non répertoriées.

Le soleil disparut dans la brume laiteuse, prélude à une nuit sans lune.

Par la fenêtre à la poupe du navire, Mistabel vit le canot de Giustinian s'enfoncer dans les ténèbres. Sans grande conviction, il choisit une carte de tarot dans sa main et la joua.

— Un valet ! Exactement ce que j'attendais, dit Catherine en le ramassant.

Elle venait tout juste d'apprendre les règles et elle gagnait déjà.

— Je n'arrive pas à me concentrer, se plaignit Bragadin en se levant. Il fait trop chaud, la brise est retombée. Je commence à croire que nous n'arriverons jamais à Chypre.

— Oh, vous y arriverez, excellence. Votre bourse sera juste un peu moins pleine, répondit Giacinta, qui tenait les comptes. Trois écus.

— Je n'aime pas cet endroit. Trop calme. Cela m'a tout l'air d'un repaire de pirates, vous ne trouvez pas, Mistabel ?

— Je ne sais pas... À l'heure qu'il est, des pirates auraient déjà attaqué, profitant de la bonace et de l'obscurité.

— Peut-être ont-ils vu nos canons.

— Les forbans utilisent des barques rapides qui ne laissent pas le temps de sortir les canons. Les hommes n'ont pas fini de charger que les pirates sont déjà à bord. Dans cette purée de pois, sans lune, nous ne les verrions même pas approcher.

Antonio Bragadin jeta trois pièces de monnaie sur la table. Il avait perdu tout intérêt pour le jeu.

— Non, dit Mistabel. Vous paierez demain. Ainsi, vous n'aurez même pas à payer si les pirates attaquent. Puisque nous avons une longue nuit devant nous, laissez-moi vous raconter une histoire.

— Oh oui, je vous en prie, s'écria Catherine. J'adore les histoires.

Le Grec sourit malgré lui. Quel homme aurait pu lui refuser quoi que ce soit ? Ce soir-là, elle était particulièrement belle : avec ses cheveux blonds détachés qui ruisselaient sur ses épaules, elle ressemblait plus que jamais à une sirène.

— Ce n'est qu'une légende. La légende d'un chevalier devenu roi. Il y a fort longtemps, tandis qu'ils naviguaient vers la Terre sainte, Richard Cœur de Lion et son armée durent faire escale à Chypre à cause d'une tempête. D'emblée, le monarque fut séduit par les merveilles de l'île : ses plaines couvertes de blé, ses montagnes regorgeant de gibier, ses vignes, ses arbres fruitiers. Il décida d'en chasser les Templiers, les maîtres de l'île. Cependant, la nuit suivant sa victoire, dans le château de Famagouste, il fit un rêve étrange : ce n'était plus de l'eau qui coulait dans les fleuves et les sources de l'île, mais du sang. À l'aube, il convoqua ses capitaines : « Ces terres sont maudites, décréta Richard. Leur beauté est un leurre, tel le chant des sirènes. » Il repartit donc vers la Terre sainte, confiant à l'un de ses chevaliers, Guy de Lusignan, la responsabilité de restituer Chypre aux Templiers. Or, Lusignan désobéit et se fit couronner roi.

— Que se passa-t-il ensuite ?

— Richard fut capturé par Saladin et Guy de Lusignan tua le grand maître des Templiers, s'emparant de l'anneau qu'il portait au doigt. Un rubis capable de repousser les démons...

Malgré la chaleur, Catherine fut soudain prise d'un grand froid. La servante de l'abbesse avait décrit exactement la même chose : une pierre rouge, une île maudite qui suintait de sang... Bragadin éclata de rire.

— Ne vous tracassez pas, mademoiselle. C'est un mythe sans fondement. En réalité, l'île a apporté la fortune à Guy de Lusignan, un obscur cavalier du Poitou, ainsi qu'à nos marchands – y compris les Cornaro.

Il remplit la coupe de la jeune fille.

— Goûtez ce vin produit dans votre fief de Piscopi. La vigne appartenait jadis aux Templiers, mais je suis persuadé que, depuis que les Cornaro l'ont reprise, le cru s'est amélioré.

— Vous faites erreur, le corrigea Mistabel. La vigne des Templiers n'existe plus. Seul le roi possède encore quelques fûts de leur vin.

Catherine vida le calice à petites gorgées : trop fort et trop doux, le vin la requinqua malgré tout. Elle appuya la tête contre le dossier de son fauteuil et, bientôt, bercée par le ressac, elle s'assoupit. À travers le sommeil, elle crut entendre Giacinta qui égrenait son rosaire et Mistabel qui murmurait :

— Le roi déteste le rouge, dites bien à Catherine de ne jamais porter cette bague. Jamais.

Elle se réveilla en sursaut lorsqu'un long sifflement perça le silence.

— Les barques ! Maître Giustinian est de retour !

Catherine monta sur le pont avec les autres. Le soleil pointait à l'horizon, accompagné par la chaleur ; les marins ronchonnaient devant les chaloupes vides.

— Ni eau ni nourriture.

Pâle comme la mort, Giustinian grimpa à bord et s'approcha du capitaine.

— L'île était bel et bien un antre de pirates, mais elle a été abandonnée. Ils sont tous partis ou morts. La peste. Je n'ai trouvé que des rats et un survivant.

Il s'écarta, laissant paraître un petit homme chauve, émacié, que personne n'avait remarqué jusque-là. Barbiche en pointe et tunique blanche, il serrait un coffret en fer sous le bras, comme si c'était un trésor.

— Un Allemand. Il se prétend médecin.

Le bonhomme s'inclina devant Pietro Mocenigo.

— Je m'appelle Sigismond, je viens du Tyrol, dit-il avec un lourd accent étranger. Je vous suis éternellement reconnaissant de m'avoir sauvé, capitaine général. J'étais en route pour le Maroc, où j'allais exercer la médecine dans une école arabe, lorsque les pirates ont pris mon navire d'assaut. Je leur ai expliqué que nous avions un cas de peste à bord, mais ils ont refusé de me croire. L'épidémie s'est propagée, ceux qui le pouvaient se sont enfuis. Malheureusement, ils ne feront qu'étendre la contagion où qu'ils aillent.

— Et vous, comment y avez-vous échappé ?

— J'ai contracté la peste pendant mon enfance et j'en suis guéri. C'est pour cela que j'essayais de soigner le pauvre diable qui l'avait attrapée. Vous devez lever l'ancre sans tarder : les rats savent nager, capitaine. Votre galère est proche de la côte. Par ailleurs, j'aimerais examiner l'eau qu'il vous reste à bord : si elle est en train de croupir, comme me l'a dit votre officier, il faudra la faire bouillir longuement. Sinon, vos hommes aussi tomberont malades.

Le médecin se tut. Tous les marins guettaient la réaction de leur capitaine : c'était la première fois que quelqu'un se permettait de lui donner des instructions sur son propre navire. Mocenigo se contenta de hocher la tête.

— Une dernière chose : si vous le désirez, je peux vous indiquer où nous nous trouvons sur une carte.

Le capitaine acquiesça de nouveau ; il allait parler quand Giustinian s'effondra sur le pont. Catherine se précipita vers lui et glissa une main sous sa nuque. Les yeux vitreux, il poussait des râles d'agonie ; un filet de bave s'écoulait de ses lèvres.

— Ne le touchez pas !

Elle sentit la main de Pietro sur son épaule, cette main qu'elle connaissait déjà, puissante et délicate.

— Ne le touchez pas, il pourrait avoir la peste.

Catherine leva la tête et leurs regards se croisèrent.

— Il a soif. Qu'on m'apporte de l'eau.

Pietro la dévisagea un instant, sans ôter la main. Il avait l'impression de la voir pour la première fois. Le médecin rompit le charme.

— Ce n'est pas la peste. Trop tôt.

Il se pencha sur Francesco pour prendre son pouls.

— Ce n'est qu'un malaise dû à la chaleur, à la fatigue et au jeûne.

Giacinta arriva munie d'un torchon, d'une bassine d'eau et d'une coupelle. Elle rafraîchit le visage du garçon et lui donna à boire. Il rouvrit les yeux.

— De l'eau ? Vite, du vin de Chypre ou je vais mourir !

Puis, contemplant d'un air rêveur les cheveux blonds de Catherine, il ajouta :

— Mais peut-être suis-je déjà au paradis ?

Tout le monde éclata de rire sauf Mocenigo.

— Nous avons perdu assez de temps comme ça. Suivez-moi, dit-il à Sigismond. Allons contrôler les réserves d'eau. Ensuite, vous me montrerez la position de l'île sur la carte. J'ai des calculs à faire.

— Toujours aussi imperturbable, maugréa Bragadin.

Mistabel haussa les épaules.

— Sans bateaux d'escorte, sans eau, sans vent, au large d'une île pestiférée, aimeriez-vous être dans les bottes du capitaine général ?

2

Venise, été 1510

LA JOURNÉE TOUCHAIT À SA FIN. Le cardinal
Orsini se mit à la fenêtre et promena le
regard sur le canal immobile sous un manteau de chaleur. Un homme de grande taille, aux
cheveux grisonnants et au nez aquilin, débarquait
sur les gradins du palais. Giulio le reconnut aussitôt : Philippe de Commynes, l'émissaire du roi de
France. Il était réputé pour sa rigueur et sa fidélité à Louis XII. Giulio secoua la tête – pauvre
Commynes ! Il est difficile de rester fidèle à deux
maîtres : sa conscience et son roi. Le soleil disparut,
laissant une impression de touffeur dans l'air. « Je
hais l'été », songea le cardinal. Les épisodes les plus
douloureuses de sa vie s'étaient tous déroulés en
été : la captivité, l'amour sans espoir, la guerre, la
mort du grand capitaine d'Aragon. Et à présent,
Catherine... Il soupira. Le crucifix incrusté de rubis
glissa sur sa robe. On frappa discrètement à la
porte.

— Entrez, dit-il sans se retourner.

Un valet en livrée bleue et or s'inclina cérémonieusement.

— Monseigneur de Commynes m'a chargé de
vous remettre ce courrier, éminence. C'est une

affaire de la plus haute importance. Il attendra votre réponse jusqu'à l'aube.

Giulio jeta un coup d'œil au rouleau de parchemin, qui portait les sceaux de Louis XII. Rien de surprenant. Le valet tira sa révérence et repartit sans un bruit. Le cardinal alla écarter les courtines du lit. Catherine ouvrit les yeux, sourit. « Les sirènes ne cessent jamais de sourire », pensa Orsini. Même à l'article de la mort, elles ne renonçaient pas à leurs artifices. Il avait tant aimé ce sourire autrefois, ces yeux, ce visage. Et pourtant, ils ne lui avaient jamais paru aussi beaux qu'à présent, ciselés par la souffrance.

— Vous sentez-vous mieux ? Pouvons-nous poursuivre la confession ?

Catherine hocha la tête. Quelque part, dans la quiétude du palais, un clocher sonna les vêpres.

Sur la route de Chypre, été 1472

La cloche du vaisseau amiral du capitaine Mocenigo sonna les vêpres. L'ambassadeur Bragadin termina sa prière, se leva et reprit le contrat de mariage entre Catherine et le roi de Chypre. Il ne se lassait jamais de relire ce chef-d'œuvre de diplomatie. Pendant des mois, il en avait négocié chaque clause, étudiant chaque phrase à la virgule près.

— Parfait, marmonna-t-il.

Ce contrat lui apportait réconfort dans les moments d'abattement. Il le consolait de la chaleur suffocante, de l'inconfort du navire, de la nourriture infecte, et même des manières inacceptables du capitaine général.

Une fois qu'il aurait vu la mariée en personne, le roi n'allait pas s'attarder sur des broutilles, quoi que lui conseillât Mistabel. Ce Grec rusé allait certainement lui suggérer de négocier encore un peu avant de signer, mais Jacques s'en irait chasser en lui laissant la charge de régler les détails pécuniaires. Il avait désespérément besoin d'argent pour ses mercenaires, ses châteaux, sa flotte… Bragadin s'épongea le front. Pas un souffle de vent, seul le bruit lourd et monotone des rames qui plongeaient dans l'eau. Leur rythme faiblissait au fil des heures. Les rameurs n'en pouvaient plus. Afin de les ménager, le médecin Sigismond avait convaincu le capitaine de raccourcir les roulements. La nourriture et l'eau commençaient à se gâter.

— Ambassadeur Bragadin.

— Demoiselle Catherine !

Il bondit maladroitement sur ses pieds. Catherine, flanquée de son horrible naine, venait de franchir le seuil.

— Vous laisseriez-vous tenter par une partie de cartes, monsieur l'ambassadeur ? L'heure du dîner est encore loin.

— Vous appelez cela un dîner ? Tous les soirs, je rêve de ma maison à Piscopi et des gâteaux de ma nièce Marietta. Tenez, j'ai même l'impression d'en fleurer le parfum…

— Ce sont les biscuits de Giacinta, monsieur.

— Des biscuits ?

Son expression se métamorphosa.

— Elle les a préparés pour vous, en soutirant du beurre, du sucre et de la farine au cuistot. J'ignore comment elle a fait, vu que les provisions se font rares.

— Je lui en ai promis quelques-uns, croassa la naine. À lui, et au capitaine général.

Bragadin enfourna un biscuit dans sa bouche : peut-être à cause de la faim, il lui sembla n'avoir jamais rien mangé d'aussi délicieux. Il sourit à la naine.

— Giacinta, ne voudriez-vous pas entrer à mon service, une fois arrivés à Chypre ?

Il s'interrompit brusquement.

— Bon sang ! Vous sentez ? Le vent ! Le vent se lève ! Nous sommes sauvés. Les navires d'escorte auront tôt fait de nous rejoindre avec des vivres et de l'eau, les rameurs pourront enfin se reposer…

Comme pour illustrer ses propos, une bourrasque s'engouffra dans la cabine ; le contrat de noces vola par terre, Catherine se baissa pour le ramasser.

— Le vent, répétait l'ambassadeur. Une semaine, pas plus, et nous atteindrons Chypre.

Catherine commença à lire. Mistabel entra à son tour. Il discutait à voix basse avec Bragadin quand le capitaine général apparut à l'improviste, suivi par Francesco Giustinian. Celui-ci apportait une bouteille de vin. Giacinta remplit les coupes.

— À propos de ce contrat, monsieur Bragadin…, commença Catherine en déposant le parchemin sur la table.

— Je ne pensais pas que cela vous intéressait, mademoiselle.

— Le roi devait épouser la nièce du roi de Naples, n'est-ce pas ? Êtes-vous certain que les Aragonais lui avaient offert autant d'argent que ma famille ?

Bragadin en resta sans voix. C'était la première fois que l'on mettait en doute ses compétences de diplomate. Il n'avait effectivement pas pris la peine de s'informer sur les propositions de Ferrante de Naples. Son regard tomba sur le jeu de tarots éparpillé sur la table par le vent ; une femme, une femme à la beauté de sirène avait renversé en un instant, tel un château de cartes, ce qu'il estimait être sa plus grande réussite.

« Les sirènes sont trompeuses », pensa-t-il avec amertume. « Les anciens avaient raison. »

Le vent produisait un chuintement incessant, obsédant. Catherine rêvait qu'elle se trouvait dans le jardin du couvent, en train de se promener entre les haies de buis. Le singe de l'abbesse la suivait : à travers la verdure, elle entendait le tintement des clochettes sur son béret. Soudain, un homme apparut devant elle, portant un cimeterre à la garde cruciforme incrustée de rubis ; elle s'aperçut bientôt que les rubis étaient en réalité des gouttes de sang, et que les mains de l'homme, elles aussi, exsudaient du sang. Le vent tourmentait les haies. Le singe poussa un cri et Catherine se réveilla en sursaut, la peau moite de transpiration. Elle alla se laver avec l'eau de la bassine où Giacinta avait versé de l'essence de rose, puis fouilla dans sa malle remplie d'étoffes précieuses, de corsets, de châles et de coiffes jusqu'à y trouver ce qu'elle cherchait : un simple habit de soie blanche et une résille dorée pour discipliner ses cheveux. Le cri du singe continuait à résonner dans son crâne, lancinant comme le sifflement du vent. Elle grimpa sur le pont ; dans les premières lueurs de l'aube, au milieu des vagues écumantes, les dauphins s'ébattaient dans le sillage du navire. Au loin, deux mouettes s'élevèrent dans le ciel.

— Nous n'allons pas tarder à apercevoir la côte, annonça le capitaine, debout derrière Catherine. Notre voyage touche à sa fin.

La jeune femme pivota sur ses talons. Elle ne l'avait pas entendu s'approcher. Pietro Mocenigo l'observait de son regard bleu indéchiffrable.

— N'êtes-vous pas heureuse ?

— Je viens de faire un rêve étrange, capitaine : des rubis qui se transformaient en sang, un homme aux mains couvertes de sang… Je crois qu'il s'agissait du roi. J'aimerais tant que le bateau fasse demi-tour. Je le souhaite de tout mon cœur.

— Jacques est un chevalier. Tous les chevaliers ont du sang sur les mains. Nous avons échappé à la peste et aux pirates ; si nous surmontons la tempête qui s'annonce, il n'y aura plus d'obstacles entre le roi et vous. Les Turcs diraient que vous lui êtes destinée.

— Un contrat de mariage n'a rien à voir avec le destin, capitaine.

Mocenigo fixait les larmes qui striaient les joues de Catherine. Les vagues se brisaient contre la proue en produisant un bruit sourd. Cela raviva en lui les supplices des assiégés de Negroponte et les imprécations de Jacques qui voulait attaquer les Turcs. Le vent qui entraînait les bateaux chrétiens loin des fortifications faisait claquer les voiles avec le même bruit sourd. Reportant son attention sur Catherine, Pietro cueillit son regard. D'un geste délicat, il essuya les larmes avec la paume de sa main, avant de ramener quelques cheveux ébouriffés sous la résille dorée. Cela ne dura qu'un instant, un instant fugace mais d'une douceur infinie.

— Moi aussi, j'aimerais pouvoir faire demi-tour, mademoiselle. Croyez-moi, je le souhaite de tout mon cœur.

Île de Rhodes, été 1472

Giovanni Dolfin, grand maître de l'Ordre de Rhodes, fut brusquement réveillé par la tourmente. Depuis sa forteresse qui dominait la mer, il contempla les nuages qui s'accumulaient sur l'horizon. Vent du sud. Tempête. Le capitaine général Mocenigo avait-il déjà atteint Famagouste avec l'épouse du roi ? Pour quelque obscure raison qu'il ne s'expliquait pas, Dolfin était persuadé que Jacques ne serait jamais marié. Il avait néanmoins fait le bon choix : sans le soutien des Vénitiens, il aurait fini par perdre le trône. Aragonais, Catalans, Génois, Turcs : tous convoitaient Chypre. Bien qu'ayant renoncé à ses origines en devenant chevalier de Rhodes, Dolfin était génois et n'affectionnait guère la Sérénissime République de Venise ; cela dit, mieux valait le Lion de Saint-Marc que le croissant rouge du sultan. Le ciel rosissait. L'heure de son entrevue avec Charlotte de Lusignan, la demi-sœur dépossédée de Jacques, approchait. Il soupira. « Les femmes… Quand donc accepteront-elles la réalité ? » Si Charlotte n'avait pas réussi à conserver le trône, c'était à cause de sa faiblesse et de sa bêtise, rien d'autre. Pire, elle avait épousé un homme encore plus idiot qu'elle, le duc de Savoie. Dolfin l'entendait déjà se plaindre avec son timbre geignard : Jacques n'était qu'un fils bâtard doublé d'un usurpateur, il fallait défendre la justice et le droit du sang. Comme si la justice existait en ce monde. Charlotte comptait aller en Égypte pour convaincre le sultan de l'aider. La pauvre sotte ignorait que c'était précisément grâce aux mamelouks du sultan que Jacques avait conquis le pouvoir. En contrepartie, l'empereur ottoman recevait un tribut en or annuel, auquel il n'aurait jamais renoncé pour se ranger dans le camp de Charlotte. Les mamelouks… Dolfin tressaillit. Il endossa la tunique blanche ornée d'une grande croix écarlate avant de fixer son épée à la taille. Un parfum pénétrant glissa par l'entrebâillement de la porte. Charlotte était en avance.

— Je vous attendais, madame, dit le grand maître en ouvrant.

— Cela m'étonnerait, répondit la femme dans le couloir en éclatant de rire.

Ce n'était pas Charlotte de Lusignan mais Anna de Rocas, épouse de l'ambassadeur du roi de Naples à Chypre. Dissimulant sa surprise, Dolfin s'effaça pour lui céder le passage.

— J'ignorais que vous étiez à Rhodes, comtesse de Rocas. Vous revoir est toujours un plaisir.

Ce n'était pas une vulgaire flatterie : Anna comptait parmi les plus belles femmes du Levant.

— J'ai décidé de partir le plus tard possible. Vous savez combien je suis superstitieuse. Cette nuit, j'ai rêvé de la Vénitienne, Catherine Cornaro. Un rêve tout sauf agréable.

Elle s'exprimait d'une voix musicale et feutrée ; le grand maître écoutait, les yeux mi-clos.

— À mon réveil, j'ai ressenti le besoin de vous parler.

Dolfin attendit la suite.

— Jacques partage ma couche tous les soirs. Les instants d'abandon sont propices aux confidences...

Le chevalier ne disait toujours rien.

— Oh, mais j'abuse de votre temps. Charlotte est là dehors, je vous retarde.

Anna fit mine de se lever, mais Dolfin la retint par le bras.

— Charlotte est une femme orgueilleuse. Attendre lui fera le plus grand bien.

Il tapa dans ses mains ; deux pages entrèrent aussitôt dans la pièce avec des plateaux chargés de nourriture – viande et poisson salés, fruits, biscuits et bière. Dolfin commença à manger avec appétit. Il devait prendre des forces car il allait passer le reste de la journée en mer. Il appartenait à un ordre guerrier dont la mission, outre la prière, était le combat. Anna plongea les dents dans une portion de gâteau.

— La Vénitienne va tout changer. C'en est fini de mes nuits avec le roi.

— Temporairement. Patience, Jacques se lassera d'elle comme de toutes les autres.

« Mais pas de vous », ajouta-t-il en pensée. Pourquoi ? Il la regarda droit dans les yeux : grands et sombres, splendides, mais vides.

— Le roi est imprévisible. Peut-être que la mariée ne lui plaira pas ; elle est fille de marchands, après tout, et les portraits s'écartent souvent de la réalité… Le roi vous confie-t-il vraiment tout ?

Du revers de la main, Anna essuya les miettes sur sa bouche. Elle avait les lèvres douces et pleines, maquillées d'un rouge carmin.

— Excellence, vous serez le premier à savoir si Catherine lui plaît, si elle lui donne du plaisir, et combien.

S'il ne fit que hocher la tête, Dolfin exultait intérieurement. Anna pouvait lui apporter plus d'informations que tous ses espions. Bien entendu, ces informations avaient un prix. Il resservit un peu de bière à son invitée.

— Qu'attendez-vous de moi, madame ?

— De l'aide, si et quand je vous le demande.

Ses splendides yeux vides se perdirent dans le ciel.

— Air de tempête. La flotte vénitienne risque d'avoir des ennuis.

— Des ennuis ? Vous ne connaissez pas le nouveau capitaine général, Mocenigo. Dites-moi, madame, je suis curieux : quel est votre secret ? Comment faites-vous pour envoûter un homme tel que le roi ?

La comtesse vida lentement sa coupe ; quelques gouttes ambrées s'écoulèrent le long de son cou, jusque dans le vallon de ses seins, quasiment nus dans l'échancrure du corset.

— La même chose qu'avec tous les hommes, excellence : ne jamais poser de questions, ne jamais donner de réponses.

Malgré la fatigue, Pietro Mocenigo n'arrivait pas à s'endormir. L'écho du vent lui brouillait les idées. À peine glissait-il dans un demi-sommeil qu'il croyait sentir entre ses doigts les cheveux soyeux de Catherine aux joues baignées de larmes. Depuis ce matin-là, près de l'île aux pirates, il s'était efforcé de garder ses distances, se répétant que la mer était une amante exigeante qui ne pardonnait aucune distraction. Cela n'avait servi à rien. « La vérité, c'est que certaines choses échappent à notre contrôle, songea-t-il, et surviennent précisément lorsqu'on s'imagine maîtriser sa vie. » Il avait suffi d'une robe en soie légère, d'une chevelure telle l'écume dans le vent, d'une voix étouffée : « J'aimerais tant que le bateau fasse demi-tour... » Le chant d'une sirène, un écho enraciné dans son esprit. Demi-tour... Mais jusqu'où ? Au Lido, où il l'avait aperçue pour la première fois, aveuglé par la réverbération du soleil ? Jusqu'au jour où elle s'était penchée sur Francesco Giustinian, au large de cette île anonyme ? Ou encore, jusqu'à ces périodes de calme plat, lorsqu'ils admiraient la mer en silence, dans la sérénité d'un horizon infini, et que le monde semblait n'être qu'un astre lointain ? Pietro se leva et but une gorgée d'eau. L'expression sur les traits de Catherine, son regard pervenche qui l'observait et semblait tout connaître sur lui, ses silences tellement semblables aux siens... Parfois, un simple coup d'œil ou l'ombre d'un sourire les faisait éclater de rire, comme s'ils s'étaient tout dit. C'était la première fois qu'il éprouvait cela en présence d'une femme. Les voiles claquaient dans le vent qui forcissait. Pietro se ressaisit. Il ne restait plus beaucoup de temps. Il s'empara de la plume et rédigea un court paragraphe pour le journal de bord.

« Août 1472. Orage en provenance du sud. Violent. Avant qu'il se déchaîne, je compte porter la flotte à l'abri dans la baie de Famagouste. » Le bruit des voiles agitées par le vent l'empêchait de se concentrer. « Si seulement je pouvais me retirer

un instant entre les mosaïques de mon palais »,
pensa-t-il. Ces visages hiératiques, tous identiques
et inexpressifs, avaient la faculté d'exorciser son
tourment. Ah, l'énigmatique lueur de l'or, la lueur
à travers laquelle Dieu contemplait le monde !...
Tout à coup, le souffle du vent se tut. Pietro bondit
sur le pont, où Francesco Giustinian était déjà en
train de donner les ordres.

— Nous sommes dans l'œil de la tempête, capitaine général. Le courant nous repousse vers le large.
Les rameurs vont devoir augmenter la cadence au
maximum si nous voulons rejoindre la baie avant
que l'enfer se déchaîne.

Pietro hocha simplement la tête. Francesco anti-
cipait chacune de ses décisions. Il le considérait
comme un fils, voire plus encore, car on ne choisissait pas ses enfants. Des tourbillons de plus en
plus tumultueux s'approchaient inexorablement
de la coque. Le choc des avirons contre les vagues
devint obsédant, l'écho insupportable se reprit à
résonner dans son crâne. Il n'avait pas fermé l'œil
depuis trop longtemps. Soudain, le contour des
bastions rougeâtres du port apparut dans le miroi-
tement des flots. Puis, les ruines blanches d'un
temple. La maison d'Aphrodite. Le battement des
rames s'arrêta. Le voyage était fini.

— Rendons grâces à la Vierge, cria le capitaine
à ses marins.

— Et aux rameurs, excellence, ajouta Sigismond. Ils sont presque morts d'épuisement.

Au milieu des salves de canon, de nombreuses
embarcations parées à la fête s'approchaient du
vaisseau amiral.

— Les courtisans viennent souhaiter la bienvenue à la nouvelle reine, commenta Bragadin en
souriant, accoudé à la balustrade sur le pont.

En réalité, il était inquiet. Il avait beau regarder, il n'apercevait nulle part la silhouette du roi. On pouvait s'attendre à tout avec un homme tel que Jacques, y compris à ce qu'il fût parti chasser avec ses amis français dans quelque lointain château, oubliant complètement son épouse. La galère jeta l'ancre. Les arômes de l'île enveloppèrent Bragadin, qui inspira profondément. Divin parfum, se réjouit-il. Lavande, agrumes, roses et sel marin. Le parfum de Vénus qui lui avait tant manqué.

Catherine apparut sur le pont, suivie par la naine. Elle portait une somptueuse robe blanche à losanges noirs. Le corset découvrait ses épaules à la pâleur laiteuse, et ses seins menus de jeune fille ressemblaient à des roses tout aussi blanches, pensa Bragadin avec un sourire. De quoi ravir n'importe quel homme. Les salves de canon continuaient ; les armoiries rouges des Lusignan flottaient en haut des murailles rousses de la citadelle, et l'on apercevait sur les glacis les gardes en tenue écarlate. Le vent sifflait tandis qu'au large la tempête faisait rage.

Les traits tirés, le capitaine Mocenigo s'approcha :

— Messieurs, il est temps de débarquer.

Une foule immense et compacte s'était rassemblée sur la place du port. Malgré les soldats en uniforme qui ouvraient la voie à coups de fouet, Catherine, le capitaine général, Bragadin et Mistabel peinaient à avancer.

— Les mercenaires estradiots du roi, dit Mistabel par-dessus le vacarme.

Un homme pansu au crâne dégarni les attendait aux portes de la forteresse ; vêtu d'une pesante tunique de brocart, il se hâta vers eux en haletant.

— Onofrio de Resquens, grand chambellan du roi, murmura Mistabel à l'oreille de Catherine. Un Catalan.

Onofrio s'inclina jusqu'à terre.

— Je suis désolé pour ce piteux accueil, messieurs. Vous nous avez pris par surprise, personne ne s'attendait à ce que vos navires atteignent Famagouste dans cette tempête. C'est à peine croyable…

Il s'interrompit pour reprendre son souffle. Debout en retrait, Mocenigo l'étudiait comme un insecte bizarre.

— Les courtisans sont réunis dans la salle d'armes du château. Ayez l'amabilité de me suivre.

Toujours essoufflé, Onofrio les conduisit dans un escalier étroit qui menait à une salle en pierre grise, remplie d'étendards, armes et armures, où se tenait un essaim de dames et de gentilshommes. Ils discutaient vivement dans une langue inconnue tout en consommant des rafraîchissements.

— Les Catalans, marmotta Bragadin. Désormais, il ne reste plus qu'eux à la cour. Ils ont réussi à chasser les vieux nobles français.

Il semblait trouver cela inqualifiable.

Subitement, les voix se turent. L'assistance avait remarqué Catherine. On n'entendait plus que le battement des ailes d'un faucon qui tournoyait lentement devant les fenêtres barrées. Le silence se prolongea.

— Le roi n'est pas là, dit sèchement Mocenigo. Retournons au navire.

À cet instant, la porte s'ouvrit en grand : un homme de belle taille et robuste en heaume et cotte de mailles fendit la petite foule. L'expression de Pietro changea aussitôt.

— Général Tafures.

— Capitaine Mocenigo. Que de temps a passé. Je suis heureux de vous revoir, surtout ici. Vous avez pu constater que la citadelle a été rebâtie, après les mamelouks.

Tafures s'arrêta, comme s'il venait seulement de faire attention à Catherine. Confus, il s'inclina.

— Madame. Je suis le commandant des mercenaires. Certains me surnomment le dogue du roi
car je l'accompagne depuis son enfance.

Le faucon lança un cri perçant. Les courtisans
se mirent à chuchoter.

— Il se fait tard, dit Pietro en saisissant Catherine par le bras.

Il ouvrit la porte avec brusquerie et entraîna la
jeune fille. Sous le ciel qui avait pris une teinte
pourpre, les ombres s'allongeaient sur les murs ; la
nuit allait bientôt tomber. Une silhouette masculine apparut au pied des glacis : grande, mince,
vêtue d'un habit sombre sur une chemise blanche
qui flottait au vent. Il avait un faucon sur le poing
et un limier à ses côtés. À l'improviste, le faucon
s'envola et, fulgurant, fondit sur une colombe
posée sur la muraille. L'ayant capturée entre ses
serres, il s'éleva dans les airs avant de relâcher sa
proie, qui s'écrasa à quelques pas de Catherine ; les
plumes blanches s'éparpillèrent tout autour, dans
une odeur de sang. La jeune fille eut un mouvement de recul, manquant de défaillir. L'homme les
avait presque rejoints : cheveux noirs, une main
blanche qui caressait la garde de son épée – une
garde sertie de rubis. Catherine eut l'impression de
la reconnaître. Le rêve...

Onofrio accourut avec une cohorte de nobles à
sa suite.

— Majesté, balbutia-t-il. Majesté... Nous vous
croyions à la chasse.

La colombe tressaillit et mourut dans un dernier
frémissement d'ailes. Les courtisans se pressèrent
autour en cercle, tel un troupeau de charognards
attirés par le sang.

— Tafures, fit le roi avec un geste de la main.
Qu'ils s'en aillent.

Les charognards battirent en retraite sur le
glacis. Pietro fit un pas en avant, prêt à empoigner

Catherine par le bras, avant de s'arrêter net. « Trop tard, pensa-t-il, trop tard. » Encore une minute et il l'aurait ramenée sur son navire, et ensuite, qui sait ? Demi-tour jusqu'à Venise ? Mais cette minute était passée. Jacques était revenu, Pietro avait accompli sa tâche.

— Capitaine Mocenigo. Bienvenue à Famagouste.

— Je commençais à douter que nous nous revoyions un jour, majesté.

Il avait usé d'un ton cassant, presque insolent. Le roi se contenta de sourire.

— J'ai observé votre approche depuis l'aurore. Vous avez une façon de naviguer incomparable, capitaine Mocenigo.

Tout en parlant, il ne quittait pas Catherine des yeux. Pietro inclina le buste avant de faire volte-face. Il devait s'en aller, et vite. Loin de l'odeur du sang, loin de Catherine.

Tafures ramassa l'oiseau mort et le fourra dans une besace. Avant de la refermer, il considéra les plumes blanches. Présages... Comme tous les Grecs de l'île, Tafures avait appris l'interprétation des signes : son peuple s'y adonnait depuis la nuit des temps. « Et depuis la nuit des temps, se dit-il, les signes n'ont jamais menti. » Il entendit la voix du roi.

— Depuis les hauteurs, la vue est parfaite. Ce matin, vous portiez une robe blanche.

Catherine fit oui de la tête. Jacques s'exprimait avec un accent étrange qui rendait sa voix très douce.

— Pourquoi n'êtes-vous pas venu m'accueillir ? Le capitaine voulait me ramener au navire.

— Oui, il était furibond, je l'ai lu dans ses yeux. En toute franchise, j'avais peur. Votre portrait... Et s'il s'était révélé flatteur ? Il y avait de grandes chances pour que ce soit le cas.

Il éclata de rire. Son chien lui lécha la main.

— Mon brave Zeus. Les chiens savent reconnaître les amis. Dommage qu'il n'en soit pas de même pour les hommes. Aimez-vous les faucons ?

Il approcha l'autour encapuchonné de Catherine, qui recula.

— N'ayez crainte. C'est une femme, Aliénor d'Aquitaine, qui, la première, a élevé des faucons à Chypre. Les oiseaux d'Aliénor tuent rapidement et sans douleur.

Il donna un morceau de viande au rapace.

— Il n'a pas faim, majesté, dit Tafures en le remettant avec soin dans sa cage. Les colombes le dégoûtent.

Prenant Catherine par la main, Jacques la conduisit de nouveau dans la salle d'armes, à présent déserte et silencieuse. Quelqu'un avait allumé un feu dans la cheminée, d'où émanait une senteur de résine.

— Avez-vous faim ? J'ai commandé à dîner.

Le roi se pencha pour attiser les braises. « Ses mains, remarqua Catherine : des mains d'artiste, fortes et délicates. » Elle les fixait sans pouvoir s'en détourner. « Qui est cet homme ? Que fais-je ici ? » se demanda-t-elle.

— Il n'est pas trop tard pour repartir à Venise, madame.

Le feu crépitait, répandant une odeur de plus en plus intense. Catherine regarda le roi, interdite. Celui-ci haussa les épaules.

— Parfois, il m'arrive de lire dans les pensées. Je les entends, comme si elles me parlaient : les pensées d'êtres proches de moi, lointains, ou disparus depuis longtemps. Ce n'est pas toujours agréable. Si vous le souhaitez, je trouverai moyen de vous renvoyer chez vous. Il y a toujours un moyen.

Un serviteur apporta du vin et des victuailles, qu'il posa sur la table avant de repartir. Jacques prit une grappe de raisin et l'approcha des lèvres de Catherine ; en même temps, il lui caressa les épaules et le cou. Ces mains... La jeune femme était paralysée. Elle sentit les doigts chauds et doux lui caresser le dos, effleurer sa poitrine. Elle n'aurait pas dû se laisser toucher ainsi, elle aurait dû l'en empêcher, au lieu de quoi elle ferma les paupières.

— J'attends votre réponse. Voulez-vous faire demi-tour ?

Lorsque le roi laissa retomber sa main, Catherine éprouva une sensation de manque. Elle était incapable de réfléchir. Jacques l'attira contre lui et l'embrassa. Il défit les lacets du corset, la robe glissa à terre dans un bruissement de tissu. Catherine le repoussa et se rapprocha du feu, luttant contre un désir irrésistible de le toucher – son visage, ses cheveux, ses épaules et son torse, ses hanches... « Il faut que je m'en aille », se dit-elle. « Tout de suite. » Immobile, Jacques admirait son corps dénudé dans le rougeoiement des braises.

— Vous ne partirez pas, Catherine. Il est déjà trop tard.

Tous deux tombèrent à genoux par terre. Le dos contre la pierre froide, la chaleur insupportable des flammes. Catherine sentait ce corps collé au sien, sa force et sa robustesse. À la peur se mêlait le sentiment d'être libérée.

— Mon nom. Je veux vous entendre prononcer mon nom.

— Jacques.

— Encore, encore...

Les bruits de bottes des mercenaires le long des murailles, le bleu sombre de la nuit au-delà des barreaux, et rien d'autre. Seul le silence liquide de la passion, le silence absolu du désir. Et un écho dans son esprit.

— Jacques.

Guglielmo Gonem, évêque de Famagouste, fit le signe de croix, puis se tourna vers ses fidèles et les bénit. La messe était terminée. Il regarda autour de lui. Le siège royal était encore vide. Étrange. Pour dissolues que fussent ses nuits, Jacques ne ratait jamais la première messe de la journée. Au-dessus de l'autel, la mosaïque en or de Jésus miroi-tait dans les rayons du soleil matinal, filtrés par les vitraux rouges et bleus. Guglielmo appréciait beau-coup la combinaison de faste et de simplicité que seuls les Byzantins savaient composer. Son église à lui. Pourtant, se rappela-t-il, il n'y avait pas si longtemps qu'il parcourait nu-pieds les chemins de l'île, vivant d'aumônes et dormant où il pouvait. Même depuis qu'il était devenu évêque, les gens continuaient à l'appeler frère Guglielmo. Cela ne le dérangeait pas : mis à part les privations, ces années-là avaient été les meilleures de sa vie. « Le pouvoir », se dit-il en considérant ses vêtements de soie brodés, son anneau ainsi que le crucifix d'amé-thyste qui pendait à son cou. Le pouvoir. S'il ne se flagellait plus le soir pour expier ses péchés, il avait encore les plaies à vif. Il s'achemina vers la sacristie, où un page l'attendait pour enlever ses parements et laver avec de l'eau de rose les cica-trices qui s'étaient rouvertes. La rumeur circulait qu'il s'agissait de stigmates ; nombreux étaient ceux qui y croyaient. Qu'en pensait le roi ? Dans le couvent des capucins, où il l'avait rencontré, enfant, plusieurs moines souffraient d'une infec-tion des mains qui ressemblait à des stigmates… L'évêque se tourna vivement. Il y avait quelqu'un sur le pas de la porte, un homme élancé aux che-veux grisonnants, élégant et austère à la fois.

Malgré le contre-jour qui obscurcissait ses traits, Guglielmo le reconnut d'emblée.

— Monseigneur Cornaro. Je ne vous ai pas vu à la messe.

— En effet, je viens d'arriver.

Andrea Cornaro s'inclina pour baiser l'anneau d'améthyste. S'il remarqua les plaies, il n'en fit aucune mention.

— Je veux vous parler de toute urgence. J'espère que je ne vous importune pas.

— Absolument pas.

D'un geste, l'ecclésiastique invita Cornaro à s'asseoir sur l'une des chaises de la sacristie.

— Avez-vous déjà vu votre nièce Catherine ? J'ai appris qu'elle avait débarqué hier.

— Malheureusement, non. Personne n'imaginait que le capitaine général serait arrivé à Chypre aussi rapidement. Je n'ai pas vu Catherine depuis qu'elle était enfant, et je souhaite organiser un banquet à Piscopi en son honneur. Aurai-je le plaisir de votre présence, frère Guglielmo ?

Ce dernier secoua la tête.

— J'observe une période de jeûne.

Un domestique vêtu de la livrée de l'évêque entra dans la sacristie pour ranger dans l'armoire le sac contenant les offrandes des fidèles – un sac qui semblait très lourd.

— La venue de votre nièce est une bénédiction pour l'île. Jacques va enfin se marier et avoir une descendance, au moment où tous commençaient à désespérer. Comment êtes-vous parvenu à le convaincre ?

— Avec un portrait.

Andrea dissimula derrière un sourire son dégoût pour l'onguent fétide que l'évêque étalait sur ses mains couvertes de plaies. Guglielmo lui renvoya son sourire, mais son regard resta de glace.

— Allons, soyez sérieux.

— Je vous jure que c'est la vérité, monseigneur. En visite à Piscopi, le roi a vu, par hasard, le portrait de Catherine que mon frère Marco m'a envoyé. « Je la connais, a-t-il dit, avant d'ajouter : elle sera ma femme. » Rien d'autre. Les stipulations du contrat ont été réglées par Mistabel et Bragadin.

— Le roi lit trop de philosophes païens.

Bien qu'il continuât de feindre l'incrédulité, Guglielmo n'était pas surpris. Jacques avait l'habitude de prendre des décisions sans logique apparente. Il parlait de « prémonitions ». Balivernes. Ce n'étaient que des caprices qu'il satisfaisait parfois au mépris de la vie – jamais la sienne, évidemment... Il remit un peu d'onguent sur les blessures.

— Vous ne m'écoutez plus, frère Guglielmo. J'étais en train de dire que les dettes du roi sont nettement plus élevées que ce que j'imaginais. Si je l'avais su, je me serais peut-être gardé de lui montrer le portrait.

— Vous l'auriez fait de toute manière. Vous êtes trop malin, monsieur Cornaro, pour ne pas voir que les avantages d'une nièce reine de Chypre dépassent largement le désagrément de quelques dettes.

Guglielmo s'était lassé de cette conversation. Que voulait le Vénitien ? Pourquoi était-il venu ? Certainement pas pour débattre de l'état des finances royales... Le dossier de son siège lui torturait le dos.

— Nul doute que le roi vous dira, à vous qui êtes son confesseur, s'il trouve Catherine à la hauteur du portrait.

« Nous y voilà », songea l'évêque : l'ami Cornaro voulait se prémunir. Les images ne reflètent pas toujours la valeur réelle d'un bien. Sacrés marchands...

Andrea posa un petit tas de pièces sur la table.

— Pour les pauvres, frère Guglielmo.

De bons écus vénitiens, pas la monnaie de l'île. L'évêque opina du chef.

— Si j'apprends quelque chose, je vous en informerai sur-le-champ.

Il n'y avait rien à ajouter ; la douleur dans son dos était devenue insupportable. Il se leva péniblement.

— Le secrétaire du roi, Rizzo da Marino, m'a fait demander. Il souhaite se confesser après un cauchemar qu'il a fait cette nuit. Cela vous ennuierait-il de m'accompagner au palais dans votre voiture ?

Andrea s'empressa d'accepter. « Un cauchemar », pensa-t-il, amusé. Rien d'étonnant pour un homme que l'on disait ancien pirate, et qui avait échappé par miracle à la potence. Son amusement le céda bientôt à l'amertume : da Marino était l'un des personnages les plus puissants de Chypre. Il collectait les taxes et contrôlait la diplomatie ; chaque parole, chaque décision du roi passait par lui. « Jacques a pris un pirate comme secrétaire particulier, et un moine fanatique comme évêque », pensa Andrea en aidant Guglielmo à grimper dans l'attelage. Malgré les apparences, ces choix étaient tout sauf incohérents. Le moine subjuguait le peuple tandis que le rapace excellait à le dépouiller.

Catherine ouvrit les yeux, complètement désorientée. Où se trouvait-elle ? Quel jour était-ce ? Été ou hiver ? Il faisait froid et elle avait faim. Une lumière rosée pénétrait entre les rideaux ajourés. Catherine se redressa sur les coussins : un immense lit à baldaquin, vide. Jacques. Elle retrouva aussitôt la mémoire. Le trajet en pleine nuit de la forteresse au palais royal, puis enfin le sommeil dans les bras l'un de l'autre... Or, le lit était vide à présent. La porte s'ouvrit entièrement et plusieurs jeunes femmes jetèrent un coup d'œil dans la chambre en chuchotant. S'approchant du lit, l'une d'entre elles écarta les courtines. Un précieux châle en dentelle posé sur les épaules, elle était grande et imposante, au nez légèrement aquilin, avec d'épais cheveux bruns retenus par un peigne en ivoire.

— Avez-vous passé une bonne nuit, majesté ? demanda-t-elle avec un lourd accent espagnol. Je suis Sancia de Avila, votre demoiselle de compagnie. Voici quelques-unes des demoiselles de votre suite : Fiammetta d'Orgeval et Barbara Giblet, françaises, Lucrezia Pasqualigo et Bianca Zen, vénitiennes.

Catherine remarqua le vêtement très humble des Françaises. Mistabel lui avait raconté que les nobles croisés du Poitou avaient débarqué à Chypre avec Richard Cœur de Lion et Guy de Lusignan ; après avoir chassé les Templiers et avoir accaparé leurs terres, ils avaient utilisé les dépouilles de la victoire pour construire de splendides demeures. Perpétuant la tradition des chevaliers, ils s'étaient ensuite consacrés à la chasse et à l'élevage de chevaux, chiens et faucons. Délaissant les cultures et les récoltes des Templiers, ils s'étaient retrouvés à l'improviste sans le sou, dans des châteaux qui tombaient en ruine. Le roi ayant grandi avec les Français, il avait de l'affection pour eux et les aidait en leur attribuant des charges et des prébendes, au grand dam les Catalans qui tentaient par tous les moyens de les évincer de la cour.

Fiammetta d'Orgeval aida Catherine à se lever. Elle avait des cheveux roux flamboyants, les yeux aigue-marine, une peau si blanche qu'elle en semblait transparente. Prenant une brosse, elle se mit à coiffer les cheveux de Catherine devant le miroir, composant une coiffure coquette à l'aide de rubans et d'épingles choisis avec soin. Sancia observait ses mouvements avec un regard attentif de rapace. Avec grande délicatesse, la Française lava le visage de Catherine à l'eau de rose, avant d'appliquer de la poudre et un fard carné sur ses joues et ses lèvres. Peu à peu, entre ses mains, les traits de Catherine se transformèrent. Barbara Giblet fouilla les malles à la recherche d'une robe. La Catalane eut un geste d'impatience.

— Dépêchez-vous, son excellence Andrea Cornaro attend dehors.

Giacinta s'empressa d'aider Barbara et, bientôt, on trouva un vêtement approprié. Fiammetta déposa du parfum sur les bras et le cou de la reine, pendant que les Vénitiennes lui mettaient collier et bracelets. Catherine était prête. Sancia ouvrit la porte. Assis dans un coin, indifférent à la nuée de courtisans entassés dans l'antichambre, un homme âgé était tranquillement absorbé dans la lecture d'un livre. Catherine le reconnut immédiatement.

— Mon cher oncle… Cela fait si longtemps. Vous n'avez pas changé.

L'espace d'un instant, Andrea Cornaro resta sans paroles, puis tendit les bras.

— Catherine, Seigneur, que vous êtes belle ! Venez m'embrasser, ma petite, même si vous êtes désormais une reine.

Ils se mirent à l'écart, près de la fenêtre, discutant joyeusement sous le regard des courtisans qui se tenaient quelques pas en retrait.

— Quel tableau rassurant, susurra Sancia en catalan à Onofrio de Resquens. Savez-vous où est le roi ?

— Il est parti aux aurores pour les montagnes du Troodos, chasser le cerf avec les Français. Surprenant – après cette nuit, je l'aurais cru épuisé.

Onofrio ricana narquoisement.

— Vous faites erreur. La comtesse de Rocas n'est pas encore rentrée de Rhodes.

— Le roi a passé la nuit avec Catherine dans la citadelle. Ils n'ont regagné le palais qu'une heure avant l'aube.

— Impossible.

— Et pourtant... Ce matin, Jacques a même sauté la messe pour éviter frère Guglielmo. Vous connaissez la sagacité de l'évêque, il aurait tout deviné.

Onofrio s'interrompit : Catherine et Andrea marchaient dans sa direction.

— Monsieur de Resquens, mon oncle et moi avons décidé de célébrer nos retrouvailles par une promenade en carrosse jusqu'à Piscopi.

— Le roi sera mécontent s'il ne vous trouve pas au château en rentrant.

« Piscopi », pensa le chambellan. « Ce n'était pas prévu. » Ses espions n'avaient pas accès au fief des Cornaro. Rizzo serait furieux.

— Vous savez pertinemment que Jacques ne rentrera pas aujourd'hui, répliqua Andrea Cornaro avec impatience. Nous ne le reverrons pas avant deux ou trois jours. Ce soir, j'organise un banquet en l'honneur de ma nièce. Et vous êtes tous invités, naturellement, ajouta-t-il à l'intention des courtisans. Bien, allons-y.

À l'autre bout du château, le roi contemplait les premiers rayons de soleil qui avançaient sur les fresques du plafond : des abeilles, des papillons et le profil saillant d'un faune surgirent comme par magie des peintures entrelacées. « Une forêt enchantée », songea-t-il. Seule manquait la mélodie de la flûte de Pan pour la rendre encore plus vivante. Il s'efforça de ramener son attention vers les hommes assis sur des chaises couvertes de damas rose. La table elle-même était marquetée de bois de rose. Rose comme la lumière de l'île... Une voix qui semblait venir de loin perça les rêveries du roi.

— Majesté, revenez parmi nous, dit Pietro Mocenigo.

Jacques soupira. Cette conversation commençait à devenir lassante ; dans la cour, les chiens aboyaient : il aurait déjà dû être à cheval, en route pour les montagnes. L'heure avançait. Les Vénitiens – Antonio Bragadin, Josaphat Barbaro et Nicolò Pasqualigo – attendaient une réponse. Mistabel aiguisait sa plume d'oie, Tafures jouait avec son couteau. À nouveau, la voix de Pietro.

— Réfléchissez, majesté, je vous en prie. Voici les faits : le trésor royal est vide, les mercenaires n'ont pas été payés depuis des mois, les forteresses de Limassol et Cérines sont dégarnies, la flotte turque est en mouvement. Et nonobstant cela, vous comptez envoyer au sultan d'Égypte un coffre plein d'or.

— Son tribut annuel.

— Le roi a donné sa parole, intervint Mistabel. Sans les mamelouks du sultan, il n'aurait pas pu renverser Charlotte et s'emparer du trône.

— Soit, l'interrompit Barbaro, mais le sultan pourrait utiliser cet or à des fins pernicieuses, en armant des bateaux pirates, par exemple. En tant qu'ambassadeur de la Sérénissime en Égypte, je sais très bien à qui nous avons affaire. En outre, si les Turcs attaquent Chypre et que les estradiots refusent de combattre parce que vos caisses sont vides, comment conserverez-vous ce trône, majesté ?

Quittant la table, Jacques se mit à la fenêtre pour leur cacher sa colère. Il avait donné sa parole au sultan. Les Vénitiens ne comprendraient jamais ; au fond, ils n'étaient que des marchands : que valait une promesse face à son propre salut ? Les Français, eux, auraient compris. Le capitaine général s'approcha du roi.

— Vous allez bientôt vous marier, murmura-t-il. Avoir des enfants. Cela va tout changer.

Jacques se retourna, leurs regards se croisèrent. Pietro Mocenigo était le seul qui le comprenait vraiment, et il compatissait.

— Vous avez raison. Annulez l'envoi d'or en Égypte.

Un bruit sourd : Tafures avait fait tomber son couteau.

— Le sultan se vengera, majesté. Nous aurons besoin de soldats et de navires supplémentaires pour surveiller les côtes.

Mocenigo hocha la tête.

— J'ai déjà pris les mesures nécessaires. Je ramènerai bientôt des hommes et des bateaux de Candie. En mon absence, Francesco Giustinian assumera le commandement de la flotte.

Les Vénitiens chuchotèrent entre eux. Des mercenaires ? Des galères ? À quel coût ? Bragadin ouvrit la bouche pour prendre la parole, puis se ravisa. Avec l'appui du sultan, les pirates sarrasins pouvaient écumer les côtes de Chypre, et son domaine se trouvait sur le littoral... Malgré le soleil, Bragadin frémit.

— Le Sénat a été clair sur la question : Chypre doit être défendue à tout prix.

La porte s'ouvrit à l'improviste et un gros chien noir courut auprès du roi en remuant la queue. Jacques s'accroupit pour le caresser.

— Zeus. Il se fait tard, messieurs. Mon chien s'agite.

Après un rapide salut, il sortit sans rien ajouter.

Barbaro poussa un soupir.

— Je n'ai pas terminé. Charlotte, la sœur du roi, est attendue à Alexandrie. Le sultan avait déjà anticipé le fait qu'avec une Cornaro sur le trône, Jacques n'aurait plus besoin de lui comme allié. Et donc, qu'il mettrait fin aux livraisons d'or.

L'aboiement déchaîné des limiers couvrit sa voix. Pietro se leva pour aller regarder par la fenêtre. Le roi et ses amis français grimpaient sur leurs montures. Autour, les jardins étaient parsemés de petites roses rouges. Des roses de Byzance, les préférées d'Hélène. Dans la chaleur croissante, leur parfum intense se répandait dans l'air. Pietro s'écarta brusquement de la fenêtre. « Partir, se dit-il, loin d'ici, au large, dans la solitude et le vent... » L'appel des cors retentit. Barbaro, Pasqualigo et Bragadin avaient la mine déconfite. Les pirates, les Turcs, Charlotte, le sultan... Et le roi s'en allait chasser ! Ils ne comprenaient pas. Ils ne comprenaient pas que chacun se sauve comme il peut : un capitaine avec ses navires, un roi avec ses faucons, un marchand avec ses marchandises... « Et Catherine ? » se demanda-t-il. Catherine, comment se sauverait-elle ?

Andrea Cornaro fit arrêter le carrosse en pleine campagne. D'un geste de la main, il indiqua à sa nièce les rangées d'arbres fruitiers, les vignes et les plantations d'épices.

— Piscopi, le fief des Cornaro. Ici, il y a tout ce que l'on peut désirer au monde. C'est un terreau ancien, voyez-vous : il appartenait aux Templiers et, avant eux, allez savoir. Quand les paysans labourent, il leur arrive de trouver des amphores et des têtes de statues. J'en ai beaucoup chez moi. Comparée au palais de Venise, ma maison vous paraîtra modeste, mais elle est déjà trop grande pour deux hommes seuls. Je vis avec mon neveu, qui me quittera lui aussi, tôt ou tard, pour se marier ou rentrer à Venise...

— Un neveu ? le coupa Catherine. Personne ne m'en a jamais parlé.

Pendant une seconde, Andrea Cornaro sembla gêné, puis il sourit.

— En tout cas, c'est ainsi que je considère Marco.

Ils reprirent la route à travers champs jusqu'à une demeure en pierre ocre, entourée de murs fortifiés. Les invités étaient déjà réunis à l'intérieur, dans une vaste salle au plafond en bois sombre où des domestiques en livrée servaient des rafraîchissements, des fruits et des gâteaux. Andrea Cornaro prit un biscuit, puis un deuxième.

— Délicieux. Une spécialité de Marietta Bragadin, la nièce de notre ambassadeur.

Il désigna une femme au teint pâle qui s'entretenait avec le majordome, à côté de la porte. Les cheveux tressés sur la nuque, elle portait une voilette et un simple habit noir, sans rubans ni ornements d'aucune sorte à l'exception d'une broche en onyx. Bien qu'elle fût jeune, son air austère rappelait à Catherine les novices du couvent.

— Maria est un ange, dit Andrea. Heureux celui qui l'épousera. Elle est si douce, intelligente et sage. Ce ne sont pas les prétendants qui manquent, dommage qu'elle n'arrive pas à se décider…

Il se tut. Sancia de Avila l'écoutait, une coupe à la main.

— Avec toutes ces qualités, j'imagine que vous prendrez mademoiselle Bragadin comme demoiselle d'honneur, majesté.

Sancia sourit, avant de retourner se mêler aux invités.

— Encore une fille de marchands à la cour, persifla-t-elle en passant devant Blanca de Resquens, la femme potelée du grand chambellan.

Blanca grimaça avec mépris ; malgré son affection pour Marietta, elle craignait trop la comtesse de Avila pour la contrarier : un jour, elle l'avait surprise dans sa chambre, au palais, devant un alambic, en train de murmurer des formules magiques. Elle se passa une main sur le front. Comme tous les Catalans, elle avait la terreur des maléfices. Sancia n'avait heureusement pas remarqué son intrusion, et Blanca s'était juré de ne plus jamais mettre les pieds dans ses quartiers.

— La Bragadin ne vous causera aucun ennui, comtesse de Avila. Ce n'est qu'une campagnarde.

— On ne sait jamais, avec les Vénitiens. Regardez ce domaine : personne à Chypre ne possède d'aussi belles terres, ni les Français ni les Espagnols, et encore moins les autres. Du reste, qui d'autre que les Vénitiens réussirait à produire de telles quantités de vin, d'oranges et d'épices ? Ces marchands... Regardez-la, votre campagnarde : elle danse avec Marco Bembo, neveu d'Andrea et donc cousin de la reine. Le meilleur parti, et l'homme le plus séduisant de la fête.

— En admettant que Marco soit un véritable Cornaro.

— Oh, bien sûr qu'il l'est, il suffit de voir ses yeux. Bleu pervenche... Très rare, il faut bien l'avouer.

À travers la salle, Sancia le salua d'un signe de tête. Après avoir pris une autre coupe de vin, elle s'approcha de Maria Bragadin.

— Mes félicitations, mademoiselle. Je viens de parler avec la reine, elle vous veut à la cour.

« Quelle robe horrible », pensa-t-elle. Sûrement confectionnée chez elle. Et cette broche... De l'onyx. Une pierre qui portait malheur. Maria lui renvoya son sourire. Elle paraissait blême car elle ne se fardait pas, et petite car elle ne mettait pas de chaussures à talons. Un pauvre petit moineau au milieu de plumages chatoyants. Vue à travers les yeux d'un courtisan, un véritable désastre. Mais à travers ceux d'un homme en quête d'une épouse ? Sancia l'étudia à nouveau : des yeux de biche, grands et expressifs, une bouche délicate, une coiffure parfaitement soignée, une voix douce... Sans oublier le fait que son grand-père était l'ambassadeur de la Sérénissime. Sa présence auprès de Catherine risquait de devenir encombrante. « Un homme, réfléchit Sancia, quelqu'un capable de faire perdre la tête à une jouvencelle. » Il fallait qu'elle en discute avec Anna de Rocas. Un murmure parcourut l'assistance, qui s'écarta pour laisser passer le dernier arrivé tandis que les serviteurs se précipitaient vers lui. Une grande agitation s'était soudain emparée de l'assemblée. « Un ours », se dit Sancia en le mesurant avec dégoût : qui aurait pu croire que cet individu était, avec Rizzo da Marino, le personnage le plus puissant de l'île ?

— Maître Soranzo ! s'écria Maria Bragadin. Quelle joie que vous ayez trouvé le temps de venir à Piscopi.

— La fille de mon ami Marco Cornaro sera bientôt reine. Je n'aurais manqué pour rien au monde un banquet en son honneur.

D'un air complice, Giovanni Soranzo, trésorier du royaume, glissa le bras sous celui de Marietta.

— Vous connaissez la dernière nouvelle ? dit-il à voix basse. Aujourd'hui, Jacques a décidé de ne plus verser son tribut au sultan d'Égypte. Je l'y encourage depuis des années, et voilà qu'il prend sa décision en un clin d'œil, sans m'en informer. Sans le capitaine Mocenigo, je ne serais toujours pas au courant. C'est pourtant moi, son trésorier ! On voit que je vieillis...

— Sottises, l'interrompit Andrea Cornaro, qui n'avait entendu que la dernière phrase. Suivez-moi, je veux vous présenter Catherine. Nous allons bientôt attaquer le banquet.

— Laissez-moi deviner : écrevisses, cœurs d'artichauts, morue séchée, terrine de gibier aux épices et tartes aux pommes. Pareil qu'à Venise...

Soranzo s'arrêta d'un coup : Catherine se tenait devant lui. Il semblait avoir perdu sa langue. Il n'avait jamais vu créature plus ravissante : ces cheveux si blonds, le bleu unique des Cornaro dans ses yeux, ce corps gracile aux lignes sinueuses... Une sirène.

— Bon Dieu, laissa-t-il échapper.

Andrea éclata de rire.

— Moi aussi, je suis resté bouche bée en la voyant. Elle est magnifique, n'est-ce pas ? Le portrait ne lui rend pas justice.

Le soleil jetait ses derniers rayons. Les domestiques disposèrent des chandelles parfumées ici et là dans la pièce tandis que les musiciens faisaient leur entrée. On apporta les premiers plats, annoncés par un coup de trompette.

— Où est le roi ? demanda Soranzo pendant que les convives s'asseyaient.

Sa question resta sans réponse. Les serviteurs veillaient à remplir les coupes dès qu'elles se vidaient. Marco vint s'incliner devant Catherine.

— Désirez-vous danser, madame ?

Il la prit gentiment par la main et l'entraîna près des musiciens. Les autres invités se joignirent aussitôt à eux ; c'était une danse figurée passée de mode à Venise, dont Catherine peinait à suivre les pas. Sancia se retrouva au centre du groupe. Elle bougeait avec des mouvements langoureux qui faisaient ondoyer les nombreux voiles en soie de sa robe.

— Un serpent, marmonna Soranzo, un serpent aux belles écailles bigarrées. Mais venimeux.

Andrea acquiesça tout en sirotant songeusement son vin.

— Les Catalans sont une race cruelle, et ils deviennent plus forts de jour en jour.

Rizzo da Marino, secrétaire particulier du roi, franchit la dernière boucle du sentier muletier escarpé. Le couvent des capucins apparut au sommet de la colline. La plaine s'étalait à ses pieds – l'or des blés, le vert brillant des vignes, le jaune des agrumes et les mille nuances des plants d'épices.

— Piscopi, dit-il à voix haute.

Le domaine des Cornaro s'étendait à perte de vue jusqu'à la mer. Depuis les hauteurs, on distinguait la maison, presque invisible dans la lumière du crépuscule.

— Piscopi, répéta Rizzo.

Il aurait donné n'importe quoi pour posséder ces terres. Un jour, peut-être. On ne pouvait jamais savoir ce que la vie nous réservait. Rizzo était né dans un village de Calabre, pauvre au point de n'avoir pas même un prénom. À moins qu'il refusât de s'en souvenir. Faim et misère, jusqu'au jour où il s'était enfui pour embarquer comme mousse sur une galère du roi de Naples ; la misère encore, qui plus est en risquant sa peau, jusqu'à ce qu'il s'échappe de nouveau, pour rejoindre cette fois un bateau de pirates. Il commençait à s'enrichir quand, un jour, un navire vénitien les avait envoyés par le fond. Personne n'avait survécu, sauf lui. La chance ? Le destin ? Rizzo frissonna : il faisait froid dans les montagnes. Il remonta en selle. Perché sur une saillie rocheuse au bord du vide, le clocher du monastère se découpa dans le ciel. Silence, cris de rapaces, bruissements… Le cheval se cabra et Rizzo étouffa un juron. Il avait toujours détesté cet endroit, surtout la nuit : il avait hâte d'être en sécurité entre les murs du couvent, avant que le soleil disparaisse tout à fait. Il se demanda comment Jacques avait fait pour passer sa jeunesse dans un lieu pareil. La grande porte s'ouvrit en grinçant. Le moine gardien le guida à travers un couloir sombre et malodorant. « Quel endroit terrible », pensait Rizzo. Rien d'étonnant à ce que les moines reçoivent de temps à autre les stigmates, comme Guglielmo. Lorsque le gardien ouvrit une autre porte, l'éclat violent d'une flamme éblouit Rizzo.

— Bienvenue, dit une voix. Ponctuel, à votre habitude.

— La route est longue jusqu'ici. De nuit, je craignais de me perdre dans les bois.

D'un geste, Guglielmo l'invita à s'asseoir devant la cheminée. Il portait la bure rêche des capucins, avec toutefois une chaîne en or autour du cou. Sur ses doigts épais brillait une grosse améthyste. « Évêque ou pas, songea Rizzo, il restera toujours un paysan. »

— Le couvent est peu pratique, je sais, mais il est sûr. Les moines n'ont pas d'oreilles, chose que le roi sait parfaitement, gloussa Guglielmo.

— Pourquoi m'appeler ici ?

— Catherine. On m'a affirmé qu'elle est très belle. C'est fâcheux pour elle.

— Elle sera telle une marionnette entre les mains d'Andrea Cornaro, et cela pourrait se révéler fâcheux pour nous. Vous serez son confesseur : expliquez-lui que se fier à ses amis est un péché.

L'expression du moine changea. Le feu de cheminée éclairait son cou massif, sa barbe mal rasée, ses cheveux hirsutes. Il dévisageait Rizzo d'un regard brûlant comme la braise. Ses yeux semblaient capables de lire dans l'âme des gens.

— Ne plaisantez pas avec le péché, Rizzo. Le mal est puissant, et nos efforts pour le combattre sont faibles et dérisoires.

Rizzo s'écarta. Il n'allait pas permettre au moine de prendre l'ascendant.

— Pourquoi m'appeler ici ? réitéra-t-il.

Après avoir empoigné une torche, Guglielmo ouvrit la porte donnant sur le couloir. Un souffle d'air glacial les enveloppa.

— Regardez.

Il éclaira le cloître : un océan de roses rouges avait tout envahi, grimpant sur les colonnes, étouffant les herbes médicinales et les fleurs blanches pour la chapelle ; le vent faisait tomber les pétales de sang sur la terre retournée.

— Des roses de Byzance. C'est Jacques qui les a plantées, l'une après l'autre, à l'époque où il étudiait ici. Et voici le résultat. J'ai tenté maintes fois de les arracher, ne réussissant qu'à m'abîmer les mains. Oui, le péché est fort, et il est impossible de l'extirper.

Un frisson parcourut l'échine de Rizzo. Soudain, il avait l'impression d'entendre les litanies des moines dans leurs cellules, le claquement des fouets, les gémissements, les murmures… L'évêque avait les yeux fixés sur lui.

— Peu de gens savent que, dans les monastères, on ne fabrique pas seulement des remèdes, mais également des poisons.

Il ouvrit le poing.

— Celui-ci, par exemple : une poudre inodore et incolore, qui, mélangée à la nourriture, entraîne une lente consumption. La mort arrive progressivement, d'une manière qui paraît naturelle.

Rizzo s'empara du sachet. Lorsqu'il se pencha pour embrasser l'anneau épiscopal, il se rendit compte qu'il tremblait.

3

Venise, été 1510

ÉPUISÉ, PHILIPPE DE COMMYNES se laissa choir sur la chaise près de la cheminée éteinte. Autour de lui, le silence régnait. « Le palais semblait tellement vide, songea-t-il, sans la musique, sans les amis qui, autrefois, animaient les lieux précisément à cette heure-là, à peine la nuit tombée. » À présent, Philippe était le dernier invité, et il n'était même pas le bienvenu. Il ferma les yeux : il n'aimait pas ce qu'il s'apprêtait à faire, ni le moment où il devait le faire. Catherine se mourait. Il avait du mal à y croire. Le souvenir de cette fête à la fin de l'été, dans les jardins d'Altivole, était pourtant si frais dans sa mémoire. Il n'arrivait pas à détourner le regard de cette femme sublime, couverte d'un simple voile, qui interprétait une comédie de Plaute. Ah, la perfection de cette nuit à Altivole... Les flûtes, la brise qui descendait des collines, l'air imprégné de la senteur aigre-douce des massifs de roses rouges. Il entendit un bruit de pas remontant le couloir.

— Entrez, dit-il sans lever la tête – il avait reconnu son parfum. Delfina, mon Dieu, vous devenez chaque jour plus belle.

— Et vous plus galant, monseigneur de Commynes.

La femme déposa un plateau de vin et biscuits sur la table. Elle se déplaçait avec la souplesse d'un félin, une ressemblance rehaussée par ses cheveux fauves et ses yeux verts.

— Les biscuits de Giacinta. Miel, gingembre et oranges confites. Elle les servait tous les jours, à cette heure-ci. Vous vous rappelez, monseigneur ?

— Comment pourrais-je oublier ? J'étais justement en train d'y penser. Tant d'années ont passé depuis Altivole, et pourtant, j'ai l'impression que c'était hier.

Après un bref silence, il ajouta :

— Catherine va mourir. Je n'arrive pas à m'y faire.

— Mais ce n'est pas pour elle que vous êtes venu, monseigneur.

— Comment le savez-vous ? Y a-t-il des espions en ces murs ?

Delfina éclata de rire, les yeux brillant comme ceux d'un chat observant les mouvements gauches de sa proie. Commynes sentait son regard fixé sur lui, chaud et troublant. Il se pencha et l'embrassa sur la gorge pendant qu'elle riait.

— Ne me tentez pas, monseigneur.

— Craignez-vous que son excellence Giorgio Cornaro nous surprenne ?

— J'aimerais bien… Les jeux l'amusent. Mais il n'est pas à Venise en ce moment.

— Sorcière, susurra Commynes sans s'écarter de Delfina. J'adore votre parfum, vos lèvres. Ils me rappellent les pétales des roses d'Altivole, les illusions de jadis. Si vraiment vous êtes une sorcière, Delfina, renvoyez-moi là-bas.

— Ce serait une bêtise, monsieur. Chaque moment de nos vies possède une beauté que l'on ne saurait reproduire. Il suffit de s'en apercevoir quand elle est là.

Encore ce rire, le tintement d'un carillon d'argent. Le désir de Commynes grandit au point de devenir intolérable. « La lettre du roi », pensa-t-il. « L'honneur. » Avec un effort considérable, il s'écarta de Delfina, les paupières closes. Son désir avait creusé un vide en lui.

— Reposez-vous, monseigneur. Je reviendrai plus tard. Une longue nuit vous attend.

La porte de la chambre se referma. Le palais retomba dans un silence absolu.

Famagouste, septembre 1472

Le jour du mariage royal. Dès l'aube, la foule afflua sur la route de l'église. Il faisait chaud, les gens se bousculaient, s'agitaient. Les soldats peinaient à les contrôler. Tafures jura à part lui. Il détestait la cohue : en un clin d'œil, les acclamations pouvaient dégénérer en émeute. Le son strident des clairons retentit. Enfin… Le carrosse de Catherine apparut au bout de la route, suivi par le cortège nuptial. Lorsque la mariée descendit devant l'église, au bras de son oncle Andrea Cornaro, un murmure admiratif parcourut la foule : les cheveux blonds en cascade sur les épaules, Catherine était magnifique dans sa robe verte et argent. L'évêque Guglielmo Gonem vint l'accueillir sur les marches et la bénit d'un geste solennel. Aussitôt, la foule se mit à genoux. Tafures observait la scène de loin : le pouvoir du frère Guglielmo l'étonnerait toujours. Catherine venait d'entrer dans l'église quand elle trébucha et faillit tomber. La traîne avait glissé des mains de l'une des demoiselles d'honneur, Sancia de Avila ; par chance, Maria Bragadin, l'autre demoiselle, réussit à la retenir de son côté. Le cortège nuptial disparut dans la pénombre de la nef. Tafures ordonna aux estradiots de serrer les rangs : d'un instant à l'autre, la foule allait se presser pour entrer dans l'église. Construite au temps des Byzantins, à une époque où l'île était faiblement peuplée, la chapelle n'était pas adaptée aux cérémonies importantes : plutôt étroite, aux lignes pures, ornée de belles colonnes en porphyre, mais dépourvue de fresques puisque les Grecs considéraient toute représentation du divin blasphématoire. Une seule mosaïque du Christ Rédempteur sur fond doré décorait la coupole au-dessus de l'autel. Là, le roi attendait, superbe, vêtu de velours noir et d'un manteau de satin blanc. La cérémonie se prolongeant, Tafures et les soldats étaient exténués à force de contenir la foule lorsque enfin les mariés sortirent sur la place. Selon la tradition, le roi touchait tous ceux qui s'approchaient de lui pour les guérir par l'imposition des mains. Tafures se rendit compte qu'il ne voyait personne à part Catherine. Il le comprit à la manière dont Jacques lui rajusta le voile sur les cheveux blonds et la prit par la main, tandis qu'ils parcouraient lentement, à pied, la rue qui menait au palais royal. « Peut-être l'amour vaincra-t-il le démon », pensa Tafures. Peut-être.

Dès que les portes des jardins royaux s'ouvrirent, la foule se déversa à l'intérieur, vers les fontaines d'où jaillissait du vin et les tables chargées de victuailles. Les cerfs ramenés du Troodos par le roi étaient en train de rôtir à la broche.

— L'Ère de l'abondance, hurla quelqu'un, déjà soûl. L'Ère de l'abondance est de retour.

Tafures fit signe aux estradiots de rester sur leurs gardes. La folie du peuple attroupé ne connaissait pas de limites.

Jacques entraîna Catherine par la main jusqu'à un bosquet de cèdres et un étang où des cygnes glissaient sur l'eau avec indolence. Le soleil déclinait entre les arbres.

— La cérémonie a duré trop longtemps. Vous devez être épuisée.

Catherine fit non de la tête.

— Au couvent, j'ai appris à dormir sans que personne s'en rende compte. Il suffit de répéter une cantilène dans la tête. Très vite, on n'est plus consciente de rien.

Jacques lança un morceau de biscuit aux cygnes.

— Dormir à son propre mariage !

Il partit d'un grand éclat de rire qui fit fuir un cygne dans un battement d'ailes. Le roi se pencha sur Catherine et l'embrassa.

— Non. En fait, si…

Relevant son voile, elle lui rendit son baiser.

— Allons-nous-en. Je vous montrerai ma chambre. À moins que vous préfériez la salle d'armes.

« N'importe où », pensa la jeune femme. « N'importe où. »

— J'aime les femmes impatientes.

— Ne lisez pas dans mes pensées. Pas cette nuit.

— Cette nuit, j'obéirai à tous vos désirs.

Ils traversèrent le parc jusqu'à une porte dissimulée sous le lierre. Un escalier étroit les conduisit à une tapisserie qui cachait une autre porte.

— Mon jardin secret.

Catherine écarquilla les yeux. Elle se trouvait dans une chambre spacieuse et aérée aux parois ornées de fresques et de fleurs peintes. Une grande fenêtre était ouverte sur le ciel violet du crépuscule, et un tapis persan bleu marine recouvrait le sol.

— Cela vous plaît-il ?

Jacques remplit deux coupes de vin. Il en porta une aux lèvres de Catherine. Une goutte rouge s'écoula sur sa gorge, tachant la soie blanche du corset. Le son des flûtes leur parvenait étouffé par la végétation, de même que les rires des courtisans. Les mercenaires avaient depuis longtemps chassé la populace ivre morte à coups de fouet. Catherine leva la main pour caresser le visage de Jacques, son cou, ses épaules. Elle en avait envie depuis la nuit dans la citadelle. Elle ne l'avait plus revu depuis. Le roi ne bougeait pas, les yeux mi-clos, laissant les doigts de sa femme glisser sur tout son corps, le découvrir, le toucher. Ils s'allongèrent sur le tapis. Catherine le désirait tellement qu'elle ne savait pas quoi dire, quoi faire.

— Ne soyez pas si pressée, ma petite sirène. Donnez-moi un autre baiser. Juste un baiser, après quoi je ferai tout ce que vous voudrez.

« Ce que je veux ? » se demanda Catherine. « Ce que je veux ? Tout. »

Dans la pénombre, Jacques la regardait en souriant.

Andrea Cornaro n'avait pas fermé l'œil de la nuit : le lit dans sa chambre au palais royal était trop dur, la nourriture lui pesait sur l'estomac, le vin lui était monté à la tête, la cérémonie avait duré trop longtemps. Sans doute la vieillesse. Ou bien, l'inquiétude. Pourquoi les mariés n'avaient-ils pas assisté au banquet de noces ? Les ambassadeurs étrangers s'en étaient naturellement offusqués. Onofrio avait tenté de les apaiser : le prêche de frère Guglielmo avait considérablement rallongé la cérémonie et les époux étaient fatigués. Une excuse stupide, car les mariages des puissants traînaient toujours en longueur et les mariés étaient toujours fatigués. Ils n'en désertaient pas pour autant leur propre banquet ! Devant le miroir, Andrea se passa de l'eau sur le visage. Avant d'écrire à son frère Marco, à Venise, il devait absolument voir Catherine. La coutume voulait que les mariés reçoivent les courtisans dans leur chambre à coucher au lendemain de la nuit de noces. La coutume... Avec Jacques, on ne savait jamais à quoi s'attendre. Andrea s'agenouilla devant la statuette en ivoire de la Vierge qu'il emportait partout avec lui. Le visage de Marie lui rappelait celui d'une femme qu'il avait aimée passionnément autrefois ; chaque fois qu'il priait, il avait l'impression qu'elle lui parlait. Or, cette nuit-là, il n'entendit rien. Andrea ferma les yeux ; l'image de la jeune fille cultivant le potager, un grand chapeau de paille sur la tête, surgit aussitôt dans son esprit. Une abeille bourdonnait derrière elle, les senteurs des herbes aromatiques étaient presque asphyxiantes. Andrea se ressaisit – il avait les joues striées de larmes. Le palais était plongé dans un silence parfait, à part le piétinement occasionnel des chevaux que les serviteurs menaient à l'abreuvoir. « Seigneur miséricordieux, pria-t-il, faites que Catherine soit heureuse. » Les premières lueurs du jour pénétrèrent par la fenêtre. Marco entra dans la pièce, Andrea lui sourit. Sa présence venait toujours tel un souffle d'air pur. Marco l'aida à s'habiller et lui attacha sa chaîne en or autour du cou, tout en bavardant gaiement.

— Ah, quelle nuit magnifique ! Impossible de dormir. J'ai trop dansé, trop bu, et courtisé trop de demoiselles, mais je recommencerais bien volontiers. Et ce soir, il y a une autre fête, avec des acrobates et des danseuses...

Andrea souriait, se rappelant le temps où lui aussi se régalait à la vue des danseuses. Le parfum des herbes aromatiques lui flottait encore dans la tête.

Catherine se réveilla. L'aurore. Au couvent, elle se levait toujours à cette heure-là, celle de la première messe. Elle regarda Jacques, endormi dans le lit blanc, presque monacal. Assoupi, il avait un visage d'enfant. Une cicatrice courait le long de sa hanche gauche, Catherine éprouva l'envie soudaine de la caresser. S'arrachant du lit à contrecœur, elle commença à se laver. L'eau était fraîche et parfumée à la lavande, comme au couvent. Son amie Agnese disait que l'essence de lavande calmait le corps et l'âme. Menteuse. Jacques murmura quelque chose dans son sommeil. Dehors, une clarté ténue. Catherine passa le peigne dans ses cheveux sans réussir à les démêler. Ses pensées vagabondaient. Elle se sentait aussi légère que les fleurs de lavande à la surface de l'eau. Elle sourit à son reflet dans le miroir ; seulement alors remarqua-t-elle le portrait. Bien qu'à moitié caché derrière un rideau, il se découpait nettement sur la paroi blanche dans la lumière matinale. Une femme. Nue, le visage voilé, aux longs cheveux noirs, tenant sur son giron un bouquet de petites roses. Son corps paraissait tendre et délicat, d'une blancheur d'albâtre, incliné sur un côté comme sous l'effet d'une caresse. Catherine s'approcha : derrière le voile, on entrevoyait un sourire sans joie, troublant, qui semblait avoir un secret à révéler. Catherine se dit que le peintre était soit très doué, soit amoureux de son modèle. Elle remarqua alors le rubis logé dans un nid de serpents en or. Sa bague de fiançailles. S'approchant davantage, elle distingua également derrière le voile des yeux splendides, noirs, dénués d'expression. Le vrombissement d'un insecte entré par la fenêtre résonna entre les fresques ; Jacques se hissa sur les coussins.

— Je n'ai jamais aimé ce portrait. Cela fait longtemps que je veux m'en débarrasser.

— Qui est cette femme ?

— Aucune idée.

Jacques bâilla, puis tendit les bras vers Catherine.

— Vous êtes si belle de bon matin… J'aime tellement vos lèvres, vos dents. Vos petites morsures me manquent déjà. Venez m'embrasser. J'ai encore soif.

Des bruits de pas provenaient de derrière la porte : les courtisans arrivaient, mais Catherine n'entendait ni ne voyait plus rien. L'insecte s'envola par la fenêtre.

La porte de la chambre royale resta close. Sur le balcon qui dominait le parc, Anna de Rocas faisait les cent pas au milieu d'une explosion de roses rouges dont les pétales étaient éparpillés partout. Elle ne voulait pas se mélanger aux autres courtisans, et encore moins supporter leurs regards moqueurs : la plus belle, la plus désirable, la plus noble d'entre toutes, la favorite du roi, mise au rebut pour une donzelle de seize ans, une fille de marchand. Elle avait tant ri de cette union, un pur mariage d'intérêt… Anna se mordit la lèvre. Jacques était totalement imprévisible. L'histoire du portrait était-elle véridique ? Sancia de Avila la rejoignit sur le balcon.

— Il fait trop chaud ici ! dit-elle en agitant son éventail. Comme j'aimerais retourner me reposer ! Je serai déjà épuisée avant même que la fête commence.

Elle gloussa, puis indiqua la porte fermée.

— Je ne m'attendais pas à ce que le roi la désire encore.

— Encore ?

— Vous n'êtes pas au courant ? Vous étiez à Rhodes quand Catherine a débarqué à Famagouste. Elle s'est offerte au roi le soir même, dans la salle d'armes de la citadelle. Dans une salle d'armes ! Avant le mariage ! Elle est folle, à n'en pas douter.

— Ou très rusée. Jacques aime les femmes passionnées, et il aime les défis.

— Mais cela, Catherine ne pouvait pas le savoir. Et s'il l'avait renvoyée à Venise au matin ? Oh, bien sûr, le capitaine général Mocenigo n'espérait que cela. J'ai bien vu comment il l'a regardée, au moment de la laisser seule avec le roi.

Anna fronça les sourcils ; Sancia constata avec étonnement que son visage avait perdu toute grâce. Ses yeux, durs et brillants tels ceux d'un épervier, s'étaient assombris. On aurait dit qu'elle venait d'enfiler un masque, un masque effrayant.

— Inutile de vous tracasser, comtesse, s'empressa d'ajouter Sancia. Catherine est son épouse, elle tombera bientôt enceinte. Les femmes enceintes ne sont guère désirables.

— Ce n'est qu'une question de temps. Quoi qu'il advienne.

Même sa voix rauque sonna aux oreilles de Sancia comme le cri d'un rapace. Malgré la chaleur, un frisson désagréable la traversa. Dans le jardin, les domestiques avaient commencé à dresser le couvert pour le banquet. Les ambassadeurs étrangers, las d'attendre que le roi ouvrît la porte, s'étaient retirés dans leurs quartiers. Le temps s'écoulait lentement ; au soir, les serviteurs apportèrent des candélabres d'argent qu'ils arrangèrent sur les tables. La chambre royale resta fermée. Bientôt, les premiers convives arrivèrent dans le jardin. À la nuit tombée, Onofrio les invita enfin à prendre place. Sa femme Blanca disposa un bouquet de marguerites jaunes devant les chaises vides des mariés.

— Le jaune est la couleur de la fertilité, pépia-t-elle d'une voix trop aiguë.

Acrobates et danseuses apparurent, vêtus de costumes moitié blancs, moitié noirs, leurs visages peints de la même manière.

— Les couleurs du roi, annonça Onofrio aux invités.

Les saltimbanques se mirent à pirouetter au rythme enlevé d'une musique andalouse. Anna de Rocas applaudit avec enthousiasme. Elle semblait être la seule que l'absence des mariés ne gênait pas. Une danseuse vint tournoyer devant elle.

— Le roi m'a demandé d'interpréter cette danse pour vous, madame, dit-elle en catalan.

Ses yeux noirs et ses lèvres écarlates contrastaient avec le blanc de céruse qui recouvrait son visage. Elle portait une jupe courte, flottante et transparente qui la faisait ressembler à une fleur ou une libellule. Pendant qu'elle virevoltait, un jongleur lui lança un sac. Les invités poussèrent de grands cris lorsqu'un gros serpent en jaillit. Il s'entortilla autour du cou de la danseuse, puis glissa vers le bas, enserrant ses hanches. Le reptile et la fille évoluaient de concert, de plus en plus vite. D'un geste vif, la danseuse saisit la tête du serpent et la porta à sa bouche. La langue fourchue s'étira vers les lèvres couleur sang.

— Ça suffit !

Le cri d'Anna retentit par-dessus le vacarme des tambourins. L'espace d'un instant, tout parut immobile – musiciens, invités, serviteurs et artistes. Puis, dans le silence, le serpent écarta les mâchoires et émit un son rocailleux. Quelqu'un l'empoigna, le fit disparaître dans un sac, et la danseuse s'éclipsa.

— Depuis l'expulsion du jardin d'Éden, les femmes n'ont guère de sympathie pour les serpents ! s'écria quelqu'un.

Il y eut un éclat de rire général, les flûtes se reprirent à jouer et l'on retrouva une atmosphère de fête. L'homme qui avait parlé s'assit nonchalamment à la place du roi. Il avait un visage de statue antique, aux traits irréguliers, des cheveux noirs touffus et bouclés, de petits yeux sombres et perçants qui dardaient de part et d'autre ; la finesse de ses traits détonnait avec son cou taurin et son corps râblé. Il portait une boucle d'oreille en jade, ainsi qu'un étrange pendentif – probablement une amulette. Anna le salua d'un bref hochement de tête.

— Ce spectacle était-il votre idée, Rizzo ? demanda-t-elle.

— Non, celle du roi. Le serpent n'avait plus de venin, on l'avait extrait préalablement.

— Les pythons étranglent, ils n'empoisonnent pas.

Rizzo haussa les épaules.

— Inutile que vous attendiez le roi, ce soir. Il est parti, sans autre compagnie que Tafures et Catherine.

— Mensonge ! Il a promis de me voir après le banquet.

— Amour et loyauté ne vont pas toujours de pair, chère madame. Quasiment jamais, en fait. Je donnerais n'importe quoi pour connaître la destination du roi. Il doit avoir une bonne raison pour négliger son propre banquet de noces.

— Un caprice parmi d'autres. C'est bientôt la pleine lune. Un jour, Jacques m'a confié que, les nuits de pleine lune, il se rendait à la fontaine de Vénus à Polis pour assister au sabbat des sorcières.

— Le sabbat. Cela vous paraît-il un endroit approprié pour une jeune épouse ? se moqua Rizzo en secouant la tête. Non, Jacques est tout sauf un imbécile : les ruines de Polis renferment quelque chose, quelque chose d'important.

— Pourquoi ne pas interroger Tafures ? C'est le seul qui ne le quitte jamais.

— Vous savez pertinemment qu'il me déteste. Peu importe, je trouverai bien un moyen de découvrir le secret du roi. Il y a toujours un moyen…

— J'aime les secrets. Des choses qui en cachent d'autres, les replis ténébreux du cœur humain. Au fond, nous ne sommes pas si différents, vous et moi.

Le secrétaire du roi continuait de sourire. Il exécuta une révérence parfaite et retourna parmi les invités.

Dans la salle d'armes de la forteresse de Famagouste, Nicolò Pasqualigo, le Vénitien fraîchement nommé gouverneur du port, termina de lire le dernier document que le capitaine de justice Pietro de Avila lui avait passé.

— Vous êtes sûr qu'ils disent la vérité ?

De Avila hocha la tête.

— Leurs confessions sont identiques, excellence, jusque dans les moindres détails.

— Pour quelle raison voulaient-ils assassiner le roi ?

— Aucune. Ce sont de vulgaires brigands, capturés par hasard après le banquet, parmi d'autres ivrognes, par les soldats de Tafures. Ils prévoyaient d'attaquer le roi à son retour de la chasse, de le dévaliser et de le tuer. Jacques abandonne souvent son escorte quand il poursuit le gibier.

— Qui d'autre est au courant ?

— Personne. Le roi et la reine sont partis à l'improviste. Nous ignorons où.

Pasqualigo s'essuya le front. Les doigts qui tremblaient légèrement, il replia les documents. La situation lui échappait juste au moment où, après le mariage, les Vénitiens avaient quasiment pris le contrôle de l'île... Peut-être n'était-ce pas une coïncidence. Une embuscade sur une route peu sûre, l'escorte qui arrive en retard, le roi assassiné. La vérité éclata à ses yeux avec une violence telle qu'il en resta étourdi. Qui avait connaissance des déplacements de Jacques ? Qui, sinon ses amis catalans et français ? Les Français ne l'auraient pas trahi. De plus, ils fréquentaient rarement la cour. Les Catalans, en revanche, suivaient le roi partout, et sa maîtresse était l'une d'entre eux. Un jour, il avait entendu Anna de Rocas se vanter de tout savoir à propos du roi. Pasqualigo s'efforça de garder son calme ; lorsqu'il parla, ce fut sur un ton glacial.

— Ce qu'ils ont confessé n'est qu'une partie de la vérité. Qu'on les remette à la torture.

Il rendit les papiers à de Avila. Sa main ne tremblait plus.

Le carrosse arrivait en bord de mer lorsqu'un léger crachin se mit à tomber. Catherine se blottit dans sa pèlerine : elle était exténuée. Jacques, par contre, semblait insensible à la fatigue et éperonna joyeusement l'étalon andalou que Tafures avait choisi dans les écuries avant le départ. Une paysanne qui faisait paître ses moutons non loin de la plage le salua d'un geste. Jacques galopa autour du troupeau puis s'arrêta, faisant cabrer sa monture. Catherine était envieuse : elle aurait préféré chevaucher sous la pluie plutôt que rester enfermée dans la voiture bringuebalante, mais personne ne lui avait jamais enseigné à monter.

Tafures fit claquer son fouet.

— Voici Orgeval, madame. Le château du comte Guillaume et de Fiammetta, amis d'enfance du roi.

Il faisait nuit lorsqu'ils franchirent le pont-levis, salués par l'appel des cors. Deux hommes munis de torches vinrent les accueillir.

— Majesté, enfin !

— Guillaume. Et Tristan, vous êtes là, vous aussi ! Quelle surprise. Catherine, je vous présente mes meilleurs amis. Vous avez déjà rencontré leurs sœurs, Fiammetta d'Orgeval et Barbara Giblet.

Catherine opina du chef. Elle ne se souvenait pas de Barbara, mais comment oublier Fiammetta ? Elle ressemblait à la dame représentée sur la tapisserie qui ornait le salon du château : grande, mince, diaphane, les cheveux roux aux reflets d'or sous un chapeau à pointe, elle se promenait dans les bois avec une licorne ; une déchirure courait au centre de l'ouvrage, mais les couleurs étaient restées éclatantes. Hormis la tapisserie, le salon était relativement dépouillé : on n'y trouvait que des banquettes avec de vieux coussins et des braseros qui produisaient une lumière tamisée. Dans l'énorme cheminée, un sanglier tournait lentement sur sa broche. Une vieille servante voûtée apporta un pichet de vin et des bassinets d'eau pour s'y laver les mains. Jacques vida sa coupe d'un trait.

— Chaud, fort et épicé, comme je l'aime. C'est bon de savoir que certaines choses ne changent pas en ce monde. Comment allez-vous, Guillaume ? La fièvre ?

— Oh, j'ai des hauts et des bas. Depuis le temps, j'ai l'habitude. Je n'envoie même plus mander le médecin : de toute façon, ça ne sert à rien.

Le comte servit du vin à Catherine.

— Les nuits sont fraîches, ici, madame. Buvez, cela vous réchauffera.

Il s'exprimait d'une voix grave et aimable, agréable à écouter. À peine avait-elle porté la coupe à ses lèvres que Catherine sentit la fatigue quitter son corps. Guillaume trancha un morceau de rôti et le mit sur une assiette, qu'il lui tendit.

— Aujourd'hui, annonça Tristan, les rabatteurs ont repéré un grand cerf qui venait de descendre des montagnes. Il est véloce et rusé, il a réussi à nous échapper, mais nous reprendrons la traque demain. Peut-être vous attendait-il, majesté ; cependant, méfiez-vous, il est très fort. Il a chargé l'un des rabatteurs, manquant de le tuer à coups de cornes.

Jacques remplit sa coupe.

— Un animal intelligent, rapide et courageux… Que demander de plus ? Malheureusement, je ne pourrai pas me joindre à vous. La route est longue.

— Polis ? dit Guillaume.

Plus qu'une question, sa phrase sonna comme une observation. Le roi acquiesça.

— J'aimerais passer la nuit dans mon ancienne chambre.

— Naturellement. Et puis, vous n'auriez pas tellement le choix, Orgeval tombe en morceaux. Fiammetta ne veut plus vivre ici. Désormais, il n'y a plus que moi et la gouvernante – et les gardes-chasse, bien sûr.

— Sans oublier les meilleurs chiens de l'île, ajouta le roi. De quoi vous plaignez-vous ?

— Je ne me plains pas, majesté, je tenais juste à m'excuser auprès de dame Catherine. Sa beauté mériterait un accueil autrement plus digne.

— Ne vous inquiétez pas, monsieur. J'ai grandi au couvent, je ne suis pas tellement habituée au luxe.

— À mon avis, la seule chose qui manque à Orgeval, c'est une nouvelle tapisserie, dit Jacques avec bonne humeur. Gonzague m'en a envoyé une comme cadeau de mariage : je vous la ferai parvenir dès que possible.

Guillaume secoua la tête.

— Vous savez bien que je n'accepte pas de cadeaux de votre part. Même si vous n'êtes pas innocent : le coup de sabre qui a défiguré la Dame à la licorne est l'œuvre de sa majesté. Enfant, vous étiez maladroit, et même déloyal. Lorsque votre père a voulu vous faire fouetter, vous m'avez accusé sous prétexte que je vous avais fait peur.

— C'est la pure vérité, renchérit Tristan. Et vous aviez également coutume d'appeler les femmes à l'aide, surtout si elles ressemblaient à des nymphes, comme Fiammetta et comme vous, dame Catherine.

Jacques mordit à pleines dents un morceau de sanglier.

— Les nymphes sont stupides. Vous devriez lire plus, Tristan, si vous voulez jouer les galants hommes.

La vieille domestique apporta un plateau de pommes, une tarte aux myrtilles et une liqueur ambrée. Ils se rincèrent les mains avant de se partager les fruits et le gâteau. Les myrtilles étaient bien sucrées, la pâte remplie de crème fondait en bouche.

— Votre gouvernante prépare les meilleures pâtisseries du royaume et cette liqueur est un véritable élixir de longue vie. Envoyez-la-moi à la cour.

— Impossible, majesté : je mourrais de faim.

Un gros chien de chasse entra en bondissant et sauta sur Jacques, essayant de lui lécher le visage. Le roi le laissa dévorer la tranche de gâteau sur son assiette.

— Prenez garde, madame, il aime également les pommes.

Guillaume attrapa le limier par le collier pour le forcer à se coucher, mais l'animal renversa d'un coup de queue le plat qui contenait les restes de sanglier. Il partit les ronger devant la cheminée.

— Quelle bête magnifique, soupira Jacques. Le frère de mon Zeus. Il n'existe plus de chiens comme eux. Je ne sais pas comment nous aurions fait sans lui, le jour où nous sommes tombés sur cet ours.

— Il nous aurait massacrés. Maudits soient ces ours. Devez-vous forcément repartir dès demain ?

À nouveau, le roi soupira.

— Je laisserai le carrosse ici. La route est trop accidentée à Polis. Faites-moi préparer votre cheval normand pour l'aube. En échange, je vous donnerai l'un de mes andalous.

— Oh, non, majesté, le normand est trop vieux.

— Aucune importance, du moment qu'il est docile. Catherine voudrait apprendre à monter, mais elle a peur.

La reine se tourna vers lui.

— Comment avez-vous deviné ?

— Je vous l'ai dit : je peux lire dans vos pensées.

La gouvernante entra, un candélabre à la main.

— Votre chambre est prête, majesté.

— Il est déjà si tard ?

S'engageant dans les escaliers, le roi ajouta :

— Guillaume, dit-il, ne vous débarrassez jamais de cette tapisserie, je vous en prie. Elle m'est très chère.

Guillaume s'inclina mais, en se redressant, il vacilla et dut s'accrocher à Tristan.

— La faute à l'élixir de longue vie.

Catherine se pencha vers son époux.

— Le comte est malade, chuchota-t-elle à son oreille. Pourquoi ne lui envoyez-vous pas votre médecin ?

— Je l'ai déjà fait, ça n'a rien changé. La plupart des médecins ne servent à rien.

— J'en ai connu un pendant le trajet depuis Venise, un Allemand nommé Sigismond qui allait étudier chez les Arabes. À son retour, il m'a promis de s'arrêter à Chypre.

Jacques eut un geste vague de la main.

— En admettant qu'il revienne, nous sommes en Orient. Guillaume souffre des poumons, il n'existe aucun remède à son mal, pas même chez les Arabes. Mon cheval andalou lui coupera le peu de souffle qui lui reste.

Il ouvrit la porte de la chambre, sombre et froide comme tout le château. Une couverture en peaux d'écureuils rongée aux mites recouvrait le grand lit à baldaquin. Catherine commença à délacer son corset en frissonnant.

— Un étalon de pure race contre un normand... Je les ai vus travailler à Piscopi, ce sont des chevaux lourds et paresseux. Vous avez fait mauvaise affaire.

— Je suis un roi, pas un marchand.

Jacques l'attira contre lui sous la couverture, avant d'éteindre la chandelle.

La pluie nocturne avait laissé l'air limpide, à peine voilé de brume. La plaine s'étalait devant eux à perte de vue, dominée au loin par les montagnes qui disparaissaient dans les nuages. Tafures, Jacques et Catherine traversèrent les champs à cheval, s'arrêtant régulièrement pour ménager le vieux normand. L'après-midi était bien entamée lorsque des ruines se dessinèrent au loin.

— Le temple de Vénus, murmura le roi. Enfin !

Tournant le dos à la mer, ils grimpèrent en direction des collines. Au crépuscule, ils atteignirent une clairière traversée par un ruisseau. À part le murmure de l'eau, on n'entendait pas le moindre son.

— Attends ici, ordonna le roi à Tafures. Je serai de retour avant minuit, comme d'habitude.

Tafures hocha la tête d'un air sombre. Rester seul dans cet endroit ne l'enchantait guère : la nature y avait quelque chose d'inhabituel. Fleurs sauvages, lavande et myrte... Le printemps en automne – ce lieu était-il réellement ensorcelé, comme on le prétendait ? Les chevaux attachés, Tafures leur donna de l'avoine. Le normand pataud mangea goulûment, tandis que l'andalou semblait inquiet. Le soleil disparut derrière les arbres. Il régnait un silence absolu, pas le moindre gazouillis ni bruissement dans la forêt. Tafures se rappela que jadis, du temps de son enfance, il y avait un village dans les environs. Plus maintenant. Un bruit le fit sursauter. Il se retourna en un éclair, empoignant son épée. Rien. Il marmonna un juron, puis sortit un morceau de pain de sa besace. Il remplit une coupe avec l'eau du ruisseau. Y avait-il vraiment une créature dans les bois ? Des sorcières ? Frère Guglielmo était persuadé que, les nuits de pleine lune, elles se réunissaient près des ruines du temple. Lorsqu'une lune parfaitement ronde émergea au-dessus de la crête des arbres, Tafures commença à se sentir mal à l'aise. Il avait demandé au roi pourquoi il venait dans cet endroit ; celui-ci avait répondu qu'il le trouvait merveilleux. Que trouvait-il de si merveilleux à de vulgaires colonnes en ruine ? Il perçut un autre bruit. Cette fois, Tafures dégaina son sabre.

Jacques pivota brusquement sur ses talons, fouillant les environs du regard : il était sûr d'avoir entendu quelque chose, un son étranger à l'harmonie de la forêt. Un vol de canards sauvages s'éleva dans le ciel, puis le silence retomba. Catherine et le roi repartirent le long du sentier qui les mena à une source. Jaillissant d'un rocher, l'eau formait une mare où flottaient des nymphéas. Autour, des buissons de fleurs, myrte et laurier dégageaient un parfum entêtant. L'éclat de la lune se reflétait sur la végétation, nimbant les bois d'une aura enchantée. Le roi écarta un enchevêtrement de fougères pour dévoiler une statue.

— La voici. Aphrodite.

Se penchant pour l'observer, Catherine resta sans voix : la statue était parfaitement conservée.

L'humidité formait un voile luisant sur le marbre, donnant l'impression que la pierre s'était faite chair. La déesse souriait.

— En voyant votre portrait, j'ai pensé que vous lui ressembliez, Catherine. Vous avez le même sourire.

— Je ne souris pas dans le portrait.

— Oh si, pourtant. Comment vous aurais-je reconnue autrement ? Les Grecs croyaient que cette source est celle où Aphrodite s'est désaltérée après avoir surgi des flots : l'eau est tiède en toute saison, et elle apporte la fertilité aux femmes.

Le roi recueillit de l'eau dans le creux de la main, puis la porta aux lèvres de Catherine.

— En ces temps-là, il y avait une grande ville non loin d'ici, Polis. Le port était une véritable forêt de mâts tellement il accueillait de bateaux.

— Que s'est-il passé ?

— La cité fut détruite par un tremblement de terre.

Jacques s'interrompit et fouilla les environs du regard.

— Rentrons, il est tard.

Ils croisèrent Tafures sur le chemin de retour. Celui-ci tenait son épée à la main. Tous trois retournèrent aux chevaux.

— Le normand s'est blessé sur ces tessons. Éloignons-nous d'ici.

Jacques rassembla les débris.

— Regardez... Un antique cratère à libations.

— Sorcellerie, grommela Tafures.

Pauvre vieux normand. Peut-être aurait-il dû l'abattre.

Un domestique aida l'évêque à monter en selle. Chaque jour, après les vêpres, Guglielmo faisait une promenade. C'était le moment de la journée qu'il préférait, l'heure où la blancheur violente du soleil se diluait en nuances roses et violettes, et où, ses tâches accomplies, il pouvait laisser son esprit vagabonder. L'heure des choses les plus agréables de la vie : les banquets, les amis, les danses, l'amour... Pas pour lui. Il franchit au trot les murs de la ville et s'engagea sur un sentier qui traversait les champs. L'odeur de la terre fraîchement retournée mêlée à celle des agrumes imprégnait l'air. Guglielmo inspira profondément, avant de tourner dans l'allée bordée d'arbres qui conduisait à la villa de Rizzo da Marino. Il ignora les gardes devant le portail et, après avoir confié son cheval à un palefrenier, entra dans la maison. Rizzo n'était même pas là pour l'accueillir. Plébéien arrogant... Voyant la porte de sa chambre entrebâillée, Guglielmo n'hésita pas à pousser le battant. Dans la pénombre flottait un parfum à la fois âcre et sucré. Rizzo était allongé sur le lit défait, nu dans la lumière rousse du soleil couchant. Il ne remarqua pas la présence de l'homme d'Église. Il avait les yeux fixés sur une femme, nue elle aussi, assise par terre devant un miroir. Elle jouait avec un rang de perles qui serpentait autour du cou et le long des hanches, la nacre si blanche sur une peau plus pâle encore. L'évêque ne parvenait pas à s'arracher à ce spectacle : les seins menus, le ventre rond, les cheveux tel un manteau d'or rouge. Et ce parfum qui lui coupait le souffle. La femme non plus ne l'avait pas vu ; elle se mit à taquiner un chaton, qui soudain bondit et lui arracha le collier. Les perles roulèrent jusqu'aux pieds de Guglielmo. La femme redressa la tête en sursaut.

— Mademoiselle d'Orgeval, fit le religieux, pris de vertige.

Fiammetta attrapa le chat et le serra contre elle, jeta un coup d'œil aux perles qui terminaient leur course sur le sol, et sortit sans se retourner.

— Vos espions ne vous ont rien dit sur la comtesse d'Orgeval et moi, frère Guglielmo ?

Après avoir enfilé une chemise, Rizzo servit une coupe de vin à son visiteur, qui en but aussitôt une gorgée : trop fort et trop fruité, l'alcool ne fit qu'amplifier son étourdissement.

— Je suis venu vous communiquer des nouvelles urgentes. On a arrêté et interrogé des malandrins qui projetaient d'assassiner le roi. De Avila, notre capitaine de justice, fait tout pour retrouver Jacques. Savez-vous où il est parti ?

Rizzo secoua la tête.

— Ce n'est pas tout, poursuivit l'évêque. Sous la torture, le chef des brigands a confessé avoir reçu beaucoup d'argent pour éliminer le roi. Dommage qu'il soit mort avant de dénoncer le traître. Dommage, ou heureusement ? D'après le bandit, le commanditaire avait un accent étranger.

— À Chypre, presque tout le monde a un accent étranger.

— Vous, par exemple.

— Et j'aurais engagé un hors-la-loi en personne ? Je ne suis pas si stupide.

Rizzo ouvrit grand la fenêtre. Le parfum aigre s'envola, balayé par la brise marine. Dans la cour, Fiammetta monta sur son cheval ; elle quitta la propriété au galop, ses cheveux rouges gonflés par le vent, sa robe écarlate dessinant une traînée flamboyante dans la poussière. « Bientôt, pensa Rizzo, elle s'élancerait à bride abattue dans les champs, avant d'emprunter un raccourci à travers bois. » Il lutta un instant contre l'envie de la poursuivre et la renverser dans la terre remuée : elle se serait défendue, elle aurait griffé, mordu, crié, imploré, et enfin... Enfin. Rizzo referma vivement la fenêtre.

— Méfiez-vous, murmura Guglielmo. Fiammetta d'Orgeval est française, et elle appartient à la noblesse. Les nobles, surtout français, ont une approche très singulière de l'existence.

— En dehors de cette chambre, Fiammetta ignore tout de moi et réciproquement.

— Je vois. La passion est une étrangère. Jusqu'à quand ?

Rizzo fronça les sourcils.

— Trouvez-lui un mari, frère Guglielmo. Un Vénitien, tant qu'à faire. Fortuné. Vous aimez sauver les âmes, non ?

— Parfois, quand c'est en mon pouvoir.

Se dirigeant vers la porte, l'évêque marcha sur une perle et faillit tomber, mais il s'en rendit à peine compte. Il se sentait curieusement indifférent à tout – l'indifférence de celui qui connaît le destin des autres, sans rien pouvoir y changer. « La clairvoyance », songea-t-il. Quel don inutile.

Domaine de Piscopi, novembre 1473

Andrea Cornaro sortit sur le balcon pour regarder d'en haut les nouveaux cépages qu'il avait fait planter : un investissement à haut risque en cas d'hiver trop rude, mais également à haut revenu dans les années à venir. « On n'a jamais trop d'argent, se dit-il. Surtout ces temps-ci. » Il rentra dans la chambre. Soranzo, Mistabel et Paolo Contarini, commandant de la citadelle de Cérines, auraient bientôt terminé leur petit déjeuner. À présent que la défense de l'île dépendait presque exclusivement des Vénitiens, ils avaient des questions cruciales à régler : d'après les espions, le sultan était en train d'équiper une flotte redoutable à

Constantinople, afin de partir en guerre au printemps. À quelle île comptait-il s'attaquer en premier ? Rhodes ? Candie ? Andrea plissa le front, oubliant le plaisir éphémère que lui avait apporté la vue des cépages. Les domestiques avaient débarrassé la table. Contarini déplia une carte.

— À Cérines, l'une des tours principales s'est écroulée : notre distance de repérage s'en trouve réduite. Les murailles qui donnent sur la mer sont en piteux état, celles au nord présentent de larges fissures. L'air saumâtre a corrodé les canons, je ne saurais dire combien seraient utilisables en cas d'attaque. Les autres forteresses côtières sont plus ou moins dans les mêmes conditions, voire pire. Conclusion : à part Famagouste, Chypre est actuellement impossible à défendre.

Un silence consterné tomba dans la pièce. Soranzo fouilla dans son sac et produisit une feuille noire de chiffres.

— Le coût des travaux dépasse les prévisions. Or, les banques de Venise ne veulent pas assumer les aléas d'un prêt au roi.

— Prêter de l'argent aux souverains est toujours une piètre affaire, observa Andrea distraitement.

— Il nous faudra recourir aux usuriers, mais les intérêts pourraient conduire le royaume à la banqueroute.

Le dernier mot sonna comme le glas. Banqueroute. Le pire cauchemar de tous les Vénitiens. Contarini remua sur sa chaise. Assis en retrait, le jeune Marco Bembo blêmit. Seul Mistabel resta impavide.

— Il y a pire que la banqueroute. Le croissant de lune turc.

Andrea soupira. Le moment était venu d'émettre sa proposition, la seule viable.

— En attendant l'arrivée des fonds promis par la République, les Cornaro financeront les réparations les plus urgentes. Nous alignerons les intérêts sur les taux bancaires. Comme garantie, le roi nous accordera l'impôt sur le sel.

— La gabelle est l'apanage de Rizzo da Marino, excellence. S'en faire un ennemi pourrait se révéler dangereux.

— C'est le roi qui décide. Nos fortifications sont plus importantes que la bourse d'un percepteur.

Andrea se passa la main dans les cheveux. Ses yeux bleus, les yeux des Cornaro, plongèrent dans ceux du Grec.

Mistabel finit par détourner le regard.

— À votre guise.

Il sortit, suivi par les autres. Seul Soranzo ne s'était pas levé.

— Les Cornaro y gagneront sur le sel, et l'argent de la Sérénissime ne tardera pas car le Sénat veut défendre Chypre à tout prix. Aucun risque. Absolument brillant.

— Cela reste à voir, marmonna Andrea.

Soranzo se trompait : toute affaire comportait des risques. Il pensa brièvement à Rizzo et à la tragédie des mamelouks. Seigneur Dieu… Et Soranzo qui continuait de sourire. « Lorsqu'ils sortent des livres, se dit Andrea, certains hommes se transforment en baudets. »

— En informerez-vous Catherine ?

— Bien sûr ! Une partie de l'argent que j'investirai dans nos défenses lui appartient.

— Le roi n'appréciera pas. Les Français ne parlent pas affaires avec leurs femmes.

— Catherine n'est pas française, c'est une Cornaro.

Après que Soranzo eut pris congé, Andrea regagna le balcon. Les paysans bêchaient la terre autour des petites pousses de vigne. On allait bientôt entrer dans la période la plus froide de l'hiver. Une main se posa sur son épaule. Marco.

— Qu'y a-t-il entre le roi et Rizzo ? Pourquoi est-il dangereux de se mettre au milieu ?

— Lorsque le précédent roi mourut à l'improviste, le bateau de Rizzo mouillait à Famagouste. Jacques étant un fils illégitime, Charlotte fut couronnée reine.

Andrea parlait avec peine tant l'horreur qu'il éprouvait était encore forte.

— Charlotte se révéla aussi avide qu'ignorante : elle augmenta les taxes tout en négligeant l'île. Lorsque le peuple se rebella pour porter Jacques sur le trône, elle ordonna son assassinat. Rizzo le fit embarquer sur son navire, en cachette, et l'emmena en Égypte, où le sultan lui donna une troupe de mamelouks aguerris. De retour à Chypre, Jacques renversa sa sœur et fut couronné roi. C'est pourquoi il verse un tribut annuel au sultan et a fait de Rizzo son secrétaire et le percepteur du royaume. Voilà l'histoire, même si les gens ont préféré l'oublier, et même si ceux qui l'ont vécue sont quasiment tous morts.

— Qu'est-il arrivé aux mamelouks ?

— Exterminés. Ils étaient devenus incontrôlables.

— Il n'a pas dû être facile d'exterminer des guerriers.

— Et pourtant, si. Les musulmans ne sont pas des buveurs, et quand ils boivent, ils s'enivrent très vite. Rizzo les invita à fêter le couronnement dans la forteresse de Famagouste, où il leur envoya du vin de la Commanderie – le plus fort qui soit. Il ordonna ensuite que l'on barre les portes et mette le feu au bâtiment. Les mamelouks moururent brûlés vifs ou, pour ceux qui s'enfuyaient, passés au fil de l'épée par les mercenaires de Tafures.

— Un plan bien construit. Je dirais même admirable.

— Il fallut des jours et des jours pour extraire les cadavres des décombres fumants. Les miasmes infestèrent la ville, qui fut bientôt ravagée par une épidémie de peste. Trouves-tu toujours cela admirable ?

— Le roi ne pouvait pas prévoir l'épidémie. Rizzo non plus.

— Le roi était en sécurité sur les collines de Nicosie. Quant à Rizzo, ce qui distingue les hommes intelligents de ceux simplement rusés, c'est la capacité à anticiper les conséquences. N'oublie jamais cela, Marco.

Andrea rentra attiser le feu de cheminée, mais la chaleur rassurante ne suffit pas à chasser la sensation glacée qu'il éprouvait. Les conséquences. « Il est dangereux de se mettre entre le roi et Rizzo... Banqueroute... Le croissant ottoman flottant au-dessus de Cérines... » Plongé dans ses pensées, il n'entendit pas le bruit de pas qui s'approchait. Mistabel était revenu. Mistabel, l'un des rares qui connaissaient la vérité et qui n'en avaient pas peur. Sa présence réconforta Andrea. Comme à l'époque, ils n'avaient pas le choix. Ils contemplèrent les flammes en silence, tandis que Marco jouait de la flûte. Peu à peu, la musique chassa la froidure.

4

Venise, été 1510

CATHERINE S'APPUYA SUR LES COUSSINS pour boire une gorgée du remède. L'effet de la drogue s'étant dissipé, la douleur était en train de revenir. Le cardinal Orsini s'était assoupi à côté du feu éteint, un lévrier couché à ses pieds. Dans le silence qui les entourait, on entendait à peine le clapotis des eaux du canal. Catherine ferma les yeux et Jacques lui apparut aussitôt, habillé en noir et blanc, plus séduisant que jamais, le sourire aux lèvres et les bras tendus. Sa main gauche avait-elle réellement le pouvoir de guérir les souffrants par imposition ? Peut-être que oui, il était véritablement capable de lire dans les pensées. Catherine but une autre gorgée. La douleur reculait peu à peu. Elle crut entendre un éclat de rire, quelque part, un rire d'enfant. Mais il n'y avait plus d'enfants au palais, plus depuis longtemps. Un rêve ? « Et si c'était notre fils qui m'appelle, Jacques, ou encore Ciarla, que j'ai aimée comme ma propre fille ? » songea Catherine. Brusquement, le chien se dressa et se mit à gronder sourdement. À Noël, le premier hiver de leur mariage, le roi avait offert un bébé lévrier à Ciarla. Il neigeait sur les montagnes, Andrea Cornaro s'inquiétait pour ses vignes, Pietro Mocenigo était parti à Candie prendre livraison des nouveaux bateaux de guerre, et Francesco Giustinian commandait la flotte à sa place. Les paupières closes, Catherine sourit : « Ah, si seulement je pouvais respirer à nouveau le parfum d'orage que le vent apportait dans les jardins de Famagouste... » Sa chambre donnait sur la mer ; elle avait un balcon couvert de roses grimpantes. Des petites roses rouge sang encore fleuries en hiver. Seules les roses de Byzance fleurissaient à la saison froide ; après la chute de la ville, les jardiniers byzantins avaient emporté leur secret avec eux. « Les secrets », se dit Catherine. Et ce n'était que le début.

Chypre, Noël 1473

Debout sur le balcon, Catherine regarda les gonfalons vénitiens s'enfoncer dans la brume. Malgré le gros temps, Francesco Giustinian sortait en mer pour surveiller le littoral. Les pirates ne fêtaient pas Noël. Les sentinelles gardaient le pont-levis à l'entrée du palais royal, où les pauvres s'amassaient déjà pour attendre minuit, heure à laquelle le roi leur donnerait de la nourriture et des vêtements chauds. Or, le roi n'était pas encore rentré du Troodos, où il était parti chasser l'ours. Toutes les pièces du palais humaient bon le pin et le houx, et le fumet des rôtis que les cuisiniers étaient en train de préparer pour le banquet du soir. La robe de Catherine, en soie carmin aussi légère qu'un nuage, était prête. Un cadeau de son oncle Andrea pour Noël. Les soldats poursuivaient leurs rondes. Où était passé Jacques ?

— Majesté, il se fait tard.

Anna de Rocas entra, suivie par les autres dames. Elle portait une mantille rouge en dentelle et un peigne de nacre dans les cheveux. Sa peau était blanche comme le peigne, ses lèvres rouges comme la mantille. Olympe, Fiammetta, Barbara, Maria et Sancia se tenaient en retrait.

Anna aida la reine à s'asseoir devant le miroir et commença à lui brosser les cheveux. Ensuite, elle les tressa mèche par mèche sous la résille d'or et de perles – un cadeau de Jacques. Catherine sentait ses mains, aussi caressantes que sa voix, lui glisser sur la nuque.

— Et maintenant, la couronne. Elle n'a pas été portée depuis l'époque d'Hélène, la belle-mère du roi.

Un bruit derrière le rideau fit sursauter Anna, qui manqua de laisser tomber la couronne. Une fillette surgie de nulle part se mit à sautiller dans la chambre. Elle avait un visage adorable mais plein de suie, de grands yeux sombres et une masse de cheveux noirs dépenaillés. Elle portait un élégant habit en soie blanche, également taché de suie.

— Ciarla, comment es-tu entrée ? siffla Anna.

— Par le passage secret.

Elle indiqua une trappe cachée derrière les franges du rideau.

— C'est dangereux. La voûte pourrait s'effondrer d'une seconde à l'autre. Où est ta gouvernante ?

L'enfant haussa les épaules et gambada vers Catherine. C'est alors que Blanca de Resquens, empesée dans un somptueux vêtement de cérémonie, fit irruption dans la pièce.

— Majesté, mille excuses ! Quelle petite diablesse… Elle m'échappe toujours.

Elle tenta d'agripper Ciarla, qui s'empiffrait avec les biscuits de Giacinta. La fillette s'esquiva, mais trébucha dans le voile d'Anna et s'étala de tout son long sur la coiffeuse de Catherine ; les flacons de cristal, les poudriers et les fards, les bijoux – tout s'écrasa par terre. Catherine éclata de rire et Blanca se laissa tomber sur une chaise, rouge de colère, tandis que les dames de compagnie se précipitaient pour ramasser les objets. Anna de Rocas se retira dédaigneusement dans un coin.

— Ça suffit, maintenant.

Le roi était soudain apparu dans l'encadrement de la porte, entouré par une cohorte de courtisans. Ciarla se releva en un éclair pour aller lui sauter au cou.

— Enfin ! Je vous ai attendu toute la journée.

Souriant, Jacques la souleva d'un bras.

— Regarde, je t'ai apporté un cadeau.

Sous son manteau, il cachait un bébé lévrier blond comme le miel.

— Il est né à la Toussaint dans le château d'Orgeval. Guillaume l'a choisi personnellement : c'est le plus joli chiot de la portée.

Ciarla se mit à pousser des petits cris de bonheur. Le chiot aboyait furieusement, les demoiselles lui couraient derrière, Blanca continuait à se plaindre et les courtisans étaient toujours courbés en avant, attendant un signe du roi.

— Vous m'emmènerez à cheval dans la neige ? Vous avez promis.

— Bien sûr, mais pas aujourd'hui. Tu vois ? Il fait nuit.

Après avoir reposé l'enfant à terre, Jacques s'approcha de Catherine.

— Ciarla est ma fille, lui souffla-t-il à l'oreille.

Malgré le vacarme des instruments en cours d'accordage qui venait de la salle du banquet, Catherine ne percevait que les battements précipités de son cœur. Une fille. Les secrets, des choses qui en cachent d'autres... Quels autres secrets le roi lui cachait-il ?

Minuit. Anna de Rocas dansait au centre de la pièce, entre les tables jonchées des reliefs du festin. Elle ondulait avec langueur en agitant les tambourins ; son peigne de nacre tomba au sol, libérant sa chevelure telle une nuée obscure ; ce fut ensuite au tour de la mantille de glisser, révélant sa poitrine maquillée de rouge ; son parfum obsédant imprégnait l'air. Le roi se joignit à la danse. Assise à sa place, Catherine les regarda virevolter ensemble à un rythme qui allait s'accélérant. Le poids de la couronne sur son crâne devenait insupportable, mais Catherine ne pensait à rien d'autre que ce sein peint en rouge, et les mains du roi qui l'effleurait dans le feu de la danse. Puis, la musique s'arrêta brusquement et la salle éclata en applaudissements.

— Puis-je vous parler, madame ?

Giovanni Soranzo se tenait devant Catherine. Elle l'invita à s'asseoir, sans cesser pour autant de scruter les environs. Le roi avait disparu.

— J'ai appris que vous avez rencontré Ciarla, aujourd'hui. J'espère qu'elle ne vous a causé aucun ennui.

— Au contraire, c'est une enfant adorable.

— Et très seule, soupira Soranzo. Mais ce n'est pas d'elle que je souhaitais m'entretenir avec vous. Je me suis rendu à Piscopi pour conférer avec votre oncle, Mistabel et le commandant Contarini. Les fortifications de l'île sont dans un état lamentable. Monseigneur Andrea a proposé de financer les travaux, en attendant l'argent promis par Venise. En contrepartie, il a demandé au roi les recettes de la gabelle.

Catherine vit Anna remettre sa mantille et quitter la pièce.

— Le roi a refusé. Or, sans défenses, l'île risque de tomber aux mains des Turcs. Vous seule pouvez le convaincre, madame.

Catherine ôta la couronne et la posa sur la table.

— Rapportez à mon oncle que le roi acceptera ses conditions.

Elle se leva et s'en alla sans rien ajouter. Maria Bragadin la suivit après avoir pris la couronne. Soranzo resta immobile pendant quelques secondes, presque étourdi. Qui était vraiment cette femme à l'allure de sirène ?

Une pluie légère crachotait sur les vitres de la chambre plongée dans l'obscurité. Allongé sur le lit, les yeux ouverts, Jacques attendait. Dès que Catherine entra, il marcha vers elle et la prit dans ses bras. En silence, il commença à dénouer ses cheveux, enlevant un par un les fils de perles tressés, avant de plonger le visage dans la masse de boucles blondes. Catherine s'écarta.

— Que me cachez-vous d'autre ? Je ne veux plus de secrets.

Jacques la dévisagea avec la même expression qu'il réservait à son faucon préféré quand celui-ci essayait de lui becqueter la main. Tout à coup, il éclata de rire.

— Les personnes qui s'aiment devraient toujours cultiver un secret, Catherine. Et plus il brûle, mord et déchire, plus le plaisir est grand.

— Je ne vous comprends pas.

— Vraiment ? Quand je vous ai vue pour la première fois, vous marchiez avec Pietro Mocenigo sur le glacis. Vous le regardiez dans les yeux. Oh, je me souviens parfaitement de ce regard… Le désir. C'est pour cela que vous m'avez offert votre corps si vite, dans la salle d'armes, n'est-ce pas ? Le désir était devenu intolérable.

Jacques se pencha pour l'embrasser sur la bouche.

— Maintenant, je vais vous confier un autre secret.

Il ouvrit un compartiment dans le montant de la porte, où il prit un poignard à lame recourbée et au fourreau incrusté de rubis.

— Il appartenait au dernier empereur de Byzance, qui ne s'en séparait jamais.

Jacques caressa tendrement la lame. « Ces mains, songea Catherine. Réussirai-je jamais à lui résister ? » L'espace d'un instant, elle crut sentir le parfum d'Anna, puis, peu à peu, tout disparut. Elle ne percevait plus rien d'autre que la chaleur de leurs corps unis.

— Je vous adore, ma petite sirène.

— Pourquoi m'appelez-vous ainsi ? Les sirènes attirent les hommes pour les détruire.

— J'adore aussi les défis.

Bravant la pluie et la mer démontée, Francesco Giustinian sortit les navires du port. On avait repéré des pirates sarrasins au large ; Francesco comptait les capturer avant la tombée de la nuit. Qui pouvait savoir combien de prisonniers chrétiens ils transportaient pour les vendre sur les marchés musulmans ? Et ils escomptaient certainement en capturer d'autres dans les villages côtiers sans défenses. Non, les choses n'allaient pas se passer ainsi. Giustinian surveillait les mouvements des Sarrasins depuis plusieurs jours, renonçant pour cela au banquet royal. Cependant, là n'était pas le seul motif de son absence à la cour. Il en voulait au roi. Si les citadelles de Cérines et Limassol avaient été entretenues correctement, les guetteurs auraient aperçu les pirates bien avant leur arrivée à proximité des villages. Francesco n'avait pas mâché ses mots.

— Sans fortifications, Chypre succombera dès la première offensive, majesté.

— C'est ce que pensent les Vénitiens. Moi, par contre, je pense que la République convoite mon île et veut couvrir mon royaume de dettes et de mercenaires à sa solde.

— Vous préférez peut-être les Turcs ?

— Je préfère combattre.

— Comment ? Sans canons, sans châteaux forts et sans hommes, à la seule force de l'épée ?

Son ton était devenu railleur. Jacques s'était contenté de le fixer avec un regard qui, soudain, avait glacé les sangs de Francesco. Il avait repensé aux mamelouks : parfois, il oubliait à qui il s'adressait, et de quoi le roi était capable.

— Nous reprendrons cette discussion à une autre occasion, capitaine Giustinian. Vous portez un manteau rouge, aujourd'hui, assorti à votre étendard… Le rouge me dérange.

Sur ce, le roi lui avait tourné le dos. Francesco ne l'avait pas revu depuis. Un coup de couleuvrine claqua dans l'air. Sarrasins en vue. En scrutant la brume, il aperçut des felouques légères qui semblaient glisser sur les vagues. Elles s'éloignaient à toute vitesse, exploitant à la perfection la force du vent. « Les attraper ne sera pas facile », se dit Giustinian. Et avec cette pensée, tous ses soucis annexes s'envolèrent. Les bateaux, la mer, les Sarrasins : le reste n'existait plus. « D'ici la nuit tombée, je les ferai tous pendre au pied des remparts, se promit-il. Et d'ici la nuit tombée, leurs esclaves chrétiens seront libres. »

Catherine rêvait qu'elle se promenait dans le jardin du couvent, entre les buissons de laurier, et entendait la voix d'Agnese qui l'appelait.

— Viens ! Viens jouer avec moi !

Elle eut beau suivre la voix entre les haies qui bordaient les murs, elle ne vit personne. La végétation se faisait de plus en plus dense, au point de l'asphyxier tant l'odeur des lauriers devenait insoutenable. Tout d'un coup, le singe de l'abbesse

115

apparut : il riait de son ricanement strident en agitant le béret à clochettes. Catherine se réveilla avec un haut-le-corps. Elle frissonnait. Le lit était vide, mais il y avait une tiédeur agréable dans la chambre. Jacques était parti sans la réveiller, mais non sans attiser le feu. Il avait également étendu sur un fauteuil une robe en velours noir et dentelle blanche. Catherine se glissa dedans après avoir ôté sa chemise de nuit. Le contact du velours était doux et caressant comme les mains de Jacques.

L'ayant entendue bouger, Maria Bragadin entra dans la pièce.

— Vous êtes très belle ce matin, madame. La grossesse vous sied.

— Que cela reste entre nous, Marietta. Le roi n'est pas au courant.

La Bragadin écarta les rideaux.

— Des gonfalons rouges ! Le capitaine Giustinian repart en mer. Pirates sarrasins au large…

Elle ouvrit le dernier rideau, révélant Ciarla, accroupie par terre.

— Seigneur, que fais-tu encore ici ?

— J'ai peur, dans ma chambre. Dame Blanca dit que, si je suis méchante, les pirates viendront m'attraper.

La fillette alla s'asseoir au bord du lit. Catherine étudia son visage. Elle ressemblait beaucoup à Jacques : les mêmes cheveux bruns, les mêmes yeux d'ambre, le même sourire.

— Charlotte, dit Catherine gentiment, tu ne devrais pas utiliser le passage secret. Il est tout délabré.

— Ne m'appelez pas Charlotte. Charlotte, c'est la vilaine sœur qui voulait assassiner mon père… Oh, le poignard de l'empereur !

— Attention, il est très affilé.

— Je sais. Hélène s'est tuée avec cette lame, comme ça…

Ciarla leva la dague. Les gemmes brillèrent telles des gouttes de sang dans la lumière.

— Ne l'écoutez pas, majesté. Elle adore inventer des histoires.

Blanca se tenait sur le seuil. Depuis combien de temps écoutait-elle la conversation ?

— Il fallait que ça tombe sur moi, être sa gouvernante !

Elle essaya de traîner Ciarla dehors, mais la petite se débattit en lançant des coups de pieds.

— Je ne veux pas aller avec vous ! Je veux mon chien !

— Il doit rester au chenil, avec les autres.

— Ils vont le dévorer !

— Bon, d'accord, céda Blanca, essoufflée. Je vais le chercher.

Peu de temps après, elle revint avec le lévrier. Assise à même le sol, Ciarla se mit à jouer avec le chien, sans plus se soucier de personne. « Elle est vraiment adorable », se dit Catherine. Quand Jacques jouait avec Zeus, il avait la même expression.

— Saviez-vous qu'autrefois, déclara la fillette, toutes les nobles dames possédaient un lévrier ? Elles l'emmenaient promener avec une licorne. Comme ça.

Ciarla imita la pose de la femme sur la tapisserie d'Orgeval. La reine éclata de rire.

Giacinta apparut à ce moment-là.

— Je viens de sortir les biscuits du four.

— Oh, une naine ! Qu'elle est belle !

Giacinta lui donna aussitôt un biscuit : c'était bien la première fois qu'on lui disait qu'elle était belle. Ciarla s'empara de l'assiette entière, qu'elle partagea avec le chiot.

— Qu'est-ce que j'aimerais avoir une robe rose, moi aussi, comme celle que vous portiez au banquet de Noël ! C'est dame Blanca qui choisit mes vêtements : ils sont lourds et pleins de rubans parce que, d'après elle, c'est comme ça que s'habillent les princesses. Moi, je déteste.

Catherine fouilla au fond d'une malle. Elle réussit à en extraire une petite jupe couleur chair et un corset aux boutons de perles.

— Mon père me les a offerts quand j'avais à peu près ton âge.

Elle ne précisa pas qu'elle les avait emmenés à Chypre dans l'espoir de les faire un jour porter à sa fille. Enchantée, Ciarla fit une galipette sur le tapis persan.

— Ça suffit ! s'écria Blanca. Combien de fois dois-je vous répéter de ne pas sauter et de ne pas vous asseoir par terre ? Vous êtes toute sale ! À l'heure qu'il est, même la Sainte Vierge aurait perdu patience !

Elle empoigna Ciarla par le bras, mais celle-ci parvint à se dégager. En essayant de la rattraper, Blanca trébucha sur le chien et s'affala lourdement sur le plancher. Elle se releva bouillonnante de colère ; l'un des boutons du corset avait sauté.

— Je vais demander au roi de me retirer la charge. Ah, le voilà qui arrive.

Dans la cour, les chiens aboyaient, les sabots claquaient et on criait des ordres en français.

— Il a promis de m'emmener à cheval !

Ciarla s'élança vers la porte, où elle se cogna durement contre Giacinta. La fillette était aussi grande que la servante – elle faisait même un pouce de plus.

— Tu as oublié ta robe, dit la naine. Je vais t'aider à l'enfiler, mais dépêchons-nous si tu veux que ton père te voie toute belle.

Ciarla obtempéra. Blanca les regarda, consternée. Obéir à une naine ! Et quand elle avait annoncé sa volonté de démissionner, la reine n'avait rien objecté ! Après tout, c'était une charge fort rémunératrice.

— La mousseline ne convient pas à une fille de roi.

— En effet, elle appartenait à une fille de marchand.

Blanca devint encore plus violacée. Tirant sa révérence, elle sortit hâtivement. Catherine regretta ses mots : elle ne souhaitait pas se mettre les Catalans à dos. Sur la paroi, la *Dame voilée* fixait la reine de ses yeux profonds comme la nuit. « Premier faux pas », semblait-elle dire avec ses lèvres courbées en un sourire énigmatique.

Pelotonné à l'abri d'un portique, le petit Demetrio n'arrivait pas à s'endormir. Il attendait le retour au port des galères du capitaine Giustinian, avec les felouques des Sarrasins à la traîne. Seulement alors saurait-il que les pirates ne viendraient pas le prendre. Il serra la flûte contre sa poitrine ; cet instrument était son seul souvenir de sa famille. Un an plus tôt, par une nuit de tempête comme celle-là, les Sarrasins avaient déferlé sur le village, massacrant son père et enlevant sa mère et sa sœur. Demetrio leur avait échappé par miracle en se cachant dans les champs. Il caressa la flûte. À présent, il n'était qu'un mendiant parmi d'autres, souffrant du gel et survivant difficilement dans les rues du port. Mais il était vivant. C'était la flûte qui lui portait bonheur. Son père répétait sans cesse que la musique portait bonheur. Avant de mourir aux mains des pirates, il était en effet ménestrel.

Des salves de canons retentirent : la flotte de Giustinian était à l'embouchure du port. Le capitaine vénitien avait capturé les pirates. Demetrio se releva d'un bond et courut vers le quai. L'aube. Les rues s'animaient peu à peu. Un carrosse splendide aux ornements dorés traversa la place. Demetrio reconnut le blason royal. Précédée par des valets en livrée rouge, une dame aussi belle qu'une fée descendit de voiture. « Elle va accueillir le capitaine sur ordre du roi », pensa Demetrio. Lorsque la dame passa près de lui, son parfum l'étourdit presque ; sans réfléchir, il entama une mélodie espagnole sur sa flûte. La femme s'arrêta.

— Un enfant avec une flûte en or. Où l'as-tu volée ?

— Je ne suis pas un voleur, madame !

D'un trait, il lui raconta son histoire. La fée l'examinait songeusement.

— Tu n'es pas laid et tu joues bien. Suis-moi.

Demetrio monta dans le carrosse sous les regards envieux des autres mendiants.

— Écoute-moi, dit la femme d'une voix musicale. Je vais te conduire à la cour. Tu deviendras le page de la reine, tu mangeras tous les jours des mets délicieux, tu porteras de beaux habits et tu ne souffriras plus le froid. Mais à une condition : tu devras me rapporter les moindres faits et gestes de la reine dans ses quartiers. Sinon, tu le regretteras.

Demetrio eut un mouvement de recul : comme par un maléfice, les traits de la dame s'étaient métamorphosés. Ils ressemblaient désormais à ceux d'un rapace. Le garçon hocha la tête vigoureusement. On tira une autre canonnade alors que les soldats poussaient les Sarrasins enchaînés vers la citadelle.

La dame salua le capitaine en agitant la main.

— Monsieur Giustinian, venez, je vous en prie. Le roi vous attend au palais.

L'officier, un jeune homme brun aux yeux noirs calmes et profonds, marcha vers le carrosse.

— Dame Sancia de Avila. Vous n'auriez pas dû vous déranger.

— Voyons, je considère cela comme un honneur.

Recroquevillé dans un coin de la cabine, Deme-trio observa avec stupeur le visage de la femme retrouver son apparence de fée.

Famagouste, printemps 1474

Rizzo da Marino replia la lettre, avant d'y apposer les sceaux avec une expression dégoûtée. Il devrait bientôt la remettre à l'ambassadeur Fabricies de Rocas en partance pour Naples ; elle contenait le refus de Jacques de promettre Ciarla en mariage au prince héréditaire Alphonse.

Levant la tête, il s'efforça de sourire à la dame de l'autre côté de la table : voir une belle femme était toujours réconfortant. Rizzo s'abandonna fugace-ment au fantasme de posséder Sancia de Avila, là, dans son bureau ; sa manière de sélectionner un biscuit sur le plateau, puis d'y enfoncer lentement les dents, le faisait frémir.

— Mauvaises nouvelles ? demanda Sancia.

— Oui. Catherine a réussi à persuader Jacques d'accepter le prêt des Vénitiens.

— Comment a-t-elle fait ?

— Comme toutes les femmes. En outre, elle est enceinte.

— Cela augmentera considérablement l'emprise des Vénitiens sur l'île.

— Et ce n'est pas tout : Ciarla n'épousera pas le prince Alphonse.

Sancia prit une autre dragée et la glissa sur sa langue. Elle avait de petites dents légèrement poin-tues.

— Nous avons sous-estimé Catherine : elle est forte, intelligente et maligne.

— Sans oublier très belle. Même frère Guglielmo est incapable de la contrôler.

Rizzo était comme hypnotisé par les lèvres de Sancia.

— Mais ce cher évêque a d'autres atouts dans son jeu : celui-ci, par exemple.

Il sortit une pochette en cuir du sac qu'il portait à la ceinture, et la posa sur la table devant Sancia. Elle défit les lacets de ses longs doigts frémissants.

— Herbes de montagne du Troodos, dit-elle. Je connais. Elles provoquent le sommeil.

— Celles-ci ont été mélangées à un poison redoutable. Ingéré à petites doses, il cause une grande fatigue, puis de la fièvre, affaiblissant le corps jusqu'à ce qu'un simple rhume puisse entraîner la mort. Les médecins n'y voient que du feu. Cette poudre n'a ni goût ni odeur si on la dissout dans un vin épicé.

Sancia ne pipa mot. Elle ouvrait et refermait la main autour du sachet. Elle finit par sourire de ses petites dents pointues, et Rizzo n'éprouva brusquement plus le moindre désir pour elle : ses dents ressemblaient à celles d'un rongeur, ses doigts aux griffes d'un rapace. Elle renifla la poudre de son nez busqué. « Un vautour prêt à fondre sur sa proie », pensa Rizzo. Il ne put s'empêcher de tressaillir.

La chaleur de mai sévissait. La grossesse et le parfum des boutons de rose rendaient Catherine indolente. Les praticiens du roi lui avaient interdit de monter à cheval, et même en carrosse. Jacques partait chasser tous les matins aux aurores pour ne rentrer qu'à la nuit tombée. Sans lui, les journées de Catherine semblaient vides et interminables. Sans lui, chaque chose perdait sa couleur : les poésies de troubadours que Mistabel lui présentait, les sorbets aux fruits du cuisinier royal, les vêtements bariolés des courtisanes, la musique, les lazzi des bouffons… Avec le printemps étaient arrivées les premières lettres de Venise : son frère Giorgio se passionnait pour les mathématiques, Alvise pour le grec, un peintre était en train de composer une fresque dans le salon du palais Cornaro, Agnese Vendramin refusait de se marier, l'abbesse était tombée malade mais retrouvait peu à peu la santé. Catherine était nostalgique de la lagune.

Assise sous la pergola par une après-midi étouffante, elle regardait Ciarla jouer avec son chien pendant que les demoiselles brodaient au son de la flûte de Demetrio.

— Regardez, maman ! s'écria Ciarla. Je lui ai appris à me rapporter la balle.

Depuis quelque temps, la fillette l'appelait maman. Catherine en sourit de bonheur. Ciarla lança à nouveau la balle, mais elle se prit les pieds dans sa robe et s'étala dans l'herbe. Catherine courut vers elle.

— Vous ne devriez pas vous essouffler par ces chaleurs, fit une voix.

La reine s'arrêta, aveuglée par le soleil. Pietro Mocenigo se tenait au milieu du pré, au centre du rouge violent des buissons de roses ; il paraissait encore plus blond, plus mince et plus buriné – en admettant que ce fût possible. Catherine ne trouvait plus ses mots : ils ne s'étaient pas revus depuis le jour du débarquement.

— Je ne voulais pas vous effrayer, madame.

Le capitaine général sourit, et son sourire transforma complètement son visage, qui devint très doux.

La couleur des roses était éblouissante, à la limite du supportable. Pietro prit Catherine par le bras pour l'aider à s'asseoir à l'ombre. Il arrangea les coussins dans son dos.

— Vous allez bien ? Souhaitez-vous que j'envoie chercher Sigismond ? Je l'ai ramené à Chypre sur mon bateau.

— Comment l'avez-vous convaincu ?

— En lui proposant de devenir mon médecin personnel. Je crois qu'il n'a accepté que par gratitude, il se sentait parfaitement à l'aise chez les infidèles.

Pietro promena le regard sur le jardin brûlé par le soleil, et les dames qui brodaient dans un coin.

— Où est le roi ?

— À la chasse.

— Il ne devrait pas chasser avec un temps pareil. Les marais sont infestés de miasmes et les routes de brigands. J'ai besoin de lui parler.

— Il ne rentrera pas avant ce soir.

Pietro haussa les épaules.

— Tant pis. Je viens de rapporter mon nouveau vaisseau amiral de l'arsenal de Candie. J'aimerais vous le montrer. Viendrez-vous dîner avec moi, à bord ?

— Rien ne me ferait plus plaisir.

De retour à bord. Avec Pietro. Le capitaine aussi était troublé. « Qu'est-ce que cela signifie ? » se demanda-t-il. Ce jardin trop calme, ces rosiers trop rouges, cette femme trop belle… Catherine. Depuis leur séparation, il avait pensé à elle toutes les nuits. Il aurait dû repartir seul, immédiatement, loin de Famagouste, au lieu de quoi il réveilla d'un claquement de doigts le cocher assoupi à côté des chevaux.

— Au port.

Maria, Barbara et les autres dames laissèrent tomber leurs ouvrages.

Jacques stoppa sa monture au milieu de la clairière : les chiens avaient disparu. Il entendait leurs aboiements entre les arbres, mais un enchevêtrement de ronces l'empêchait de les suivre. Un bruit. Soudain, le cerf se dressait devant lui. Le superbe animal au pelage fauve et aux cornes arquées le regardait de ses yeux humides. Bien que blessé et à bout de forces, il était encore prêt à lutter. Derrière Jacques, Anna de Rocas poussa un hurlement. Elle avait insisté pour le suivre à la chasse. « Quelle malchance, songea le roi. Juste aujourd'hui, avec un cerf blessé. » Avec une étrange indifférence, il fixa la bête qui s'apprêtait à charger. L'observa s'approcher. Il banda son arc : une flèche, une seule – il n'aurait pas assez de temps pour une deuxième. Pendant un instant qui parut éternel, le chasseur et sa proie se regardèrent dans les yeux. Puis le cerf s'écroula. Anna continuait à crier. En se retournant, Jacques aperçut Rizzo avec son arc encore levé. Seulement alors comprit-il que sa flèche à lui n'avait pas quitté son arc. Il était pourtant persuadé d'avoir tiré.

— Merci, vous m'avez sauvé la vie.

— J'ai attendu jusqu'au dernier moment, majesté, afin de ne pas vous voler le trophée, mais vous ne bougiez pas et cette bête était dangereuse…

— Merci, répéta Jacques.

Bizarre… C'était la première fois qu'il souffrait d'une telle absence.

— Rentrons. Il fait presque nuit et les chevaux ont grand besoin de repos.

Après avoir rameuté les chiens, les gardes-chasse enveloppèrent le cerf dans un filet. Une odeur âcre emplit la clairière. Jacques avait la tête qui tournait. Encore blême de peur, Anna le rejoignit avec les autres Catalans. « Rien que des Catalans, observa le roi. Partout et tout le temps. » Ils ne comprenaient rien au gibier ni aux chiens, ils ne savaient pas tirer. Sans l'intervention de Rizzo, il serait mort. Anna était en train de l'étudier.

— Êtes-vous fatigué ? Ou seulement contrarié ?

— Les deux. Sans Guillaume et Tristan, chasser ne m'amuse pas.

— Il y a d'autres moyens de s'amuser... Ce soir, à Famagouste, on fête le saint patron de la ville. Nous pourrions porter des masques et danser jusqu'à l'aube dans les tavernes du port, comme l'année dernière.

Le roi ne répondit pas. Il aimait écouter cette voix musicale, voilée, semblable aux notes d'une flûte. Sa soif de plaire à Anna ne lui laissait aucun répit, elle flottait dans l'air, aussi entêtante que son parfum. Jacques eut soudain la sensation de suffoquer.

— Pas ce soir. Je dois rentrer au palais.

Il lança le cheval andalou au galop, s'abandonnant au rythme doux et puissant de sa foulée. « Lorsqu'il sera plus docile, pensa le roi, je l'offrirai à Catherine. » Après la naissance de leur enfant.

Les lumières de la ville dessinaient une cascade dorée sur la mer d'encre. Catherine et Pietro Mocenigo avaient fini de dîner, mais ni l'un ni l'autre ne faisait mine de se lever. Francesco Giustinian se promenait sur le pont avec Maria Bragadin et Fiammetta d'Orgeval, leur montrant les canons arrivés de Candie avec les nouveaux bateaux.

— Navires rapides et canons à longue portée. Le sultan et sa flotte auront une drôle de surprise.

Maria jeta un coup d'œil à la reine et au capitaine, qui s'attardaient à table et parlaient à voix basse comme s'ils étaient perdus dans un autre monde. Des chansons grivoises et de la musique leur arrivaient depuis la place. Maria s'inquiéta de ce qu'allait penser le roi : l'arrivée imprévue du capitaine général, la décision de la reine de le suivre à bord, ce dîner qui s'éternisait... Les serviteurs débarrassèrent la table.

— Une statue en bois à la proue du vaisseau amiral, disait Giustinian. En forme de sirène. Il paraît que ça porte bonheur.

126

— Quand quitterez-vous Chypre ?

— Très bientôt. Maintenant, l'île dispose de forteresses bien armées et d'un nombre suffisant de mercenaires. Sans oublier que les galères royales patrouillent sur les côtes.

Mocenigo et Catherine se levèrent.

— Je rentrerai d'ici la fin de l'été, pour la naissance de votre enfant. Je vous le promets, madame.

En entendant ces mots, Giustinian s'étonna : le capitaine ne faisait jamais de promesses. Comment pouvait-il être sûr de vaincre les Turcs avant l'automne ? Il vit Pietro donner une lettre à la reine et fut aussitôt assailli par une sensation désagréable : cette atmosphère chargée de parfums, les reflets sur l'eau, cette nuit envoûtante, la musique stridente digne d'un rituel à Dionysos... Sous sa beauté, l'île cachait quelque chose de terrible. Catherine vint le saluer, la lettre à la main.

— Que Dieu vous assiste, capitaine Giustinian. Qu'il nous assiste tous.

Assis à un bureau, Jacques était en train d'écrire. De temps en temps, il levait la tête pour scruter l'obscurité derrière les vitres. La vision du cerf aux grands bois cuivrés continuait à le tourmenter. Une goutte d'encre tomba sur le parchemin. Le roi cacheta le document avec de la cire, puis but une gorgée d'eau. Il brûlait de l'intérieur. Du bruit dans la cour : Catherine était rentrée. Luttant contre la fatigue qui pesait telle une chape sur ses épaules, Jacques alla ouvrir la porte et regarda sa femme monter les escaliers. La grossesse rendait ses formes plus tendres et sa chair plus rose, ses yeux plus bleus et ses cheveux plus doux. « Je ferais mieux de goûter chaque seconde du présent, songea le roi. Peut-être que la fin est proche. »

— Vous êtes-vous divertie à la fête du saint patron ? La procession vous a plu ? Et le bal ?

— Je n'ai pas assisté à la fête. J'ai dîné avec le capitaine Mocenigo à bord de son nouveau bateau.

— Les galères sont sales et inconfortables : idéales pour se battre, pas pour manger.

— Le capitaine désirait vous parler.

Catherine posa la missive devant son mari, sur le bureau.

— Les sceaux du Sénat vénitien. Quel honneur !

Il lut tout en buvant à petites gorgées.

— Un complot. D'après les espions de la Sérénissime, les Catalans prépareraient mon assassinat afin de livrer le royaume aux Aragonais. Je n'en crois pas un mot, dit-il après un court silence. Les Catalans sont le seul obstacle entre Venise et Chypre. Une fois éliminés, plus rien ne s'opposerait au pouvoir de la République.

— Il pourrait quand même y avoir un complot.

Avec un soupir, Jacques indiqua la lettre qu'il venait de sceller.

— Mon testament. Je vous laisse mon île, Catherine. Ce n'est qu'un marécage, vous vous en rendrez compte bien assez tôt. Et je suis une grenouille déguisée en prince.

— Je vous aimerais quand même.

— Alors, faites-moi un serment : si je meurs, vous vous occuperez de mon royaume et de mon enfant. Coûte que coûte.

— Je vous le jure.

Le grand maître Giovanni Dolfin écrasa un puceron sur les restes de nourriture. Son bateau roulait doucement, naviguant à voile devant la flotte des Chevaliers au complet : une force de frappe redoutée dans toute la Méditerranée, qui, unie à celle du capitaine général Mocenigo, s'apprêtait à affronter les Turcs. Dommage que le roi de Chypre ne fût avec eux. C'était Dolfin lui-même qui, longtemps auparavant, l'avait ordonné chevalier. Avant qu'il usurpât le trône de sa sœur, avant les massacres, avant les mamelouks... Et avant Hélène. Tant de bravoure, de pureté et de corruption en un seul homme. La flotte vénitienne se découpait sur l'horizon. Mocenigo était ponctuel – en avance, même. Ses navires étaient très rapides. Le vaisseau amiral s'approchait de plus en plus ; Dolfin distingua bientôt la proue ornée d'une sirène qui plongeait dans les vagues pour en émerger telle Vénus parée d'écume, plus belle que jamais. Une sirène sur un bateau de guerre... Le grand maître sourit. Les sirènes sont puissantes. Même les hommes les plus invincibles s'effondrent à leurs pieds.

Palais royal de Famagouste, juin 1474

La journée touchait à sa fin. La fête célébrant l'arrivée de l'été, la plus importante de l'année, ne tarderait pas à commencer. Les villageois allaient danser dans les champs pour s'attirer les grâces de dame Nature. C'était une tradition païenne, mais personne n'aurait osé la supprimer : l'économie de l'île dépendait des récoltes. Abandonnée par dame Nature, Chypre aurait succombé à la famine et à la mort. Au crépuscule, comme chaque année, le roi allait donner le départ des festivités. Il avait à peine avancé un pied dans le jardin que Fiammetta d'Orgeval le rejoignit en courant.

— Majesté, puis-je vous parler avant le début de la fête ?

Jacques sourit. Ce soir-là, Fiammetta était magnifique avec ses cheveux flamboyants recueillis dans une pince antique en corail.

— Je souhaite me marier.

— Vous avez toujours dit qu'aucun des Français n'était à votre goût.

— Il ne s'agit pas d'un Français. Monsieur Giovanni Soranzo a demandé ma main.

— Vous êtes beaucoup trop jeune et beaucoup trop belle pour lui, s'esclaffa le roi.

— Ne vous gaussez pas, je vous en prie. Orgeval tombe en morceaux et Soranzo est très riche. C'est un homme doux et compréhensif, il me traitera bien.

— Êtes-vous sûre ?

Fiammetta le regarda dans les yeux.

— Oui.

Jacques l'entraîna entre les buissons de roses, bras dessus, bras dessous.

— Vous êtes française, Fiammetta. Vous descendez d'une lignée de chevaliers. Soranzo, malgré sa bonté et sa sagesse, est un marchand. Il ne comprendra jamais votre façon de penser, d'agir, de vivre. Pire que la ruine du château, ce mariage pourrait entraîner la vôtre.

— Catherine est fille de marchands, elle aussi. Et pourtant, vous êtes heureux avec elle.

Le roi laissa retomber le bras. Il ne pouvait pas dire à Fiammetta qu'il avait choisi Catherine parce qu'il la connaissait déjà. Elle se serait moquée de lui.

— Faites ce que vous voudrez.

— L'amour est divertissant quand on n'est pas amoureux, dit la jeune femme en tirant sa révérence, avant de repartir en courant comme une gazelle.

« Maudites prémonitions », pensa Jacques. « Pourquoi sont-elles toujours aussi inutiles ? »

Il fit signe à Onofrio.

— Le soleil est couché. Où est la reine ?

— Elle se repose, majesté.

— Ne la dérangez pas. Je vais lancer les festivités avec mademoiselle d'Orgeval.

Dans la foule des invités, Rizzo regarda Fiammetta virevolter avec le roi, telle une nymphe. Dans le rythme endiablé de la sarabande, la pince de corail se décrocha. Cette danse excitante faisait bouillir le sang de l'ancien pirate : c'était lui qui avait suggéré à Fiammetta d'épouser un homme riche, alors pourquoi la désirait-il à présent avec une intensité à la limite de la sauvagerie ? L'imaginer dans les bras d'un vieillard... Rizzo cueillit un bouton de rose et le broya entre ses doigts. Fiammetta s'arrêta pour vider une coupe de vin ; une goutte écarlate glissa le long de sa gorge et disparut entre ses seins d'ivoire. Rizzo était insensible aux épines de la rose qui lui perçaient la peau. Il détestait Soranzo, il détestait tous les marchands. À l'époque où il naviguait sur un bateau pirate, il s'amusait à les torturer pour leur faire avouer où ils cachaient leur or. Il aurait tellement aimé avoir Soranzo entre les mains, à la place de cette fleur...

— Excellence.

Il lui fallut quelques secondes pour comprendre qu'Onofrio s'adressait à lui. Il dut se rappeler qu'il n'était plus un pillard, mais un homme important.

— Excellence, nous avons reçu des nouvelles de la prison. Un brigand a confessé au gouverneur Pasqualigo que l'instigateur du meurtre du roi était un Catalan, même s'il ne l'a pas reconnu. Le danger est bien réel.

— Pas de nom, pas de preuve... Tout ce que nous avons, ce sont les divagations d'un bandit sous la torture.

La tresse de Fiammetta se délia et ses cheveux tombèrent sur son dos comme une cape rouge resplendissante. Le désir de Rizzo le céda à une fureur aveugle. Maudits Vénitiens. Ils voulaient tout lui arracher : son pouvoir, sa fortune et, à présent, sa femme.

— Le gouverneur Pasqualigo ne fera rien car nous ne lui laisserons pas le temps d'agir.

Onofrio recula comme s'il venait de voir un serpent. Puis il retourna se mêler aux courtisans.

La musique débridée de la sarabande parvenait jusqu'à la chambre. Anna de Rocas arrangea la couronne sur la tête de Catherine. « Cette couronne devrait m'appartenir », pensa-t-elle avec rage, en souriant malgré tout.

— Madame, vous êtes splendide, ce soir.

En réalité, Catherine avait l'air fatigué. À quelques semaines de l'accouchement, elle n'aurait pas dû assister à une fête, et encore moins danser. Le destin des épouses... Sans cesser de sourire, Anna glissa une rose dans les cheveux de la reine.

— Hélène portait toujours une rose rouge pour la fête de l'été. Le roi appréciera. Il apprécie tout ce qui lui rappelle Hélène.

— Il aimait sa belle-mère tant que cela ?

— S'il ne l'aimait pas, il aurait brûlé son portrait, comme il l'avait promis à frère Guglielmo, répondit Anna en indiquant la *Dame voilée*.

— Il m'a dit qu'il ne connaissait pas la femme du tableau.

— Évidemment. La passion est une étrangère.

— Madame.

Onofrio se tenait sur le pas de la porte.

— Il est tard. Je vous en conjure, venez prendre part à la fête. L'absence de la reine porte malheur.

— Vous êtes magnifique, lui susurra Anna à l'oreille. Aussi lumineuse qu'Hélène était sombre. Le jour et la nuit. On ne saurait se passer ni de l'un ni de l'autre.

Sur ce, elle se retira.

Catherine descendit dans le jardin, mais elle ne voyait aucun des visages qui l'entouraient, n'entendait ni les conversations ni la musique. Elle avança jusqu'au roi, au milieu des courtisans qui s'inclinaient sur son passage. Jacques prit sa main et l'entraîna jusqu'aux troubadours.

— Une rose rouge, murmura-t-il. Je déteste le rouge.

« Votre jardin en est pourtant rempli », pensa Catherine. Les secrets. Les musiciens jouaient une vieille ballade douce et traînante.

— Qu'est-il arrivé à Hélène ?

— Elle s'est suicidée.

— Comment ?

— Avec le poignard de l'empereur. Même morte, elle souriait comme dans le portrait. La *Dame voilée*, c'est ma belle-mère. Et je ne veux plus jamais parler d'elle. Je vous aime.

Vérité ? Mensonge ? Catherine avait la sensation de tomber dans le vide, dans des ténèbres sans fond. La ballade continuait telle une longue caresse. Le roi enleva la rose rouge de ses cheveux.

— Je vous aime, ma petite sirène.

5

Venise, été 1510

— LE CARDINAL EST PRÊT à vous recevoir, monseigneur.

Penchée sur Commynes, Delfina le secoua gentiment. Le Français ouvrit les yeux. Il faisait nuit noire, et il ne savait plus où il se trouvait. Dans son château au bord de la Loire ? Non, il faisait trop chaud. À Asolo, peut-être ? Ou à Rome, dans le palais de quelque ami ? Delfina le regardait en souriant.

— Le cardinal Orsini vous attend, monseigneur.

Commynes se redressa vivement. La sensation de bien-être que lui avait procuré le sommeil s'évanouit aussitôt au contact de la réalité : il était à Venise, en été, pour accomplir une tâche pénible. Quoi qu'il en fût, il devait obéir au roi. Il suivit Delfina dans le couloir ; la lampe qu'elle tenait à la main faisait danser les ombres sur les fresques, donnant vie ici à une nymphe, là à un faune ou une pastourelle. Dès que la lumière s'éloignait, tout retombait dans l'immobilité et le silence. Delfina s'arrêta et ouvrit une porte. Dans la pièce, Giulio Orsini patientait debout devant la fenêtre. Son aspect n'avait guère changé depuis leur dernière rencontre : barbe et cheveux parfaitement soignés, mi-longs comme le voulait la mode, et grisonnants.

Cependant, son visage s'était creusé, ses yeux brillaient telles deux pierres dures, cristallines et impénétrables. La dernière fois que Commynes l'avait vu, le prince portait un chapeau de plumes dorées et un perroquet perché sur l'épaule. À présent, il avait une soutane de cardinal en soie rouge au col brodé, sans autre bijou que le crucifix et la bague que Commynes embrassa après s'être agenouillé.

— Mon ami. Quel plaisir de vous revoir.

Avec un geste accompagné par un bruissement de tissu, le cardinal l'encouragea à se relever.

— Je suis honoré de la confiance que me témoigne le roi de France.

Commynes tressaillit. Cela signifiait-il qu'il acceptait ?

— Vous admettrez néanmoins que la proposition de Louis est déroutante : il veut me faire élire pape alors que Jules II est encore vivant.

— Le roi a convié tous les cardinaux à Tours pour une dispute théologique. Si les accusations à l'encontre de Jules II se révèlent fondées, il serait alors légitime d'élire un antipape.

— Quelles accusations ?

— Hérésie et fornication. Le cardinal Francisco Borgia affirme en avoir la preuve.

Un lévrier entra dans la pièce et se coucha sur le tapis. Giulio le caressa distraitement.

— Le cardinal Francisco est un Borgia, il a tendance à confondre vengeance et justice. Quant à votre roi, maintenant qu'il s'est fait excommunier, il veut faire déclarer le pape hérétique. Une manœuvre par trop transparente, ne trouvez-vous pas, Commynes ?

— Je ne suis qu'un ambassadeur, éminence, je n'ai pas à émettre d'opinion. J'ai néanmoins entendu dire que Jules II montre des signes de folie : il a juré de ne plus se laver ni se couper la barbe tant qu'il restera un seul Français en Italie.

Il a également accusé le cardinal Alvise Cornaro, son meilleur ami, de trahison. Celui-ci a dû fuir Rome.

— Alvise est un Vénitien. Pour lui, la République passe avant tout : la famille, l'amitié, et même la fidélité au pape. Pour le reste, ce n'est pas folie que de constater que les Français n'ont apporté que le malheur en Italie : une maladie jusqu'ici inconnue qui détruit le corps et l'esprit, la famine, la guerre et la peste. Les Cavaliers de l'Apocalypse.

Commynes baissa la tête.

— J'ai appris la mort du grand capitaine d'Aragon.

La contenance impeccable du cardinal se fendilla imperceptiblement.

— Si je n'étais pas entré dans les ordres, j'aurais combattu à ses côtés à Agnadello.

Giulio se retourna et fit mine de regarder quelque chose à l'extérieur ; parler à Dieu le rendait faible. Lorsque Commynes reprit la parole, sa voix semblait venir de loin.

— Le roi est persuadé que les cardinaux appuieront votre nomination. Réfléchissez... Si vous deveniez pape, beaucoup de choses dans l'Église changeront pour le mieux.

— En êtes-vous bien sûr, mon ami ? Vous avez bravé la distance et les dangers pour me remettre cette lettre : votre tâche est accomplie. Je vous donnerai ma réponse à l'aube.

— Le danger appartient au quotidien d'un chevalier. Quoi qu'il se passe, je suis content de vous avoir revu, prince Orsini. Si possible, j'aimerais également voir la reine.

— Bien sûr ! Elle vous attend. Elle vous a entendu et a reconnu votre voix. « Le cercle va bientôt se refermer », a-t-elle dit.

— C'est possible. Peut-être que cette rencontre n'est pas un hasard, éminence.

— Les choses importantes de la vie ne sont jamais un hasard, Commynes.

Giulio s'approcha de la fenêtre. Frémissant dans la brise, les eaux noires du canal semblaient de velours ; le parfum des roses montait du jardin par bouffées. Roses rouges de Byzance. Les yeux mi-clos, le cardinal rêva qu'il était assis sur les berges de la rivière d'Altivole, par une nuit d'été identique à celle-là. Il crut entendre le friselis et le murmure du ruisseau. Deux ombres dansaient sur les rideaux d'une des fenêtres de la villa. Elles se mouvaient lentement, se serraient et se relâchaient au son d'une flûte… « Ça suffit, pensa Giulio. Ça suffit. » Mais une autre vision s'imposa : une après-midi solitaire, les notes de musique qui couvraient le gazouillement des oiseaux dans le jardin. Diego galopait en cercle sur le pré. Son cheval levait fièrement la tête, se pliant docilement sous les doigts du cavalier. Paix, beauté, sérénité : les trésors de l'existence… Sans oublier l'amour. À l'époque, il croyait posséder cela, aussi. Il se retourna vers le Français.

— Allez chez Catherine. Il reste peu de temps.

Commynes hocha la tête. Lui aussi avait laissé divaguer ses pensées.

— Cette nuit, j'ai rêvé d'une femme dont j'étais éperdument amoureux. Adriana Marcello. Vous souvenez-vous d'elle ? Je l'ai demandée en mariage alors qu'elle était promise à un autre, un homme nettement plus jeune et attirant que moi, Filippo Cornaro. Elle m'a brisé le cœur.

— Leur mariage est tombé à l'eau. J'ignore pourquoi – infidélité, abandon… L'amour terrestre déçoit toujours. La seule chose qui change, c'est quand et comment arrive la déception.

— Qu'en savez-vous ? Vous n'avez jamais aimé, prince.

— Je vous en prie, ne m'appelez plus prince.

Après avoir pris congé, Commynes s'en alla vers la chambre de Catherine. La lettre du roi de France gisait sur l'écritoire, une feuille de papier froissée au sceau émietté. Ni lui ni le cardinal n'avaient daigné poser le regard dessus.

Famagouste, été 1474

La canicule mettait l'île au supplice. Les rivières étaient à sec, l'herbe jaunissait. Les vieillards pré-voyaient une saison sans pluie et des récoltes brû-lées par la sécheresse. Peut-être n'avait-on pas fêté assez dignement l'arrivée de l'été, car la disette et les fièvres menaçaient le peuple. Un matin parti-culièrement chaud, Maria Bragadin entra précipi-tamment dans la chambre de la reine.

— Majesté, il est arrivé quelque chose… Le roi vous attend dans la salle du Conseil. La réunion a duré toute la nuit. Il y a monsieur Andrea Cornaro, Tafures, Josaphat Barbaro, le capitaine de justice Pietro de Avila, le gouverneur Pasqualigo, et même les Français Tristan Giblet et Guillaume d'Orgeval. Tout le monde. C'est sûrement grave.

Catherine remonta en toute hâte le couloir qui séparait les appartements royaux de la salle du Conseil. Lorsqu'elle ouvrit la porte, elle se rendit compte qu'elle haletait. Les hommes assis autour de la table firent aussitôt silence. Filtrée par les rideaux de soie rosée, la lumière du soleil éclairait les fresques et fleurs peintes sur les murs. La forêt enchantée du roi. Les grands candélabres d'argent, cadeau de noces du doge, étaient encore allumés. À côté, Rizzo da Marino écrivait sur une feuille de parchemin.

— Asseyez-vous, Catherine.

Jacques lui sourit mais ne se leva pas. Un calme étrange flottait dans l'air – le calme avant la tempête.

— Majesté, est-il vraiment opportun que ma nièce participe à cette discussion dans son état ? demanda Andrea Cornaro à voix basse.

— Oui. Si je meurs, Catherine régnera à ma place. Et c'est précisément de ma mort dont nous parlons.

Il indiqua d'un geste la lettre avec les cachets du Sénat que Pietro avait confiée à Catherine, le soir du dîner sur le bateau.

— Il semblerait que tout est vrai. Lisez.

Catherine reconnut l'écriture du capitaine Mocenigo. Il informait succinctement le roi d'un complot contre sa personne, terminant son courrier par une liste de noms, tous catalans.

— Majesté, intervint Pietro de Avila, je vous conjure d'agir avec prudence : ce sont des personnages haut placés, amis du roi de Naples… Ils disposent de milices bien armées. Ils pourraient déclencher une révolte, les Aragonais n'attendent que cela. Vous devez les traiter avec tous les égards. Nous n'avons aucune preuve hormis la parole des brigands.

— Des preuves. Des égards… Ces Catalans que j'ai comblés de largesses, élevés aux plus hautes charges de l'État, veulent m'assassiner pour livrer Chypre au roi de Naples. Monsieur Cornaro, que feriez-vous dans un cas pareil, à Venise ?

— Nous arrêterions les conspirateurs et les mettrions aux fers.

— Exactement, intervint Tafures. Les Catalans sont puissants et bien armés, c'est vrai, tellement puissants qu'ils se croient intouchables. Mes soldats interviendront de nuit, par surprise. Une fois les traîtres emprisonnés, nous obtiendrons toutes les preuves nécessaires. Vu la façon dont il a puni ses barons, le roi de Naples ne pourra pas protester.

Ferrante avait en effet invité à dîner les barons qui l'avaient trahi, après quoi il les avait fait enfermer dans les oubliettes et étrangler.

— Général, murmura de Avila, horrifié. Jusqu'à présent, ici à Chypre, nous avons toujours respecté la loi. Et la loi ne permet pas d'arrêter un noble sans preuves incriminantes.

Pendant quelques secondes, on n'entendit rien d'autre que le crissement de la plume de Rizzo sur le parchemin. Le roi finit par rompre le silence.

— Je veux que, d'ici à une semaine, les Catalans aient été jugés, condamnés et exécutés sur la place publique de Famagouste. Mais avant, il nous faut des aveux. Ainsi, vous aurez vos preuves, de Avila.

L'intéressé avait le teint cireux. La liste comprenait son cousin, Perez Fabricies de Rocas, ambassadeur de Chypre à Naples et mari d'Anna, la maîtresse du roi. Y figuraient également le grand chambellan, Onofrio de Resquens, Blanca, la gouvernante de Ciarla, et même Sancia, sa propre femme... Il les imagina devant le bourreau, sous les crachats du peuple. La voix de la reine le fit sursauter.

— Il manque un nom. Qui est l'instigateur du complot ? Sans lui, exécuter les Catalans reviendrait à terrasser l'hydre sans couper la dernière tête.

Tout le monde la fixa. Rizzo laissait tomber la plume. Le roi se leva abruptement.

— Que l'on prépare les chevaux et les chiens dans la cour.

En un instant, la salle se vida sans que personne ajoute un mot. La lettre de Pietro était posée sur la table, à côté des gants et du fouet de Jacques. Seuls les aboiements des chiens troublaient la quiétude insolite qui régnait dans le palais. Le roi ouvrit grand la fenêtre et inspira profondément.

— On dirait une journée magnifique, non ? Et pourtant, l'orage gronde. Les rats... N'entendez-vous pas leurs piétinements, Catherine ? Il y en a plein la tour. Eux aussi sentent arriver la tempête. Ils frôlent les murs, se tapissent dans les coins sombres, s'envoient des signaux. C'est le parfum des roses... Quand l'orage approche, il devient suffocant.

Catherine ne répondit pas. Elle regardait la lettre dépliée, l'écriture inclinée, régulière et harmonieuse, si différente du tempérament de Pietro – ou, au contraire, si semblable. L'air matinal était lourd et immobile. Une abeille bourdonnait autour des guirlandes fleuries de la fresque. Catherine sentit la main du roi lui caresser les cheveux.

— Vous aimez le capitaine Mocenigo. Et il vous aime. Je l'ai compris à l'instant où je vous ai vus ensemble, sur le glacis.

Jacques ramassa les gants et le fouet, avant de se diriger vers la porte. Catherine le retint par le bras.

— Je ne vous connaissais pas encore. Aujourd'hui, c'est vous que j'aime. Et personne d'autre.

— Non, vous me désirez. Ce n'est pas la même chose.

Il lui donna un baiser furtif.

— Je dois partir. Je ne supporte plus ces piétinements et ce parfum. Une coulée de sang. Le parfum de la mort.

Il s'écarta gentiment de sa femme.

— Que vous êtes belle...

— N'allez pas chasser, je vous en prie.

Le regard du roi tomba sur la lettre que Catherine serrait dans son poing. L'abeille continuait à bourdonner, hypnotisée par les fleurs peintes. Dehors, les limiers glapissaient d'impatience.

— Seul l'honneur a retenu le capitaine Mocenigo de vous emmener avec lui. Honneur et passion : les nœuds de l'existence. Je vous remercie
pour le temps que vous m'avez offert, Catherine.
Je ne croyais pas pouvoir être aussi heureux avec
une femme.

Le roi se pencha à nouveau pour l'embrasser.
Un instant plus tard, il n'était plus là. À la fenêtre,
Catherine le regarda monter à cheval et la saluer
en agitant son gant. La dernière image qu'elle eut
de lui fut son sourire, le même qu'à leur première
rencontre sur le glacis, un faucon posé sur l'épaule.

Malgré sa profonde fatigue, Catherine ne supportait plus de rester cloîtrée dans le château. Elle
ordonna que l'on préparât son carrosse pour une
collation au bord de la mer. Après avoir tenté en
vain de la dissuader, Mistabel et son oncle Andrea
la suivirent à cheval, sans lâcher la bride de celui
de Ciarla, qui n'était pas encore assez bonne cavalière pour une promenade aussi longue. Blanca
de Resquens ne s'étant pas présentée, Ciarla en
avait profité pour convaincre Catherine de la
laisser monter toute seule. Le plus lentement possible pour éviter les cahots, le convoi arriva bientôt
à la pinède derrière la plage. Une brise agréable
soufflait sur le littoral. Pendant que les serviteurs
mettaient le couvert, Demetrio entonna une ballade et les dames chantèrent les chœurs. Catherine
s'assit à l'ombre d'un arbre avec Andrea et Mistabel. Une question la tourmentait autant que les
rats tourmentaient Jacques.

— Qu'est-il arrivé aux mamelouks ?

— C'est une vieille histoire, majesté, répondit
Mistabel en évitant son regard. Il vaut mieux
l'oublier.

— S'il vous plaît, dites-moi la vérité.

— La vérité, toujours la vérité. Puisque vous insistez... Les mamelouks étaient des guerriers choisis par le sultan d'Égypte. À la mort du précédent roi, Jacques, en tant que fils illégitime, n'avait pas droit au trône. Charlotte, la fille unique d'Hélène, est donc devenue reine ; elle détestait son demi-frère et tenta de le faire assassiner. Or, sa cruauté n'avait d'égal que sa stupidité, et le peuple se souleva. Jacques réussit à s'enfuir en Égypte, dont il ramena une troupe de mamelouks. Charlotte fut renversée et exilée. Voilà toute l'histoire.

— Non, intervint sèchement Andrea Cornaro. Ce n'est pas toute l'histoire. Jacques fut couronné roi, mais les mamelouks restèrent sur l'île, s'adonnant à la rapine, au meurtre et au pillage. La situation devint tellement insoutenable que Rizzo da Marino conçut un stratagème : il attira les mamelouks à Famagouste avec le mirage du trésor royal conservé dans la citadelle. Lorsqu'ils furent tous réunis, il leur fit servir de la nourriture et du vin. Comme tous les soldats de l'Islam, les mamelouks ne boivent pas, mais le vin de la Commanderie est un nectar irrésistible. Ils se soûlèrent. Le roi ordonna alors que l'on condamnât les issues et mît le feu à la citadelle. Voilà comment Jacques s'est libéré des mamelouks.

Les dames de compagnie continuaient à chanter ; la mer paisible qui s'étendait à perte de vue était d'une beauté irrésistible. « Comment une telle paix est-elle possible après tout ce sang ? » se demanda Catherine. Andrea enchaîna.

— Après le massacre, une pestilence terrible s'abattit sur l'île. Le tiers des habitants de Famagouste succomba. Mais le roi était déjà loin, à l'abri sur les collines de Nicosie.

Soudain, la brise forcit.

— Orage en vue, maugréa Mistabel. Il vaut mieux rentrer.

143

Le ciel était pourtant dégagé, la mer parfaitement bleue et calme. D'un geste tranchant, Mistabel coupa court aux protestations de Ciarla. Après avoir ramassé en toute hâte les restes de la collation, les serviteurs attachèrent les chevaux aux voitures.

— Les tempêtes estivales sont les plus violentes. Nous aurons de la chance si nous atteignons le palais avant qu'elle éclate.

Sur le trajet, Catherine sombra dans un profond sommeil. Elle rêva encore du singe, perché sur une branche, qui hurlait en grimaçant de terreur. Lorsqu'elle se réveilla, le carrosse franchissait le pont-levis ; au loin, le tonnerre grondait. Le cheval de Ciarla s'emballa, mais ils étaient heureusement déjà dans la cour, où les palefreniers le maîtrisèrent. Ciarla descendit, le visage exsangue.

— Vous voyez ? ronchonna Mistabel. J'avais raison.

Sa voix fut couverte par un bruit de cavalcade sur le pont-levis : le général Tafures, hors d'haleine, mit pied à terre et courut vers Catherine.

— Majesté ! Le roi a eu un malaise. Il s'est évanoui pendant la partie de chasse.

Guillaume et Tristan traversèrent le pont à leur tour, tenant l'étalon de Jacques par les rênes. Le roi était affaissé sur la selle. Les gardes-chasse traînaient la carcasse d'un cerf mort qui laissait une longue trace de sang sur le chemin. Catherine fut assaillie par une sensation de nausée. Les Français emportèrent le roi dans sa chambre et Tafures aida Catherine à monter les escaliers.

— Il a pris un coup de chaud, majesté. Jacques est vigoureux, il se remettra.

Comme le voulait une ancienne coutume, les appels répétés des cors résonnèrent de manière obsédante. On déshabilla Jacques avant de l'allonger sous les couvertures. Un petit médecin grassouillet en habit noir et collerette blanche se présenta à son chevet. « Il ressemble à un rat », pensa Catherine. Un rat sorti de quelque obscur recoin. Le médecin contrôla le pouls du malade.

— Son cœur bat faiblement, il a une forte fièvre. Je vais lui préparer une infusion.

Ciarla entra. Elle s'assit dans un angle de la pièce, son lévrier dans les bras. Giacinta vint à ses côtés et lui prit la main. Pas l'ombre de dame Blanca. Mistabel et Andrea Cornaro arrivèrent en dernier ; Tafures se mit de garde devant la porte. Le temps s'écoula. Le tonnerre grondait de plus en plus près, le vent marin gonflait les rideaux, chassant l'odeur aigre de l'infusion. Enfin, les cors se turent. Jacques ouvrit les yeux.

— Où suis-je ? dit-il en regardant autour de lui. Que s'est-il passé ?

— Vous avez perdu connaissance pendant la chasse. Vos amis vous ont ramené au palais.

Catherine posa un chiffon imprégné d'eau fraîche sur son front brûlant. Elle l'entendit exhaler.

— C'est bizarre. Je n'ai jamais été malade jusqu'à présent. Suis-je en train de mourir ?

— Non, non ! cria Ciarla en se précipitant pour embrasser son père.

« Ce n'est pas juste, songea Catherine. Elle est trop jeune pour souffrir ainsi. »

— Appelez madame Blanca, articula le roi. Qu'elle emmène ma fille...

— Blanca a quitté le palais. Peut-être que de Avila l'a déjà fait arrêter, ou bien qu'elle s'est enfuie.

Giacinta tira gentiment Ciarla en arrière.

— Viens, allons chercher des biscuits pour ton chiot, il a faim. Nous reviendrons ici plus tard.

Jacques se força à sourire.

— Oui, ma chérie, obéis à la naine.

Dans un murmure, il ajouta à l'intention de Catherine :

— Je veux me confesser.

— Frère Guglielmo est dehors qui attend.

— Oh, bien sûr ! Il attend depuis longtemps, n'est-ce pas, Tafures ?

Le général hocha la tête en silence. Le portrait de la *Dame voilée* tremblotait dans la lueur d'une lampe. Jacques se redressa sur les oreillers.

— Hélène…

Brusquement, une colère aveugle s'empara de Catherine, qui décrocha le tableau et le projeta par terre. Sans même s'en rendre compte, elle se mit à hurler :

— Pourquoi ne m'avez-vous pas dit que c'est elle que vous aimez, elle et personne d'autre, que vous l'avez toujours aimée, depuis le début ?

Ses sanglots couvraient le crépitement de la pluie.

— L'aimer ? s'écria Jacques en éclatant de rire. C'est cela que vous croyez ?

Son rire se désagrégea en une quinte de toux.

— Je la haïssais ! Je la haïssais… Tafures, je t'en prie, raconte-lui comment tout a commencé.

Le général vint près du lit et posa la main sur le bras de Jacques, comme s'il rassurait un enfant. Après un long soupir, il entama son récit.

— Quand le roi avait seize ans, j'étais son garde du corps ; il étudiait au couvent des frères capucins, dans les montagnes. C'est un endroit lugubre, isolé du monde, sans personne avec qui parler, rire ou aller chasser. L'ancien roi voulait que son fils devienne prêtre. Jacques passait donc ses journées à lire et à prier avec les moines. Un jour, il me dit qu'il devenait littéralement fou. Je décidai d'envoyer une lettre à la reine pour qu'elle intervienne auprès du roi. Hélène monta jusqu'au couvent. Assise dans le cloître, elle se mit à décrire à

Jacques le palais de Byzance et ses roseraies écarlates, les voiles dorées des galères impériales qui sillonnaient le Bosphore, les coupoles en or des églises, les rues pavées qui, au crépuscule, scintillaient telles des pierres précieuses. Elle lui raconta moult histoires, comme celle de Teodora, la danseuse qui avait envoûté l'empereur, au point qu'il n'avait plus désiré aucune autre femme après elle... Elle lui parla des séductions que Teodora employait pour réveiller les sens du souverain, les détailla une par une avec sa voix qui sonnait harmonieusement comme une harpe. Les années n'effaceront jamais la voix d'Hélène de ma mémoire, ni ses mots. Ensuite, elle offrit ce portrait à Jacques. Il l'accrocha dans sa chambre. C'est alors qu'il commença à la désirer ardemment, nuit et jour, au-delà de la raison et de l'honneur. Elle était l'épouse de son père, sa belle-mère. J'espérais qu'il l'oublierait, mais Hélène lui rendit à nouveau visite. Elle affirma qu'une vision la torturait, celle des danseuses traînées par les cheveux et suppliciées par les janissaires turcs, l'empereur transpercé par une lame recourbée, les roseraies des jardins impériaux inondées de sang... Jacques la serra dans ses bras. C'est alors que tout commença.

Catherine se couvrit les oreilles. Elle refusait d'écouter, mais la voix de Tafures poursuivait son récit, aussi monotone que les gouttes de pluie.

— Frère Guglielmo les surprit ensemble. Il chassa Jacques du couvent, mais jura que la vérité ne sortirait jamais de ses murs. Cependant, quelque chose en Jacques s'était brisé. La passion se transmua en haine, le désir en répulsion. Rien n'est plus redoutable que le remords. Hélène se donna la mort et le vieux roi la suivit dans la tombe, peut-être de crève-cœur. Malgré le serment de Guglielmo, quelqu'un chuchota à l'oreille de Charlotte...

Tafures s'interrompit : un homme se tenait à l'entrée de la chambre, un candélabre à la main.

— Frère Guglielmo. Nous étions justement en train de parler de vous.

— Le roi s'éteint. Je le sens.

— Alors, accordez-lui l'absolution pendant qu'il en est encore temps.

Les ombres qui dansaient à la lueur des chandelles dessinaient une expression cruelle sur le visage du moine.

— Vous savez que c'est impossible, Tafures. Jacques ne s'est jamais repenti.

— Soyez miséricordieux, murmura Catherine.

— La miséricorde ? Jacques n'en a jamais fait preuve. Il avait juré de se libérer du portrait d'Hélène, au lieu de quoi il l'a conservé à côté de son lit. Même morte, il la désire encore. Une passion qui dépasse la raison et l'honneur, vous l'avez dit vous-même, Tafures. La voilà, la vérité.

Il pleuvait désormais à verse, ce qui produisait un son aussi sinistre que dans la chambre de la Grecque, tant de nuits auparavant, au couvent des bénédictines. Une bourrasque de vent s'engouffra soudain par la fenêtre ; les flammes des chandelles vacillèrent et un pan de la robe de l'évêque prit feu.

— Mistabel ! Tafures ! cria Guglielmo. Au secours !

Le feu léchait les broderies d'or de la chasuble.

— Que personne ne bouge, ordonna Catherine, sans reconnaître sa propre voix. Que personne ne bouge. Donnez l'absolution au roi, frère Guglielmo, ou vous brûlerez.

Avec un regard terrifié, l'évêque leva la main et récita :

— *Ego te absolvo ab peccatiis tuis, in nomine Patri...*

Tafures déchira le tissu brûlé et l'écrasa sur le tapis.

148

— Ce n'est qu'une flammèche, maugréa-t-il avec mépris. Elle se serait éteinte toute seule.

La pluie s'était transformée en grêle et criblait les murs dans un vacarme presque assourdissant. Jacques se hissa sur les coussins.

— Tout est si clair à présent... C'est comme si un voile sur mon âme s'était envolé... Les nœuds de ma vie sont défaits. Passion et honneur enfin se confondent. Je vous aime, Catherine. Je vous aime depuis la nuit des temps. Mais vous êtes arrivée trop tard...

Il tomba à la renverse sur le matelas. Quelque part, Ciarla poussa un hurlement. Andrea et Mistabel se précipitèrent vers le lit. Tafures avait les yeux gonflés de larmes. Immobile, l'évêque tremblait encore. Lorsqu'il prit la parole, sa voix était dénuée d'émotion.

— Jacques était corrompu, et il a corrompu tout ce qu'il a touché. Y compris vous, madame. Sachez-le : un jour, vous aussi connaîtrez cette passion qui anéantit l'honneur et la raison, et elle causera votre perte.

— Le roi est mort, murmura Catherine. Allez-vous-en.

Rhodes, août 1474

Du haut de la tour, le grand maître Giovanni Dolfin contemplait la citadelle des Chevaliers qui s'étendait à ses pieds : ses rues ordonnées, ses maisons identiques en pierre grise, l'architecture simple et pure de l'église, et l'hôpital de l'Ordre, fierté de toute la chrétienté. « Soigner et combattre », pensa Dolfin. « Deux choses qui ne s'opposent qu'en apparence. » Sur l'horizon, une couche de nuages se formait lentement. Tempête. Les Sarrasins aperçus au large avec une cargaison d'esclaves chrétiens allaient réussir à s'enfuir : les vents contraires empêcheraient les Chevaliers de les rattraper. Soudain, Dolfin sursauta ; il leva la main pour se protéger de la lumière aveuglante du soleil. Non, il n'avait pas rêvé. Un navire franchissait l'embouchure du port, traînant la felouque des pirates derrière lui : sur le mât flottaient les lions de Venise et les armoiries d'une grande famille.

— Le capitaine Francesco Giustinian, excellence, murmura un officier dans son dos.

Les nuages recouvraient désormais les tourelles, dont les silhouettes noires se détachaient sur le blanc éclatant de l'horizon. « Noir et blanc », pensa Dolfin. Les couleurs de Jacques.

— Il est arrivé quelque chose au roi, souffla-t-il si bas que l'officier n'entendit rien.

S'il l'avait entendu, il l'aurait cru. Sur la mer, on ne discutait pas les prémonitions, car c'était souvent d'elles que dépendaient la vie et la mort. Les premières gouttes de pluie tombèrent sur la tour.

— Le capitaine sollicite une entrevue, excellence.

Dolfin poussa un long soupir. « Si tôt… Si tôt. »

Chypre, août 1474

Tafures ferma les yeux du roi, sans toutefois lui couvrir le visage. Mort, il avait l'expression parfaitement sereine d'un enfant endormi. Catherine s'agrippait à sa main devenue raide. Tafures essaya de la relever.

— Venez, madame. Vous êtes épuisée. C'est fini.

Fini. Catherine sentit alors un élancement dans l'estomac tel un coup de poignard. Elle tomba à genoux sur le tapis. Une autre pointe de douleur. Ce qui se passa ensuite resterait toujours flou dans ses souvenirs. Des voix. Oncle Andrea qui appelait les dames de compagnie. Une vieille femme à mauvaise haleine qui l'allongeait sur le lit et se penchait sur elle. L'accoucheuse ? Un homme habillé en noir, rondouillard et petit comme une souris. Le médecin ? Un tissu froid sur le front et le corps. Giacinta. De l'eau. « J'ai soif… » D'autres voix.

— Le bébé est mal positionné.

— Il n'arrive pas à sortir.

— La reine ne résistera pas.

Une porte qui s'ouvrait en grand. Une bouffée d'air frais. Enfin.

— Que se passe-t-il ?

Pietro Mocenigo ? Impossible.

— Catherine, bon sang, ouvrez les yeux !

C'était vraiment lui.

— Ne vous avais-je pas promis que je reviendrais ? Courage. J'ai ramené Sigismond. Il vous sauvera tous les deux, vous et l'enfant. Ne vous inquiétez pas.

Une main la secoua gentiment.

— Respirez à fond, madame. Encore. Maintenant, buvez. C'est une herbe sédative. Bientôt, vous n'aurez plus mal.

Sigismond. Ensuite, le néant. Un sommeil sans rêves. Ses souvenirs s'arrêtaient là. Lorsqu'elle rouvrit les yeux, il faisait nuit et elle se sentait bien. Maria Bragadin se pencha sur elle.

— C'est un garçon, madame. En parfaite santé. Pour le moment, reposez-vous.

Catherine se rendormit. Bien plus tard, des rires féminins la réveillèrent. Autour du berceau, Barbara, Fiammetta, Lucrezia, Ciarla et Giacinta parlaient entre elles en chuchotant.

— Dieu, qu'il est beau… Tellement blond, il ressemble à la reine.

— Il a les yeux bleus des Cornaro.

— C'est trop tôt pour le dire.

Son fils… Catherine tendit les bras. Giacinta souleva le nourrisson emmitouflé et le lui confia. Ciarla s'assit sur le lit, étudiant le bébé d'un air critique.

— On dirait une poupée, pas un enfant.

Les femmes éclatèrent de rire. Le lévrier aboya et le nourrisson se mit à vagir.

— Il a faim. Vite, Giacinta, donne-lui un biscuit, commanda Ciarla, déclenchant une autre salve de rires.

La chambre était pleine de roses rouges au parfum enivrant.

— Le capitaine Mocenigo a fait cueillir toutes les roses du jardin pour qu'on les mette dans votre chambre et dans celle du roi, expliqua Marietta.

L'hilarité générale retomba d'un coup. Seulement alors Catherine se rappela-t-elle que Jacques gisait sans vie dans la pièce voisine : il ne verrait jamais son fils.

— Depuis combien de temps suis-je couchée ?

— Trois jours, madame, répondit une voix masculine.

Sigismond s'avança et lui prit le pouls, avant de tirer les rideaux.

— Trop de bruit et trop de fleurs : qu'on les enlève.

La chambre redevint sombre et silencieuse. Tout ce silence… Catherine se demanda où étaient les Catalans. Enfermés dans les geôles du palais ? Ce fut sa dernière pensée avant de sombrer à nouveau dans un profond sommeil.

Rhodes, août 1474

Le grand maître remplit une coupe qu'il tendit ensuite à son invité. Francesco Giustinian avala une gorgée de vin tout en écoutant la pluie battante sur les tuiles du toit. Les deux hommes se trouvaient dans une grande salle quasiment vide, à part l'imposante cheminée et la longue table rectangulaire autour de laquelle se réunissaient les Chevaliers. Francesco et Dolfin finissaient de dîner.

— Les orages d'août sont les pires. Vous avez eu de la chance de rejoindre le port à temps. D'un autre côté, peut-être que la pluie chassera les fièvres. Notre hôpital manque de place pour les malades, il en arrive de toutes les îles du Levant.

Giustinian repoussa son assiette. Excellent repas, mais trop copieux. Le jeune homme se sentait légèrement indisposé. Jusque-là, ils n'avaient parlé que de sujets anodins : le temps, les vents, et surtout, l'accueil fastueux que le sultan des Turcs Mehmed avait réservé à Josaphat Barbaro à son arrivée à Constantinople. Le Sénat avait envoyé Barbaro pour négocier la paix, finalement conclue à un prix excessif pour Venise. Là-dessus, Dolfin et Giustinian s'accordaient : les Turcs allaient en profiter pour s'armer. Cependant, les Vénitiens voulaient la paix, et Barbaro était l'un des leurs.

— D'après vous, excellence, combien de mois de sursis ont-ils acheté ?

Dolfin haussa les épaules.

— Vu le rythme auquel les Turcs construisent leurs bateaux, je dirais un an. Deux en étant optimiste.

Il laissa passer quelques secondes avant de demander, sur un ton anodin :

— Quelles nouvelles de Chypre ?

— Jacques a refusé la main de Ciarla au prince Alphonse de Naples. Il se méfie des Aragonais, des Catalans, et même des Vénitiens.

Le grand maître, l'air pensif, se tut un instant.

— Que se passerait-il en cas de décès du roi ?

— Je ne saurais le dire, excellence.

— L'un des principaux avant-postes chrétiens aux mains d'une femme ? J'ai entendu dire que Jacques a rédigé son testament : après sa mort, le royaume appartiendra à Catherine. Quelle folie. Un bastion aussi crucial pour la chrétienté, gouverné par une femme...

— Une Cornaro, l'interrompit Francesco.

— Je comprends.

Au fond de lui, pourtant, Dolfin ne comprenait pas. La situation en Orient empirait de jour en jour : la chute de Negroponte, une paix chèrement monnayée, les Turcs toujours plus agressifs... Quel âge avait Catherine ? Dix-sept, dix-huit ans ? Seigneur !

— L'île est bien défendue, disait Giustinian. De nouvelles fortifications, de nouveaux mercenaires. Et la flotte du capitaine général.

Dolfin hocha la tête, remarquant que le Vénitien avait le teint blafard et que sa chemise était trempée de sueur. Fatigue ? Ou fièvre maligne ? Il recula sa chaise de la table.

— C'est le second refus que Jacques oppose à Ferrante de Naples. Une promesse ne lui aurait rien coûté, avec les fiançailles si loin dans le futur. Beaucoup d'enfants n'atteignent même pas l'âge adulte, alors que la haine de Ferrante, elle, ne meurt jamais.

— Je ferai part de vos inquiétudes au capitaine général.

En essayant de se lever, Francesco chancela. Les murs se mirent à tourner vertigineusement. « C'est le vin », pensa-t-il. « Trop fort. » Il eut l'impression que la croix octogonale brodée sur l'épaule gauche du grand maître vacillait à la lueur des chandelles. Ce fut la dernière image qu'il vit avant de s'évanouir.

Quand Sigismond eut fini de parler, un silence consterné tomba sur la salle du Conseil. Le visage hâlé du capitaine Mocenigo paraissait grisâtre. Mistabel se passa une main sur le front, tandis que les autres membres fixaient le médecin d'un air horrifié. Le seul à ne montrer aucune émotion était Andrea Cornaro.

— Vous en êtes sûr, Sigismond ? Il n'y a rien à faire ?

— Malheureusement non. La reine est devenue stérile. Elle est restée trop longtemps sans assistance : le bébé allait mourir asphyxié. Pour le faire naître, j'ai dû pratiquer une incision profonde. Je vous le dis de façon catégorique : votre nièce ne pourra plus jamais enfanter.

— Vous rendez-vous compte de ce que vous avez fait ? explosa Bragadin. Stérile, Catherine ne pourra jamais se remarier !

— Mon devoir est de sauver des vies, monsieur, pas d'arranger les mariages. Si j'avais attendu plus longtemps, la reine serait morte.

— Je vous crois, déclara Andrea Cornaro après un instant. Et je vous remercie. C'est grâce à vous que Catherine et son fils ont survécu. C'est la seule chose qui compte pour notre famille. Avec l'aide de la République, ma nièce régnera même sans époux.

— Naturellement, se hâta d'approuver Bragadin, redoutant l'Ire des Cornaro. Tous ces malheurs en si peu de temps bouleversent l'esprit, n'est-ce pas, capitaine général ?

Pietro ne répondit pas. En ce qui le concernait, la situation était on ne peut plus claire : sans le roi, débarrassés des Catalans, les Vénitiens devenaient les patrons de l'île.

Par la fenêtre ouverte, il vit une ombre traverser le ciel. Un faucon. Au premier coup d'œil, Pietro reconnut ses grandes ailes gris-bleu, sa manière lente et majestueuse de tourner autour de sa proie. Le faucon du roi. Qui l'avait libéré ? Il essaya de se concentrer sur la réunion.

— La justice suit son cours, annonça de Avila. Les preuves à l'encontre des Catalans sont écrasantes. En prison, ils ont tout confessé, excepté le nom de l'instigateur.

« De toute manière, songea-t-il à part lui, sa femme Sancia s'était enfuie à temps. »

— Les exécutions auront lieu en public. La mort du roi n'y change rien.

À présent, le faucon volait si près de la fenêtre qu'on pouvait distinguer ses yeux bleu pâle et admirer l'envergure superbe de ses ailes. Mistabel l'observa rêveusement.

— Un autour. Très rare. Jacques a offert un oiseau identique au roi de Naples après avoir refusé Ciarla à son fils. J'ai rédigé la lettre moi-même : « À la place de ma fille, je vous envoie le meilleur de mes faucons. Vous y gagnez au change, croyez-moi. Comme tous les Lusignan, Ciarla a très mauvais caractère… » Pour les Grecs, les autours étaient des oiseaux de bon augure.

Mistabel sourit faiblement. Bragadin haussa les épaules. Les Grecs, décidément… Ce n'était pas le moment de discuter des faucons. Il s'adressa de nouveau à Sigismond.

— Le fils de Catherine a-t-il un prénom ? Survivra-t-il ?

Il devait en informer le doge au plus vite.

— Oui. Il est sain et robuste. Dès qu'elle l'a vu, la reine l'a appelé Jacques.

« Jacques ! » fut le premier cri qui sortit des poumons de Catherine lorsque les effets du remède de

Sigismond se dissipèrent. Elle se leva et courut dans la chambre de son mari. Le lit était vide. Pour le reste, rien n'avait changé : toujours les mêmes livres sur le bureau, ouverts comme si le roi venait de les feuilleter, les lettres en attente de son cachet, l'anneau et, bien sûr, le poignard. On aurait dit qu'il était juste parti chasser, que les aboiements des chiens annonceraient sous peu son retour. Les roses rouges perdaient leurs pétales dans le grand vase de Murano. Les yeux clos, Catherine respira leur parfum si caractéristique. Non, rien n'avait changé, rien ne changerait jamais. Fiammetta d'Orgeval entra sans un bruit.

— Majesté, il est tard. Venez, dit-elle avant de ramener la reine à sa chambre.

Catherine ne ferma pas l'œil de la nuit ; elle guettait le bruit des pas de Jacques. Elle avait appris à le reconnaître au milieu des allées et venues régulières des gardes. À mesure que les heures s'étiolaient, le désir de Catherine s'intensifiait. Les mains de Jacques, ses bras, sa bouche, sa voix… « Ne soyez pas si pressée, ma petite sirène. » Ses dents qui brillaient dans la pénombre, quand il lui mordillait le cou. Jacques. Cela ne pouvait pas être fini. L'aube arriva. Ses dames apportèrent la robe de deuil : noir et blanc, les couleurs du roi. Et les perles, celles qu'il aimait tant.

Les jours filèrent, l'été se mua en automne. Pour Catherine, l'illusion et la réalité se confondaient parfois. La réalité, c'était la condamnation à mort des Catalans. À Famagouste, les travaux de construction des échafauds allaient bon train. L'illusion, c'étaient les bruits de pas dans le château : d'un instant à l'autre, ceux de Jacques allaient inévitablement retentir.

En septembre, Catherine se rendit à Orgeval pour assister aux noces de Fiammetta et Soranzo. À cause du deuil, une cérémonie austère avec quelques proches avait remplacé les fastes dont rêvait la mariée. Lesdits proches étaient néanmoins les personnages les plus importants du royaume : Fiammetta devenait la femme d'un homme riche et influent, à Venise autant qu'à Chypre. Un seul accroc perturba cette merveilleuse journée : au dernier moment, l'évêque Guglielmo Gonem ne se présenta pas, et le mariage fut célébré par le prêtre du village ; si Soranzo en fut offensé et stupéfait, Fiammetta haussa simplement les épaules. Frère Guglielmo était un paysan dans l'âme, sa crosse d'évêque n'y changeait rien.

Pietro Mocenigo arriva à l'heure. Après la messe, il entraîna Catherine à l'écart.

— Francesco Giustinian est malade, murmura-t-il. Il est à Rhodes, dans l'hôpital des Chevaliers. Fièvre maligne. Il ne rentrera pas hiverner à Chypre, comme je le souhaitais.

Anna de Rocas vint à leur rencontre, une coupe de vin à la main. Pietro se rembrunit et arrêta de parler.

— Capitaine Mocenigo, dit-elle de sa voix flûtée. Quelle surprise. Je vous croyais en mer.

Les yeux de Pietro se posèrent sur ses lèvres écarlates : pourquoi cette Catalane était-elle encore à la cour ? Que n'était-elle pas rentrée à Naples avec son mari, qui avait eu la chance d'échapper au procès grâce à son statut diplomatique ?

— La surprise est réciproque, comtesse de Rocas.

Il lui tourna le dos. C'est alors que Fiammetta s'approcha avec le petit Jacques dans les bras. Catherine l'avait nommée gouvernante, ce qu'elle considérait comme un grand honneur même si elle s'y connaissait mieux en chiens qu'en nouveau-nés. Ciarla la suivait avec son lévrier. Plongé dans un sommeil béat, Jacques marmonnait en dormant. Le tableau était si attendrissant que les traits sévères de Pietro se détendirent. Il sourit. Catherine prit son fils et le serra contre elle. Les perles exaltaient la blancheur de son cou et de sa gorge. « Mon Dieu, quelle beauté », pensa Mocenigo. Il détourna le regard.

— Francesco guérira cette fois encore, capitaine. Je le sens.

Anna de Rocas secoua la tête. On ne guérissait presque jamais de la fièvre maligne. La mariée s'éloigna en voyant que les musiciens étaient arrivés. Soranzo les avait fait venir de Venise ; ce n'était pas le genre de troubadours ambulants qu'affectionnaient les Français, et Fiammetta ne voulait pas manquer une seule danse. Un gros chien surgit des buissons à l'improviste et lui sauta dessus.

— Zeus ! Mon adorable, bon vieux Zeus.

Fiammetta se mit à le caresser sans se soucier de sa robe précieuse.

— Le chien du roi. Mon frère Guillaume l'a ramené ici, à Orgeval. Oh, une pavane, ma danse préférée !

Elle partit en courant, légère comme une libellule.

Le soleil disparut derrière les tours du château.

« Il faut que je m'en aille », se dit Pietro Mocenigo. Assis à côté de Catherine sur le rebord d'une fontaine, le gros chien noir couché à ses pieds, il n'arrivait pas à s'arracher de là. Le reflet d'une étoile filante dans le ciel nocturne fit scintiller l'eau. Ils n'avaient jamais été aussi proches l'un de l'autre : Pietro entendait sa respiration frôler la soie du corset. Il aurait suffi d'un geste infime pour la toucher, caresser son corps de sirène. Il la désirait depuis trop longtemps. L'espace d'une seconde, d'une bouleversante seconde, il fut sur le point de céder. Puis, l'étoile disparut, l'eau redevint noire, et Pietro prit conscience des ténèbres oppressantes de la nuit. Le rythme tumultueux de la pavane était presque assourdissant. Dans un mouvement brusque, il se leva.

— Il est tard. Adieu, madame.

Catherine secoua la tête et sourit. Il était déjà trop tard et tous deux le savaient. Ils ne pourraient plus se séparer. Pietro prit la main de la reine et l'embrassa longuement, du poignet jusqu'à la pointe des doigts. Nul besoin de paroles. Il s'éloigna à grandes enjambées sur le sentier. Le parfum de Catherine le suivit telle une obsession dans l'obscurité.

6

Venise, été 1510

LE FRANÇAIS ÉTAIT REPARTI.

Le cardinal Orsini retourna s'asseoir devant la cheminée éteinte. L'humidité de la nuit qui le pénétrait jusqu'aux os avait réveillé ses douleurs. Les Borgia. Désormais, ils étaient tous morts sauf un : ce cardinal Francisco qui, avec le roi de France, voulait Orsini pour pape. « Que la vie est étrange… » Dans la solitude de la nuit, Giulio sourit : sans ses articulations douloureuses qui lui rappelaient les tortures du château Saint-Ange, il n'aurait plus pensé aux Borgia. « Le mal s'exorcise avec l'oubli, à défaut de quoi il engendre plus de mal encore », songea-t-il. Combien d'années lui avait-il fallu pour le comprendre ?

La porte s'ouvrit sur Delfina qui apportait un broc de vin épicé. L'odeur de la cannelle couvrit celle, putride, qui montait de la lagune. Les yeux mi-clos, Giulio contempla le cou délicat de Delfina, la couleur inégalable de ses cheveux : une coulée d'or rouge que les années n'avaient pas effleurée. « Pourquoi Catherine continue-t-elle à s'entourer de tentation ? » se demanda le cardinal. Le rire de Marsilio Ficino résonna dans un coin de sa tête. Par une nuit comme celle-là, Laurent de Médicis avait reçu le grand philosophe dans sa villa de

161

Careggi. Laurent aussi aimait s'entourer de tentations : la musique la plus douce, les tableaux et les statues les plus lascives, les femmes les plus séduisantes, les pierres les plus précieuses...

— La beauté vaut-elle la perdition de l'âme ? avait demandé l'un des convives.

Autour de la table, le silence s'était fait.

— Cette question n'a pas de sens, avait répondu Orsini. La plupart des hommes ne peuvent pas se permettre ces tableaux, ces bijoux, ces femmes, pas même ces chiens.

Il s'était baissé – il s'en rappelait encore – pour caresser le museau d'un magnifique limier.

C'est à ce moment-là que Marsilio avait éclaté de rire.

— Croyez-vous vraiment que la beauté réside en ces choses, monseigneur ?

— En quoi d'autre ? Qu'est-ce que la beauté, alors ?

Le philosophe redoubla d'hilarité : oui, il se moquait de lui, du prince Orsini, l'un des hommes les plus puissants et redoutés de Rome. Laurent, qui connaissait bien les colères de Giulio, avait froncé les sourcils.

— La beauté, mon prince, c'est la splendeur du vrai.

À cet instant, dans le parfum de jasmin d'une soirée estivale, Giulio avait eu l'impression que son âme se libérait d'un voile opaque. Soudain, tout était clair. Son détachement des choses terrestres, sa quête de la splendeur dont elles n'étaient que l'ombre avaient commencé ce soir-là.

Delfina lui tendit un calice de vin. Un verre de Murano si fin et transparent qu'on avait peur de le casser en le serrant trop fort. Giulio n'en avait jamais vu d'aussi beau. Il sourit.

— Que de temps gâché, Delfina.

— Le chemin n'est pas le même pour tous.

— Oh, quelle sagesse... Je peine à vous reconnaître.

— Alors, laissez-moi me rapprocher.

Elle s'assit à ses pieds et posa la tête sur ses
genoux. La lumière des chandelles dessinait des
ombres fluides sur le plafond ; les nymphes peintes
sur les murs semblaient danser autour d'eux.
Giulio laissa glisser ses doigts sur les cheveux de
Delfina.

— J'aurais pu vous aimer, si seulement...

Le miroir au-dessus de l'âtre lui renvoya son
image. Soudain, il crut voir le grand capitaine
d'Aragon debout derrière lui, avec sa cape jaune et
son masque d'or. En train de rire, lui aussi.

— J'ai besoin de savoir la vérité, Delfina.

Pour toute réponse, elle ferma les yeux ; Giulio
eut l'impression qu'elle lisait dans ses pensées.
« Tout l'amuse », songea-t-il. « C'est une sorcière. »
Il se fit cette réflexion sans aucune rancœur car,
malgré les efforts et le passage des ans, la beauté
l'émouvait toujours autant. L'arôme des épices les
enveloppa comme une caresse.

Chypre, hiver 1475

Le baron Nicola del Sangro, commandant de la
flotte du roi de Naples, inspira le parfum des épices
contenues dans le pendentif qu'il portait autour du
cou. Après des mois de navigation, l'odeur de la
galère était devenue insupportable.

Le navire se trouvait au large d'une côte abandonnée, non loin d'une ville qui figurait sur les
cartes sous le nom de Polis ; or, malgré ses efforts,
le baron ne voyait rien d'autre que des broussailles
et des marais. C'était un lieu spectral, sûrement
infesté de maladies. La galère était beaucoup trop
proche du rivage à son goût... Del Sangro entendit

alors un clapotis annonçant une chaloupe en approche. Enfin. Aidée par les matelots, une noble dame débarqua sur le pont, enveloppée dans une pèlerine rouge à capuche.

— Comtesse de Rocas. Je commençais à douter que vous viendriez en personne.

Lorsque la femme baissa la capuche, sa beauté laissa le baron sans voix. Un visage ovale, délicat, avivé par de grands yeux sombres et des lèvres couleur carmin. Del Sangro regretta de ne l'avoir connue jusque-là qu'à travers ses lettres. En tant que confident du roi de Naples, c'était lui qui répondait aux comptes rendus que l'épouse de l'ambassadeur envoyait de Chypre.

— Pas même en rêve ne vous imaginais-je aussi belle, susurra-t-il en s'inclinant gauchement à cause du roulis.

Anna aussi était étonnée – étonnée qu'un homme aussi puissant pût être aussi répugnant.

Del Sangro était petit, corpulent et, à en juger par sa barbe grisonnante, d'un âge assez avancé. Il était cependant plus jeune qu'il en avait l'air : Anna savait qu'il avait quarante ans. Elle savait aussi que c'était lui qui avait découvert la trahison des barons et révélé l'identité des conjurés au roi de Naples ; il s'était ensuite chargé de leur élimination, en les invitant au château de l'Œuf pour les faire étrangler dans le cachot. Anna savait enfin que l'homme était avide, qu'il avait un appétit insatiable pour la nourriture et les femmes, et que son épouse, une riche héritière des Pouilles, avait disparu mystérieusement. Un individu rusé et dangereux. Elle lui sourit. La longue tunique chamarrée d'or, le médaillon et le gros collier lui donnaient l'air encore plus trapu.

— Pietro Mocenigo a quitté Famagouste avec sa flotte, murmura-t-elle en acceptant une coupe de vin. Tout est prêt. Même l'évêque a exprimé son accord. Au moment opportun, il soulèvera le peuple contre la reine.

— Et les Catalans ?

— Nous ferons libérer ceux qui sont encore vivants. Le plan a été étudié dans les moindres détails.

— Je suis tout ouïe.

— C'est simple. Nous allons prendre le fils de la reine en otage. Pour le sauver, Catherine ordonnera le retrait des chaînes que le capitaine Mocenigo a fait placer à l'entrée du port. La flotte aragonaise pourra alors occuper Famagouste sans résistance ni effusions de sang. Vous ferez ouvrir les portes des prisons, le peuple se révoltera, les Catalans occuperont le palais royal et la reine sera destituée sur ordre de frère Guglielmo. Qu'en pensez-vous ?

— Comment parviendrez-vous à enlever l'enfant ? Les soldats de Tafures surveillent la reine jour et nuit.

— Ils ne surveillent pas la gouvernante, Fiammetta d'Orgeval. Dès qu'ils apercevront vos navires, les mercenaires se précipiteront vers le port, laissant le palais et la citadelle sans défenses.

— Tout de même…, objecta le baron en se lissant la barbe. Madame d'Orgeval est française. Les Français sont fidèles aux Lusignan.

— Il y a toujours un fil distendu dans la trame. Il suffit de savoir lequel.

Del Sangro hocha la tête, agréablement surpris. Anna de Rocas n'était pas simplement belle. Il lui resservit du vin, lui effleurant le bras au passage. Elle ne sembla pas le remarquer, absorbée dans la contemplation de la mer qui s'assombrissait à vue d'œil.

— Il est tard. Rizzo m'attend à terre avec mon escorte. La région est infestée de brigands, mais, avec un peu de chance, nous arriverons à Orgeval demain.

Elle se leva, ramassant avec grâce la traîne de sa robe. La main du baron s'attardait sur son bras.

— Un fil distendu, dites-vous. Quel est le vôtre, comtesse ?

Anna éclata de rire – un rire très doux pour masquer son dégoût.

— À vous de le découvrir tout seul, cher monsieur. Sinon, ce ne serait pas amusant.

— Je le découvrirai. Dans quelques jours, au palais royal de Famagouste.

Anna lui tourna le dos. Son parfum s'évapora et la puanteur de la galère revint noyer l'atmosphère. Le baron del Sangro resta sur le pont à attendre l'aube. La sérénité absolue de la baie contrastait avec l'inquiétude qui le troublait. En repensant au plan d'Anna, il voyait déjà le drapeau du roi de Naples flotter sur les bastions de Famagouste. Un plan remarquablement conçu. Avec l'influence considérable qu'il exerçait sur les habitants de l'île, frère Guglielmo les persuaderait d'accueillir le prince Alphonse comme leur roi. Quant aux forteresses, sans l'argent des Vénitiens pour payer les mercenaires, elles allaient tomber comme des fruits mûrs. Non, ce plan ne pouvait pas échouer. Un nouveau fief dans les Pouilles, voilà ce qu'il allait demander à Ferrante en récompense. Et peut-être aussi Anna de Rocas. Il descendit sous le pont et apposa son cachet sur la lettre déjà prête. Aux aurores, le navire le plus rapide de sa flotte partirait pour Naples, afin de la remettre à Alphonse, futur roi de Chypre.

À Orgeval, comme tous les soirs, Fiammetta contemplait le crépuscule depuis la tour du château. L'air était limpide, le vent soufflait. Le rouge du ciel et l'azur intense de la mer étaient identiques aux couleurs des fresques du salon, qu'une restauration avait ramenées à la lumière. Fiammetta n'avait jamais été heureuse auparavant. À présent, elle avait tout : la richesse, Orgeval, ses chevaux, ses chiens, un époux. Elle venait de passer le plus beau Noël de sa vie, voyant le moindre de ses caprices satisfait, recevant tellement de bijoux et de vêtements qu'elle en avait perdu le compte. Grâce à l'armée de serviteurs engagée par Soranzo, le château resplendissait. On y faisait la fête tous les soirs, avec des ménestrels qui chantaient ses chansons provinciales préférées. Fiammetta dansait jusqu'au petit matin avec ses amis français, qui partaient ensuite chasser sans même se reposer. Soranzo participait rarement à ces fêtes. Il se retirait tôt, après avoir travaillé dans son bureau toute la journée, trop fatigué pour que le joli corps de sa femme lui manquât. Il était vieux. Fiammetta en était bien consciente, mais elle ne regrettait pas de l'avoir épousé ; au contraire, elle commençait à s'attacher à lui. Dans la tranquillité du jour qui mourait, elle attendait qu'il la rejoignît sur la tour. Dommage : il se faisait tard et le soleil disparaissait dans la mer. Un bruit la fit sursauter ; ce n'était que la nourrice, qui portait son éternelle jupe élimée au lieu de celle en tissu florentin que Fiammetta lui avait offerte à Noël. Vieille sotte.

— La comtesse de Rocas et Rizzo da Marino demandent l'hospitalité pour cette nuit. Dois-je donner l'ordre de baisser le pont-levis ?

— Évidemment ! dit Fiammetta en réprimant un geste d'agacement.

Laisser le secrétaire de la reine et la comtesse attendre dans le froid devant le pont-levis, tels des mendiants... Où était Soranzo ? Fiammetta regagna hâtivement sa chambre pour se changer. Elle choisit une robe rose pâle qui mettait en valeur ses cheveux roux ; elle y épingla une broche d'émeraudes vertes comme ses yeux – un cadeau de noces de Soranzo. Elle se regarda dans le miroir avec un sourire satisfait. Les Espagnols seraient impressionnés, eux qui accordaient tant d'importance aux apparences. En entrant dans le salon, elle vit que les domestiques avaient allumé une grosse bûche dans la cheminée. Un vrai gâchis. Cela dit, les flammes faisaient ressortir le bleu et le rouge des fresques et la splendide tapisserie de la *Dame à la licorne*. Seuls trois couverts étaient dressés sur la table. Le nouveau majordome s'approcha.

— Votre mari est désolé, madame, mais il a du travail à terminer. Et le comte Guillaume est de nouveau fiévreux.

Fiammetta hocha la tête, même si elle n'en croyait pas un mot : Soranzo ne voulait pas rencontrer Rizzo, et Guillaume aurait préféré mourir plutôt que dîner avec un pillard et une catin. Zeus se coucha devant la cheminée et se mit à ronger un os. Il était toujours aussi sale et malodorant, ce qui n'empêcha pas Fiammetta de le caresser affectueusement.

— Le vieux Zeus est la seule chose qui n'a pas changé ici, dit une voix musicale à l'autre bout de la salle. Jacques m'a raconté qu'autrefois, Zeus a mutilé un mamelouk. Est-ce vrai ?

— Probablement, répondit Fiammetta en se levant. Bienvenue à Orgeval, comtesse. Et vous aussi, Rizzo.

Elle les invita à s'asseoir.

— Trois couverts, observa Anna. Le chiffre magique. Avec le temps, je suis devenue superstitieuse.

Le majordome apporta les plats, tous délicieux.

— Le cuisinier est vénitien, pas français. Soranzo trouve notre cuisine trop riche.

— Oh, il devrait essayer l'espagnole ! Un jour, après un banquet à Naples, j'ai cru que l'on m'avait empoisonnée, mais ce n'était finalement qu'une indigestion.

Anna croqua une pomme. Il y avait dans sa façon de la déguster une volupté qui dégoûta Fiammetta. « Pourquoi sont-ils venus ? » se demanda-t-elle. En hiver, les routes étaient à peine praticables, infestées de bandits. Ils avaient certainement engagé une escorte. Soudain, la vue des places vides de son mari et de Guillaume l'angoissait.

— Ne vous ennuyez-vous pas, à la campagne ? Une femme comme vous…

Rizzo avança la main sur la table jusqu'à effleurer le bras de Fiammetta.

— Je ne m'ennuie jamais à Orgeval.

— Vous êtes pourtant hors du monde, insista Rizzo sans retirer la main. Il se passe beaucoup de choses à Famagouste.

— Par exemple ?

— Soranzo ne vous tient pas au courant ? La situation empire de jour en jour. La reine est incapable de gouverner, elle est dominée par sa famille : son oncle et son cousin se sont installés au château. Après leur arrivée, on a constaté des trous dans les caisses de l'État.

— Andrea Cornaro est déjà riche, il n'a pas besoin de voler.

— Les marchands ne se considèrent jamais assez riches. À ce rythme, ils deviendront les patrons de Chypre. Il faut absolument éviter cela.

— Je vous rappelle que j'ai épousé un marchand.

— Vous ne serez jamais comme eux et vous le savez, répondit Rizzo.

Il fit une courte pause avant de reprendre :

— Maintenant, Catherine pourrait accorder la main de Ciarla au prince Alphonse. Le contrat était avantageux, Jacques a commis une erreur en le refusant.

Fiammetta se leva et fit semblant d'attiser le feu pour dissimuler sa confusion.

— Catherine entend respecter la volonté du roi.

— Il y a un moyen pour la faire changer d'avis. Avec votre aide, Fiammetta...

Celle-ci se retourna vivement.

— Que faites-vous ici, au juste ?

— Nous sommes venus vous demander un service. Un service de rien du tout qui vous vaudra une généreuse compensation. Vous êtes la gouvernante du petit Jacques : tout ce que nous voulons, c'est que vous retourniez au palais et repreniez votre charge.

— La reine m'en a dispensé jusqu'au printemps.

— Reprenez la charge, insista Rizzo. Un jour prochain, je vous enverrai quérir : vous confierez l'enfant à Anna et vous quitterez la pièce. C'est tout. Vous voyez, ce n'est pas grand-chose.

— Je ne comprends pas.

En réalité, elle ne comprenait que trop bien. Trahison. Elle pria de toute son âme pour que Soranzo ou Guillaume apparussent en haut des escaliers. Mais personne n'arriva. Elle entendit la voix flûtée d'Anna.

— Si vous refusez, Soranzo apprendra tout sur vos relations avec Rizzo. Notre évêque s'en assurera. Ce n'est pas un hasard s'il a refusé de célébrer votre union.

La bûche qui crépitait dans la cheminée flamboyait ardemment, et Fiammetta sentit que sa robe rose était trempée de sueur. Elle foudroya Rizzo du regard.

— Je suis navré, madame, mais l'enjeu est trop important. Surtout, n'y voyez rien de personnel. Je n'hésiterais pas à recommencer de zéro avec vous...

S'avançant d'un pas, il la prit par les épaules. Fiammetta sentit la chaleur de ses mains.

— Je veux que vous quittiez mon château à l'aube, dit-elle.

Elle pivota sur ses talons et prit l'escalier. Elle monta lentement, comme une vieille femme. Sa robe imprégnée de transpiration glacée lui collait à la peau.

La Dame à la licorne semblait la toiser avec mépris.

Une maxime presque invisible était inscrite sur la tapisserie : « Le mal engendre le mal. »

La nourrice l'attendait au sommet des marches. Elle la déshabilla, la mit au lit entre les draps parfumés à la lavande, et tira la couverture en peaux d'écureuil sur elle. Elle fredonnait la berceuse provençale qu'elle chantait autrefois à Fiammetta pour l'endormir.

— « Vous n'aurez pas mon cœur, ô chevalier, car après l'égarement intense et fugace, vous l'offrirez en pâture aux faucons et lévriers. »

Trop tard.

Antonio Bragadin alluma le chandelier sur la précieuse écritoire en chêne, œuvre d'un artisan vénitien. C'était une soirée froide et venteuse. La pluie atténuait les bruits de la rue, au point qu'il n'entendait même pas les ordres des gardes qui, à cette heure-là, se donnaient le change dans la cour du palais. La lettre de Soranzo était ouverte sur le bureau : un trou dans les caisses royales. Le plus étrange, c'était que le coupable n'avait pris aucune précaution, comme s'il ne se souciait guère qu'on le démasquât. Fallait-il en informer le Sénat de Venise ? Pas encore, décida Bragadin. Les sénateurs risquaient d'envoyer des commissaires pour enquêter sur Catherine, voire la destituer. Il attendrait que Soranzo découvre le fin mot de l'histoire. Une clameur soudaine attira son attention. Il se pencha à la fenêtre. Un groupe de personnes courait en agitant des flambeaux. Des ivrognes. Il retourna s'asseoir. Pour quelque étrange raison, il repensait sans cesse au faucon aux yeux bleus : un rapace féroce et intelligent, qui savait disparaître au moment opportun, pour ensuite frapper sans pitié.

À l'extérieur, l'agitation augmentait. Un serviteur se présenta à la porte.

— Excellence, c'est terrible. La flotte du roi de Naples est à l'embouchure du port. Famagouste est assiégée !

Bragadin resta paralysé pendant plusieurs secondes, puis il se ressaisit.

— Mon manteau et une torche. Vite.

— Mais, excellence… Il est dangereux de sortir, quelqu'un a ouvert les prisons.

Les Catalans. Bragadin arracha la torche des mains de son domestique.

— Rassemble mes gardes.

— Ils ont disparu. La cour est déserte.

Bragadin ne tergiversa pas. Il ouvrit la porte à l'arrière de la maison et se mêla à la foule. La marée humaine l'entraîna vers le port. À la lueur des flambeaux, il distingua les silhouettes noires des navires aragonais, les canons pointés sur Famagouste. Aucune trace de la garnison de mercenaires censée défendre le port. Il leva les yeux vers les murs du palais royal. Là non plus, aucune trace des gardes. Où était Tafures ? Et Catherine ? Maria se trouvait avec elle… Seigneur ! Remontant le col du manteau pour se cacher le visage, Bragadin suivit la foule qui, sous la pluie battante, affluait à présent vers le palais. Pour la première fois de sa vie, il ne savait que faire. Sa seule certitude : cette nuit-là serait peut-être sa dernière.

Emportés dans la cohue, Andrea Cornaro et Marco Bembo avaient, eux aussi, rejoint le palais royal. Le pont-levis était levé. Bien que désertes, les murailles massives étaient imprenables.

— Qui a donné l'ordre de hisser le pont-levis ? murmura Marco.

— Tout n'est pas perdu. Je connais un passage qui mène aux appartements du roi. Suis-moi.

S'éloignant de la foule, ils marchèrent jusqu'à un pré laissé à l'abandon. Après s'être assuré qu'on ne les avait pas suivis, Andrea s'approcha du seul arbre des environs. Il leva le flambeau.

— Ici.

Les mauvaises herbes cachaient une trappe. Les deux hommes se faufilèrent dans le pertuis. Un escalier, une porte, et ils atteignirent les appartements royaux.

— Il n'y a personne…

Soudain, un éclat de lumière les aveugla. Des hommes encapuchonnés leur sautèrent dessus, les ligotèrent et, à la pointe du poignard, les poussèrent dans le couloir. Tout se passa si vite que ni Marco ni Andrea n'eurent la possibilité de réagir. Marco sentit avec horreur un liquide chaud lui couler dans le dos. Du sang. L'homme qui l'avait frappé ouvrit une porte.

La pièce était plongée dans la pénombre : Rizzo était assis à côté du feu, Catherine debout à la fenêtre avec Maria. Elle portait une robe de chambre en velours et ses cheveux décoiffés lui tombaient sur les épaules. Giacinta était assise dans un coin.

— Que signifie tout ceci, monsieur le secrétaire ? demanda Andrea en s'efforçant de paraître calme.

— Cela vous étonne, n'est-ce pas ? Je dois reconnaître que j'ai planté un décor à sensation, digne du théâtre de marionnettes de mon pays. Je suis né dans le sud de l'Italie, vous savez ; j'en ai gardé le goût de la mise en scène.

Un fracas à l'extérieur l'interrompit.

— Ah, quelqu'un essaie de baisser le pont-levis. Un effort bien futile.

— Pourquoi n'y a-t-il pas de gardes sur les murs ?

— Ils sont cachés. Ils pourront ainsi compter sur l'effet de surprise.

Andrea cueillit le regard de Catherine.

— Le peuple est terrorisé, mon oncle. Ils veulent tous se réfugier dans la citadelle, car ils pensent que les Aragonais s'apprêtent à occuper Famagouste.

— Vous ne voudriez sûrement pas que la populace déchaînée envahisse le palais royal, dit l'homme qui avait frappé Marco. Ce palais magnifique, plein d'objets précieux rassemblés au fil des générations...

L'homme ôta sa capuche noire : Onofrio, le grand chambellan si gras et placide. En voyant le sang qui coulait de la blessure de Marco, il se mit à ricaner. Un rire méconnaissable pour un homme qui l'était tout autant.

— Vous ai-je blessé, monsieur ? Vous m'en voyez mortifié. La prison m'a habitué à une certaine rudesse.

Rizzo lui fit signe de se taire.

— Nous perdons du temps. Persuadez votre nièce de signer ceci. Tenez, lisez.

Il tendit un document à Andrea. Quelques lignes seulement qui suffirent à ébranler le marchand.

— Retirer les chaînes à l'entrée du port... Seigneur tout-puissant, je comprends enfin. C'était donc vous, Rizzo, le commanditaire des brigands qui voulaient assassiner le roi. Pourquoi ? Vous aviez le pouvoir, la richesse, tout...

— Même les chiens de Jacques vivent dans le luxe. Reste qu'on les traite comme des chiens.

La porte s'ouvrit pour laisser entrer frère Guglielmo, accompagné par Anna et Fiammetta.

Le religieux s'approcha de la cheminée. Fiammetta tenait le petit Jacques dans ses bras.

— Le baron del Sangro souhaite entrer dans Famagouste avant le lever du soleil, annonça Anna. Il faut qu'on enlève les chaînes sur-le-champ.

Elle s'approcha de Catherine.

— Signez, majesté. Le gouverneur Pasqualigo a besoin d'un ordre écrit.

La reine secoua la tête.

— Je vous en prie, madame, chuchota Fiammetta. Autrement, ils vont tuer le bébé.

— Vous feriez bien de l'écouter. Le poison de frère Guglielmo est fatal, et il a l'avantage de faire croire à une maladie. Sur un nourrisson, cependant, il aurait un effet fulgurant.

Andrea transperça l'évêque du regard.

— Vous voulez dire que Jacques est mort empoisonné ?

Une expression tourmentée déforma les traits de frère Guglielmo, qui se courba en avant, comme en proie à une souffrance terrible.

— Je n'avais pas le choix. Jacques était corrompu, indigne de régner, indigne même de continuer à vivre. Et cette femme m'a contraint à absoudre ses péchés ! Elle a osé me menacer. Elle aussi mériterait de mourir dans les mêmes souffrances que son mari.

— Fanatique ! Assassin !

Trop vite pour que quiconque l'arrêtât, Marco se jeta sur l'évêque et planta les doigts dans sa gorge. Guglielmo s'affaissa tel un pantin dont le marionnettiste aurait lâché les fils. Marco continua à serrer. Rizzo, Onofrio et les gardes semblaient pétrifiés : l'évêque de Nicosie, le moine que beaucoup considéraient comme un saint, gisait sans vie sur le tapis. La stupéfaction passée, les soldats se jetèrent sur Marco et le passèrent au fil de l'épée. Andrea se précipita vers lui, mais Rizzo le poignarda dans le dos. Marietta poussa un cri noyé par les vagissements du bébé. Onofrio recula vers le mur telle une souris effrayée. Catherine s'agenouilla à côté d'Andrea, qui agonisait par terre à un pas de l'évêque. Un épanchement rouge sombre s'élargissait sur le tapis.

— Ce n'était pas mon intention, balbutia Rizzo. Ce n'était pas mon intention… Si vous aviez signé immédiatement, tout cela ne serait pas arrivé, madame.

Catherine lui arracha la feuille des mains et apposa sa signature.

— Portez les corps dans la chapelle, ordonna Rizzo aux gardes. Personne ne doit savoir que frère Guglielmo est mort, ajouta-t-il avant de sortir.

Le silence retomba dans la pièce. Anna observait par la fenêtre le ciel qui s'éclaircissait ; le bébé, fatigué d'avoir pleuré, s'était endormi. Fiammetta le berçait en fredonnant une chanson. Maria secoua doucement le bras de Catherine.

— Je vous en prie, madame, aidez-moi à allonger votre oncle sur le lit. Giacinta, va chercher Ciarla : tu es la seule à pouvoir deviner où elle s'est cachée.

Pendant qu'elles essayaient de le soulever, Andrea perdit connaissance. L'entaille dans son dos était profonde.

— Il faudrait appeler le médecin, mais il s'est enfui, dit Anna de Rocas. Peut-être que ces herbes le ramèneront à lui.

Elle proposa à Maria un sachet qu'elle portait autour du cou.

— Des herbes du couvent des capucins.

— Pourquoi voulez-vous l'aider ?

— Je n'ai rien contre votre oncle ni contre vous, Catherine. Puis-je vous appeler Catherine ? Je me suis même efforcée, depuis le début, de vous mettre en garde contre le roi. Vous ne pouvez pas le nier.

— Je l'aimais. Le reste n'avait aucune importance.

— En êtes-vous si sûre ? Non, vous êtes trop intelligente. Le roi était un homme sournois. Il ne vous a jamais dit qui était la mère de Ciarla. Réfléchissez. La petite a neuf ans. Neuf années ont passé depuis la nuit où Hélène se suicida. Et vous vous étonnez que frère Guglielmo ait refusé de lui donner l'absolution ? Pauvre Catherine. La passion rend aveugle, et Jacques était doué pour faire naître la passion. Il était le meilleur...

— Menteuse !

Ciarla était entrée avec Giacinta, sans bruit. En un éclair, elle sauta sur Anna et lui griffa le visage. Le sang perla sur ses joues poudrées.

— Qu'est-ce que vous voulez d'autre ? Allez-vous-en !

Anna s'essuya avec la manche de sa robe ; elle regarda l'enfant, le visage exsangue de Catherine, et enfin le corps d'Andrea sur le sol.

— Rien du tout. J'ai eu exactement ce que je voulais.

Les canonnades firent trembler les vitres. Andrea Cornaro ouvrit les yeux.

— Qu'est-il arrivé ?

Catherine s'approcha du lit.

— Une conjuration : Rizzo da Marino et la comtesse de Rocas ont permis à la flotte aragonaise d'entrer à Famagouste.

— Vous allez bien ? Et le petit Jacques ? Où est Marco ?

— Il est descendu prier pour vous dans la chapelle, mentit Catherine.

— Dieu soit loué. Envoyez-moi un prêtre, j'ai besoin de me confesser.

— Malheureusement, il n'y a plus de prêtres au palais.

Andrea se passa une main sur le front. Il commençait à se souvenir. L'embuscade, Onofrio, frère Guglielmo... Rizzo qui le poignardait par-derrière.

— De toute façon, je ne me serais jamais confessé à un assassin. C'est toi, Catherine, qui devras dire la vérité à Marco : il n'est pas mon neveu, mais mon fils. Sa mère était une femme mariée dont j'étais follement amoureux. C'est pour cela que j'ai dû quitter Venise et passer ma vie en exil, mais peu importe : Marco en valait la peine. Dis-le-lui, Catherine. Dis-lui que je n'ai pas eu le courage de lui parler de sa mère car c'était trop douloureux. J'ai commis une erreur. À présent, je saurais quoi faire. Tout est clair maintenant.

Voyant une ombre sur la porte, Andrea s'interrompit.

— La voilà, elle est venue me chercher.

Ciarla avait mis un grand chapeau de paille qui lui donnait une grâce et un air de maturité inhabituels. Elle s'agenouilla à côté du lit et tendit la main. Andrea la saisit en souriant.

— Il est mort, maman.

La salle du palais de Justice était froide et sombre. Hagard, le gouverneur du port Pasqualigo tremblait.

— Je n'ai fait qu'obéir à un ordre, dit-il en montrant à Bragadin le document qui portait la signature de Catherine. Du reste, je n'avais pas le choix : Tafures avait disparu avec ses mercenaires et la flotte du baron del Sangro pointait ses canons sur la ville.

— Qui vous a remis cet ordre ?

— Rizzo en personne.

Bragadin se laissa tomber sur une chaise. Rizzo... Comment avait-il pu croire qu'un tel

178

individu se résignerait à la défaite ? Ainsi, après tant d'efforts et d'argent dépensé, les Vénitiens avaient perdu Famagouste en une seule nuit.

— Mais pas Cérines, murmura-t-il à part lui.

La porte s'ouvrit bruyamment et plusieurs personnes apparurent à l'autre bout de la pièce : le capitaine de justice de Avila, sa femme Sancia, et un petit homme à la barbe grisonnante qui portait une tunique souillée mais brochée d'or. Bragadin eut tout le temps de le reconnaître tandis qu'il traversait la longue salle : Nicola del Sangro avait vieilli depuis qu'ils avaient dîné ensemble lors d'une mission diplomatique à la cour de Naples, mais ses habits de damas et son air visqueux n'avaient pas changé. Le baron s'arrêta devant Bragadin et esquissa une révérence.

— Ambassadeur, cela fait longtemps.

Il prit place sur l'une des chaises réservées aux conseillers du capitaine de justice. De Avila et Sancia restèrent debout dans son dos.

— Je suis venu vous informer que les troupes du roi de Naples ont pris possession de la ville. Personne ne pourra entrer ou sortir sans ma permission. De Avila continuera à officier en tant que capitaine de justice, même si les prisons sont quasiment vides depuis que les Catalans ont été exécutés. Seul le grand chambellan, un homme inutile, a réussi à se sauver.

— Onofrio de Resquens, précisa de Avila. Il n'a pas participé au complot.

— Quel complot ? C'est le peuple exaspéré qui s'est révolté contre les marchands vénitiens. Quant à vous, gouverneur Pasqualigo, je vous laisse la vie sauve uniquement parce que vous ne m'avez pas trop fait attendre à l'entrée du port.

Le regard du baron glissa de nouveau vers Bragadin.

— Les estradiots ont fui sans combattre. Cela ne leur ressemble pas. Et Tafures a disparu. Avez-vous idée de l'endroit où il se cache ?

— Croyez-vous que, s'il avait l'intention de se cacher, Tafures se serait confié à moi ?

— Je vois que vous avez toujours la langue bien pendue, ambassadeur Bragadin. Je le débusquerai d'une manière ou d'une autre, et si vous mentez, vous le regretterez. Pouvez-vous au moins me dire où se trouve le trésorier royal, votre ami Soranzo ? J'ai un besoin d'argent assez pressant.

— Je crains que vous soyez déçu par l'état des finances royales. C'est plutôt dans les caisses de Rizzo que vous dénicherez l'or du roi.

— Où est Soranzo ?

— À Orgeval, dans le château de son épouse. Et maintenant, puis-je avoir des nouvelles de la reine ? Le bruit court que son oncle et son cousin ont été assassinés…

— La reine se porte bien. Quant aux Cornaro, je ne suis au courant de rien.

Del Sangro parut soudain mal à l'aise ; il se tourna vers la porte.

— Une dernière chose, ambassadeur : faites savoir au commandant Contarini qu'il a une semaine pour venir déposer les armes à Famagouste avec ses hommes, et me remettre les clefs de Cérines, faute de quoi je les laisserai tous mourir de faim dans la forteresse.

Lorsqu'ils furent de nouveau seuls, Bragadin murmura à Pasqualigo :

— Il a peur. Andrea Cornaro était un brave homme : chaque année, il offrait une partie de sa récolte aux pauvres. Sa mort jettera la disgrâce sur le baron et tous les Aragonais.

Il regarda par la fenêtre les vagues qui s'écrasaient sur les bastions du port.

— Lorsque le vent souffle à Famagouste, l'autre côté de l'île est à l'abri. Soranzo a tout le temps pour s'enfuir.

— Mais qui l'avertira, excellence ?

— Qui sait ? L'un des soldats de Tafures... À moins qu'une des dames de compagnie de Catherine ait réussi à fuir le château.

Ils sortirent sur la place du port. Bragadin s'arrêta brusquement, bousculant un passant. Marietta, bon sang ! Que lui était-il arrivé ? De toute sa vie, il n'aurait jamais imaginé pouvoir oublier ainsi sa nièce.

Debout sur les murs du château d'Orgeval, Giovanni Soranzo regardait le soleil disparaître à l'horizon. Bien que la mer fût calme, il apercevait, au-delà du cap, les vagues qui se soulevaient en formant des petites crêtes d'écume. Une autre journée sans Fiammetta. En l'absence de sa femme, le temps semblait s'écouler au ralenti. Elle était partie à l'improviste après la visite de Rizzo et de la Catalane, prétextant que la reine réclamait sa présence. Un mensonge. Les informateurs de Soranzo à la cour lui avaient rapporté que Catherine, après la mort du roi, avait congédié Anna de Rocas et refusait toute audience à Rizzo. « Pourquoi m'a-t-elle menti ? » s'inquiéta-t-il en frissonnant dans la fraîcheur du soir. Fiammetta se montrait parfois écervelée et d'humeur versatile, mais elle était sincère au point d'en être blessante.

— Je vous épouserai à condition que vous sauviez mon château, avait-elle répondu lorsque Soranzo, un genou à terre, lui avait demandé sa main.

— M'aimez-vous au moins un peu ? se rappelait-il avoir bredouillé, se sentant ridicule.

— J'aime Orgeval plus que toute autre chose au monde. Si vous le sauvez de la ruine, je vous aimerai aussi.

Un pacte étrange, une réponse tout aussi étrange, mais sincère. Tous deux avaient tenu leurs promesses : douce comme une gazelle, Fiammetta emplissait sa vie de gaieté. Il ne lui aurait rien refusé, rien du tout, pour voir le bonheur dans ses yeux d'émeraude. Même après son départ inopiné, c'était l'inquiétude, et non pas la colère, qui tourmentait Soranzo. Il faisait froid. La nourrice avait allumé le feu dans leur chambre et rempli le grand vase avec des branches d'aubépine. La tarte aux pommes à peine sortie du four embaumait l'air de son délicieux parfum de cannelle. « Parfum d'enfance et de propreté », pensa Soranzo en dégustant une part de gâteau. Soudain, sans raison, il imagina Fiammetta en train de jouer dans cette chambre avec Jacques et avec son frère, vêtue de la robe d'enfant marron qu'elle gardait encore dans l'armoire, une robe si simple, si modeste, coupée dans une étoffe robuste pour durer longtemps. On frappa doucement à la porte.

— Il fait froid ce soir. Je vous ai apporté du vin de la Commanderie. C'est le dernier cru d'un vignoble des Templiers qui n'existe plus.

Guillaume s'assit devant la cheminée. Ils burent en silence pendant quelques instants.

— Délicieux, murmura Soranzo, qui arrêta de frissonner.

Il était content que son beau-frère soit venu lui tenir compagnie : même s'il parlait mal l'italien et que Soranzo ne connaissait pas un mot de français, ils arrivaient à se comprendre. Au début, Guillaume s'était opposé aux noces, non pas à cause de la différence d'âge, mais parce qu'il trouvait inacceptable que sa sœur épousât un marchand ; il n'avait d'ailleurs pas caché son mécontentement. Avec le temps, toutefois, son attitude avait changé, et Soranzo ne pensait pas que c'était grâce à l'argent qu'il avait investi dans le château.

— Vous travaillez trop, dit Guillaume en indiquant du menton les papiers amoncelés sur le bureau. En cette saison, les bois autour d'Orgeval sont pleins de sangliers. La chasse au sanglier n'est pas dangereuse.

— Contrairement à la situation du royaume, comte. Trop d'or a disparu – ou plutôt, a été dérobé de manière fort peu discrète. Et cette fois, Rizzo ne s'est même pas soucié d'agir en secret.

Un serviteur entra avec un plateau de viande et de fromage. Soranzo s'interrompit jusqu'à ce qu'il fût reparti.

— Je dois rejoindre Famagouste au plus tôt.

— Renoncez, par pitié.

— Pour quel motif, comte ?

— La nourrice m'a dit pourquoi Rizzo et Anna de Rocas sont venus ici. Après mûre réflexion, j'ai décidé que vous deviez connaître la vérité. Comme le dit l'Évangile, la vérité vous rendra libre.

— C'est exact.

— La nourrice a entendu Rizzo et Anna exiger de Fiammetta qu'elle retourne à la cour et reprenne sa charge de gouvernante. Le moment venu, elle devra leur livrer le petit Jacques.

Soranzo posa la coupe de vin. Sa main tremblait. Un complot.

— Fiammetta obéira-t-elle ?

— Je l'ignore. Elle était autrefois l'amante de Rizzo. Un caprice : sans dot, elle était persuadée qu'elle ne se marierait jamais.

Soranzo ouvrit la bouche, mais il avait la gorge trop sèche pour parler. Sa femme et ce bandit… « Je vais me sentir mal », pensa-t-il. À peine ponctué par le crépitement des flammes, son silence aurait pu durer des heures, ou seulement quelques minutes.

Immobile, Guillaume attendait ; même le vieux chien à ses pieds ne bougeait pas, n'accordant pas la moindre attention aux restes de viande.

— Merci de m'avoir dit la vérité. Vous avez raison, je suis libre désormais. Libre de me venger. Rizzo regrettera le jour où il a mis les pieds ici, je vous le jure.

Après avoir vidé sa coupe d'un trait, il sentit le sang affluer de nouveau dans ses veines, chaud et fort comme le vin des Templiers.

— Vous allez avoir besoin d'aide.

Guillaume claqua les doigts. La nourrice entra aussitôt. « Elle épiait notre conversation, observa Soranzo, mais je devrais la remercier. »

La vieille femme lui remit une simple feuille froissée, puis se retira.

— Un message du général Tafures, expliqua Guillaume. Livré aux aurores par un marin pêcheur. La flotte aragonaise occupe Famagouste. La reine est prisonnière. Vous êtes le trésorier royal, vous devez quitter l'île avant qu'on vienne vous arrêter.

— La quitter, mais comment ?

— Le bateau de pêche repassera demain. Avec un peu de chance, il pourra braver le grand large et vous conduire jusqu'à l'avant-poste vénitien le plus proche. Le vent violent qui souffle de l'autre côté de l'île empêchera les navires aragonais de quitter le port.

— Vous prenez de très gros risques à cause de moi, comte Guillaume.

— C'est une question d'honneur. Les Français sont fidèles au roi. Et puis, ma sœur vous aime. Pourquoi sinon aurait-elle cédé au chantage d'un pirate et d'une catin ? Certainement pas pour une passion sans importance.

Soranzo éclata d'un rire qui ressemblait à des sanglots. Le vin de la Commanderie avait laissé un goût amer dans sa bouche.

— La passion et l'honneur sont inconciliables, mon ami.

— À moins qu'intervienne la puissance divine.

— Bien sûr ! À moins que...

Palais royal de Famagouste, mars 1475

Mistabel pénétra dans la chambre de la reine, refermant la porte sans un bruit. Une douce brise entrait par la fenêtre ouverte sur le balcon envahi de roses grimpantes. Les boutons étaient la seule note joyeuse de la pièce. Catherine et ses dames faisaient de la broderie, Demetrio jouait une vieille ballade. Depuis le début de l'occupation aragonaise, la reine était prisonnière en ses quartiers. Mistabel soupira.

— Le baron del Sangro sollicite à nouveau une audience.

— Je porte le deuil. Le baron devrait savoir que mon oncle et mon cousin ont été assassinés.

— Majesté, vous devriez traiter avec les Aragonais. Il semblerait que le prince s'apprête à venir à Chypre.

— Ciarla ne peut pas l'épouser, elle n'a que neuf ans.

— Peut-être Alphonse a-t-il obtenu une dispense du pape.

Catherine referma la fenêtre. Le vent avait fraîchi, mais il n'y avait pas de bois dans la cheminée – il n'y avait plus de bois nulle part au château. Pendant les désordres, quelqu'un l'avait volé. Même les domestiques avaient disparu.

— Je vous en conjure, insista Mistabel, recevez le baron et prenez votre temps. En ces circonstances, le temps est primordial. Le baron attend l'arrivée de renforts en provenance de Naples ; or, seul un homme comme Pietro Mocenigo serait capable de traverser la mer Égée en cette saison, et sa flotte est la plus rapide de la Méditerranée. Le baron en est conscient.

— Quand devrais-je le recevoir ?

— Il patiente dans le couloir.

Mistabel regarda les femmes concentrées sur leurs ouvrages.

— Où est Fiammetta d'Orgeval ? s'enquit-il.

— Avec mon fils.

— Vous avez encore confiance en elle ?

— Elle ne m'a jamais trahie. On l'a obligée.

Mistabel ne demanda aucune explication, car certaines choses ne s'expliquaient pas. Il salua et quitta la pièce. Peu après, Nicola del Sangro fit son apparition. Il regarda autour de lui : comparée à la chambre du roi de Naples, celle-ci était meublée avec simplicité, voire dépouillement. Del Sangro ne vit aucun des trésors qu'il s'attendait à y trouver ; seul le portrait d'une très belle femme ornait le mur. Dans la nuit tombante, le vent faisait bouger les ombres sur les parois et le tapis maculé de sang. Superstitieux, le baron n'aimait pas les ombres. Se souvenant que trois personnes étaient mortes là, il voulut soudain s'en aller.

— Je savais que Chypre était l'île de Vénus, mais je n'imaginais pas qu'il y faisait aussi froid. Les montagnes sont enneigées. Est-ce là que se terrent Tafures et ses estradiots ? s'interrogea-t-il d'un ton léger.

Catherine ignora la question.

— Je débusquerai Tafures avec ou sans votre aide. J'ai l'habitude des reliefs impraticables, le cœur du royaume de Naples en est plein. Je suis venu uniquement pour voir la princesse Ciarla. Alphonse m'a enjoint de la lui décrire dans une lettre.

Catherine fit un signe à Giacinta, remarquant au passage l'expression horrifiée du baron lorsque la naine émergea de la pénombre. Elle sourit malgré elle.

— Ne craignez rien, ce n'est pas la princesse. Juste sa gouvernante.

— Une naine ?

— Blanca de Resquens a été exécutée. Elle faisait partie des Catalans qui ont comploté contre le roi.

— Je comprends.

En réalité, Nicola del Sangro se sentait de moins en moins à l'aise ; le soleil avait disparu, la pièce était noire et glacée comme un tombeau, mais rien ne le troublait autant que ce silence, où l'on percevait parfois quelque bruissement. « Des rats », se dit-il. Mais la chambre était immaculée, presque moniale. Des fantômes, alors ? Trois hommes étaient morts sur ce plancher.

— Pourquoi n'y a-t-il pas de feu dans la cheminée ? Qu'on apporte une bûche et des chandelles, ordonna-t-il au serviteur immobile devant la porte.

Le silence retomba. Bientôt, les flammes dansaient sur les murs. D'autres ombres. Et la naine qui ne revenait toujours pas.

— Il se fait tard. Je verrai la princesse demain, à la lumière du soleil.

Le baron s'inclina et se retira hâtivement. Le bruit de ses pas s'éloigna dans le couloir, avant de s'éteindre tout à fait. Deux têtes émergèrent en même temps de derrière le rideau : Ciarla et son chien.

— Il est parti ?

— Arrête d'emprunter le passage secret, Ciarla. Il est instable et dangereux.

— Qui est cet homme ? Pourquoi voulait-il me voir ?

— Le baron del Sangro. Il doit te décrire au prince Alphonse.

Ciarla haussa les épaules.

— De toute façon, vous ne lui permettrez jamais de m'épouser et de s'emparer de l'île.

Catherine sourit. Ciarla avait beau être une enfant, rien ne lui échappait. Peut-être lisait-elle dans les pensées, à l'instar de son père. Giacinta entra avec une tarte encore chaude. Ciarla en attrapa un gros morceau de ses doigts sales et l'engloutit. Un peu de confiture tomba sur sa robe, que le chien s'empressa de lécher. Giacinta et Catherine échangèrent un regard entendu.

— C'est vraiment dommage que le baron ne puisse pas te voir en ce moment.

Famagouste, mars 1475

« Excellentissime prince,
Aujourd'hui, j'ai enfin rencontré la reine de Chypre. Elle est encore plus belle qu'on le dit, mais distante et altière. Lorsque je lui ai demandé où se cache Tafures, elle n'a pas répondu. Peut-être est-elle encore bouleversée par les assassinats du roi et de ses parents, mais elle cédera, soyez-en assuré... »

Le baron posa la plume pour écraser une puce qui avait sauté sur son cou. Il rata le parasite et ne réussit qu'à faire une tache d'encre sur le papier. Il marmonna un juron. C'est alors qu'Anna entra et prit la lettre, la parcourut, puis la déchira.

— Assassinats ! s'exclama-t-elle de cette voix musicale qui envoûtait del Sangro. Que vous prend-il de parler d'assassinats au prince ? Il croit qu'une maladie a emporté Jacques, et que les Cornaro sont morts aux mains du peuple pendant la révolte. Les marchands vénitiens sont honnis à Chypre car ils spéculent sur le prix du grain : voilà tout ce que Naples a besoin de savoir, et rien d'autre !

Le baron opina du chef, tel un écolier pris en faute.

— Vous êtes un homme de guerre, poursuivit Anna avec plus de douceur. Écrire est une corvée ennuyeuse.

Nicola acquiesça avec gratitude, puis tenta d'attirer la Catalane vers lui. Lorsqu'elle s'écarta, il n'insista pas, conscient que c'était inutile. Ils se trouvaient dans la chambre qu'occupait précédemment le gouverneur du port Pasqualigo. Elle dominait la baie. Bien que ce fût le milieu de la journée, aucune embarcation ne franchissait les bastions.

— Le mistral, dit Anna. Il souffle toujours en hiver. Le capitaine Mocenigo ne réussira pas à revenir à Chypre.

— Et quand il reviendra, il sera trop tard.

Les yeux du baron étaient fixés sur le corset desserré d'Anna.

— Nous devons nous débarrasser de tous les Vénitiens, Soranzo le premier. Pourquoi sa femme Fiammetta est-elle encore à la cour ?

— Le fait est que…

Anna choisit ses mots soigneusement. Le baron était tellement obtus et violent qu'elle devait agir avec prudence.

— Rizzo pense qu'elle peut nous être utile.

La puce sauta sur le corset d'Anna, qui sursauta ; un lacet se défit, découvrant les mamelons peints en rouge, comme ses lèvres.

— Anna…, haleta del Sangro. Promettez-moi de dîner avec moi ce soir. Le cuisinier va préparer un rôti aux oignons et vinaigre, à la manière catalane, en votre honneur. Vous aimez ?

Anna fit non de la tête.

— Je ne mange plus de viande depuis quelque temps.

Elle ne précisa pas que c'était parce qu'elle ne tolérait plus la vue du sang. L'image des corps sur le tapis continuait à la hanter jour et nuit.

— Tant pis, je finirai le rôti tout seul, répondit le baron, une main sur son ventre rebondi. Chaque fois que vous me quittez, vous me brisez le cœur, pleurnicha-t-il.

Anna caressa sa barbe grise. Malgré le dégoût qu'il lui inspirait, elle allait devoir le supporter encore un peu. Une fois obtenus les bijoux de la reine qu'il lui avait promis, elle abandonnerait l'île.

Riche et libre. Pour toujours.

Rizzo entra dans la taverne qui donnait sur le port. Bien que le local fût à demi-désert à cette heure-là, l'homme portait une capuche sur le visage par précaution. Dans un coin, deux marins de la flotte napolitaine chantonnaient des chansons grivoises ; ivres morts, ils ne lui prêtèrent aucune attention. Venant à sa rencontre, une serveuse lui désigna quelqu'un assis à une table. Rizzo plissa les yeux dans l'obscurité malodorante et l'aperçut enfin : habillée comme un laquais d'Orgeval, elle portait un chapeau qui cachait sa tresse rousse. Il prit place à côté d'elle et se versa du vin. La boisson était rance, mais il l'avala malgré tout car la serveuse les observait.

— Je savais que vous viendriez.

Fiammetta partit d'un grand éclat de rire strident. Les marins arrêtèrent de chanter.

— Attention. Le baron a des espions partout.

— Que voulez-vous ?

— Vous remercier du service que vous m'avez rendu. Je vous offre l'occasion de vous libérer de Soranzo et de devenir riche. Riche et libre, pour toujours.

Fiammetta posa un regard vide sur lui.

— Ne comprenez-vous pas ? J'essaie de vous aider. L'emprise des Vénitiens sur Chypre appartient au passé. Le prince Alphonse va bientôt arriver : après avoir épousé Ciarla, il régnera à la place de Catherine.

Fiammetta recommença à rire. Rizzo perdait patience.

— Si vous comptez sur Tafures, vous commettez une grave erreur. Lui et ses estradiots ne résisteront pas longtemps dans les montagnes. Sans paie pour les soldats, même Contarini ne parviendra pas à conserver Cérines. Au train où vont les choses, il n'est pas dans votre intérêt d'être mariée à un Vénitien.

— Mais je le suis, et il n'y a rien à y faire.

— Débarrassez-vous de Soranzo. Il s'est enfui, mais vous savez certainement vers quelle île de la mer Égée il se dirige.

Fiammetta se contenta d'incliner la tête.

— Quelle que soit sa destination, reprit Rizzo, il échouera. C'est une très mauvaise saison pour naviguer.

Il attendit – en vain, car Fiammetta s'obstinait dans son silence.

— Répondez-moi. Le temps nous est compté.

— Je dois regagner le château. Guillaume va s'énerver si j'arrive en retard pour la chasse.

Elle se leva, renversant le verre. Rizzo attrapa sa main.

— Vous êtes d'humeur étrange, aujourd'hui. Peu importe, je serai patient. Je vous le répète : aussitôt le prince Alphonse entré à Famagouste, les possessions des Vénitiens, y compris Orgeval, seront séquestrées. Vous allez tout perdre.

Avec une caresse, il ajouta :

— Tout ce que vous aimez.

Fiammetta le repoussa, chose qu'elle n'avait jamais faite auparavant. De son pas de gazelle, elle enjamba les marins qui ronflaient sur le plancher et quitta la taverne. Rizzo attendit quelques secondes avant de la suivre.

La serveuse ramassa la pièce qu'il avait laissée sur la table et la soupesa. Une pièce de bon alliage, pas une de celles abîmées qu'apportaient les marins aragonais. L'homme qui la lui avait donnée avait les yeux tels des charbons ardents qui, pendant qu'il parlait avec le jeune laquais, brillaient d'une lueur démoniaque. La serveuse fit le signe de croix.

Rizzo était convaincu que Fiammetta ferait demi-tour. Elle était coutumière des protestations, des refus, des discours sur l'honneur et autres fugues précipitées – avant la capitulation finale. C'étaient précisément ces scrupules qui lui plaisaient chez elle. Il ne trouvait pas attirantes les femmes qui en étaient dépourvues, comme Anna, par exemple. Ou Sancia. Il patienta sur la place, conscient des regards fixés sur lui ; un moment s'écoula sans qu'il se passât rien. Ainsi, Fiammetta entendait lui résister, elle croyait pouvoir l'emporter. Quelle naïveté. Quelques soldats désarmés de la garnison vénitienne erraient dans les rues, comme des chiens sans maître.

Rizzo repartit vers le palais royal. À l'intérieur des grilles, il aperçut le baron del Sangro avec Ciarla, qui jouait avec son lévrier sans écouter un mot de ce qu'il disait. Giacinta se promenait entre les citronniers avec Demetrio et le petit Jacques ; Barbara Giblet, avec son visage fané, vint accueillir Rizzo.

— Je cherche la comtesse d'Orgeval.

— Elle est partie en disant qu'elle ne reviendrait plus à la cour.

Rizzo aurait juré qu'il percevait une note de complaisance dans sa voix : cette femme était donc stupide en plus d'être insignifiante. Il la quitta sans lui accorder plus de temps et rejoignit le baron qui suivait Ciarla en soufflant.

— Je suis venu vous saluer, monsieur. Je m'en vais pour quelques jours.

Del Sangro s'arrêta brusquement en plein soleil.

— Est-ce vraiment nécessaire ? J'ai besoin de vous ici, à Famagouste, dit-il avec un geste en direction de Ciarla, qui avait disparu entre les arbres. Elle est très mal élevée, je crains qu'elle ne plaise pas au prince.

Rizzo haussa les épaules.

— Nous pourrons toujours le marier à Catherine. Un mariage en vaut un autre, et les enfants meurent facilement, c'est connu.

Le baron ne répondit pas. Un filet de sueur glacée lui coula dans le dos. Cet homme était un monstre, rien ne l'aurait arrêté. Rien.

Lorsqu'il releva la tête, Rizzo était parti. Où ? Chez qui ? Une fois sa tâche accomplie, il devrait trouver un moyen de se débarrasser de lui.

Dans sa chambre au château d'Orgeval, Fiammetta attendait.

Les roses sur le balcon avaient fané ; leurs pétales couleur de corail jonchaient le sol. Soranzo les avait fait planter car il trouvait que leur teinte allait bien à Fiammetta. Même la couverture damassée sur le lit était couleur de corail – ce lit, le pauvre homme en avait bien peu profité, malgré la dépense. Fiammetta sortit sur la terrasse. Le ciel était dégagé ce soir-là, le mistral apportait l'odeur saumâtre des vagues qui se brisaient sur la plage. Les mouettes s'envolaient à la recherche de nourriture, tandis que deux faucons tournoyaient au-dessus de la tache verte derrière la plage. Aucun endroit au monde n'égalait la beauté d'Orgeval. Que lui avait-il pris de vouloir partir ? Tant de choses lui échappaient ces derniers temps, depuis cette nuit de cauchemar. La dernière scène dont elle se souvenait clairement, c'était Jacques pleurant dans ses bras pendant qu'elle entrait dans la chambre de la reine. Puis, le sang sur le tapis de Perse, la voix impérieuse d'Anna… Elle tressaillit ; il commençait à faire nuit. Une silhouette se présenta devant les murs du château. Pas d'escorte – les prédateurs ne craignaient pas les autres prédateurs. L'obscurité résonna du rire de Fiammetta. La nourrice se tenait debout derrière elle.

— Dois-je le renvoyer ? demanda-t-elle.

— Non. Dis-lui d'attendre. Je veux mettre la robe violette et le collier d'améthyste que Soranzo m'a offert à Noël. Violet et rose… J'aime ces couleurs.

Un claquement. L'homme était entré dans le château.

— Et maintenant, les cheveux. Dénoués, avec la résille de perles.

La nourrice obéit en silence. Elle lui donna le poudrier, le fard, et enfin les boucles d'oreilles qui appartenaient à sa mère, le seul bijou familial qui lui restait.

— Laisse-moi seule.

Fiammetta se regarda dans le miroir ; soudain, elle crut voir le reflet de Jacques, derrière elle. Il jouait avec son épée. Le coffre à jouets était toujours dans le même coin, parfaitement rangé. Fiammetta l'ouvrit. « La voilà. » Toujours effilée malgré le passage des années, le pommeau incrusté de fausses pierres, une imitation de celles des Croisés. Fiammetta en caressa la lame : c'était avec elle que Jacques avait déchiré la tapisserie de la *Dame à la licorne*… Elle entendit la voix du roi : « Je t'apprendrai à la manier. Mais seulement si tu n'as pas peur. »

Fiammetta empoigna l'arme.

— Je n'ai pas peur.

194

Elle appuya la pointe sur sa poitrine, à hauteur du cœur. Un élancement de douleur, puis plus rien. Elle vit le sang imprégner le tissu violet, chaud et presque agréable. Elle se sentait légère, comme dans son enfance, lorsqu'elle glissait peu à peu dans le sommeil. Elle ferma les yeux.

Rizzo dut insister pendant des heures pour qu'enfin la nourrice acceptât de le conduire dans la chambre de Fiammetta. L'énorme chien noir qui gardait la porte se mit à gronder, une chauve-souris s'envola des poutres du plafond. Rizzo avait horreur des chauves-souris, mais ce n'était rien comparé à ce qu'il trouva derrière la porte : le sang avait tout recouvert – le visage, les bras, les mains, la robe, le collier d'améthyste, ce corps qu'il avait tant désiré autrefois. Même dans la mort, Fiammetta restait magnifique. La masse de cheveux rouges était ceinte de perles, ses traits affichaient une expression éthérée, semblable à la femme sur la tapisserie. On aurait dit qu'elle priait ou dormait, si ce n'était l'épée qui lui traversait le cœur. Rizzo reconnut la lame du roi. Comment était-ce possible ? On l'avait enterré avec. Le sol se déroba sous ses pieds. Il voulut s'enfuir, mais le molosse noir lui bloquait la route. Guillaume apparut derrière lui.

Rizzo s'immobilisa, persuadé que sa dernière heure était venue. Il n'avait pas la force de se défendre. Or, le comte se limita à le dévisager. Rizzo dévala les escaliers, sauta sur son cheval et partit au galop sans se préoccuper de la direction. L'étalon, épuisé, s'arrêta finalement au bord de la plage, à côté d'un torrent qui descendait vers la mer. Rizzo se laissa tomber sur le sable. Le visage de Fiammetta, couvert de sang, émergea dans les ténèbres. Elle écarta les lèvres et Rizzo eut l'impression qu'elle riait, du même rire aigu et dément qu'à leur dernière rencontre.

7

Venise, été 1510

— SEIGNEUR, PARDONNEZ-MOI, murmura le cardinal Orsini en ôtant la main des cheveux de Delfina.

Elle se mit à rire à gorge déployée, puis se leva avec une agilité animale.

— La nuit sera longue, monseigneur. Jouons aux cartes.

— J'ai arrêté de jouer depuis cet été-là, à Altivole. Je ne suis guère chanceux.

— Je vous laisserai gagner.

Giulio mélangea le paquet.

— Je suis inquiet pour Alvise Cornaro. Personne ne sait où il est. À en croire la rumeur, Jules II aurait ordonné son arrestation.

— Le cardinal ne va pas tarder.

— Qu'en savez-vous ? Vous l'avez lu dans les tarots ? Vous ont-ils dit qui sera le prochain pape ?

— Je ne lis pas dans le futur, monseigneur. Le futur est aussi fluide que l'eau, il peut changer.

Ils jouèrent en silence pendant quelques instants. Bientôt, une pluie légère tombait sur les vitres.

— J'aimerais tant faire peindre un portrait de vous, Delfina, telle que vous êtes en ce moment : la tête penchée sur le côté, la tresse défaite sur vos

196

épaules, ce voile rouge… Dommage que mon peintre favori ait perdu la raison. Au lieu de peindre, il s'est mis à construire des automates. Il voulait me vendre un petit dragon ailé qui ouvre la gueule sur commande. Il l'a fabriqué avec les écailles d'un reptile, les ongles d'une vieille femme, les oreilles d'un porc et les poils d'un singe.

— Un singe ? Ne l'achetez pas.

— Peut-être que si, je l'achèterai. Et l'âme ? lui ai-je demandé. C'est une sphère de cristal, m'a-t-il répondu. Vide.

— Qu'en pensez-vous ?

— Qu'il a tort. L'âme n'est pas une sphère vide, Delfina. C'est un lieu qui n'existe nulle part.

— Je ne comprends pas.

— Il n'y a rien à comprendre. C'est une vision de saint Augustin.

Le cardinal posa les cartes. Par la fenêtre, il regarda la surface du canal criblée par la pluie.

— Avant de devenir fou, le peintre a fait mon portrait. Chaque fois que je le regarde, j'en reste troublé : cet homme élégant au sourire gentil et au grand chapeau à plumes, c'est moi ; ces mains délicates sont les miennes, ainsi que ces yeux profonds. Un visage qui ne montre aucun vice ni duperie. Le portrait de l'homme que j'aimerais être. Peut-être seuls les saints et les fous perçoivent-ils la vérité.

Delfina appuya le front contre la vitre, à côté du cardinal.

— Renvoyez Commynes, monsieur.

— Je ne peux pas. Pas avant l'aube. Il a fait beaucoup de chemin pour me voir.

— Vous aussi, vous avez fait du chemin depuis cet été à Altivole. La flûte et la viole, les instruments préférés du grand capitaine d'Aragon. Ils jouaient toute la nuit. Vous vous rappelez ?

— Non. Je ne demande qu'à oublier cette musique, Delfina. À l'aube, je donnerai ma réponse à Commynes et je m'en irai d'ici pour toujours. La comédie touche à sa fin.

— Les comédies réservent toujours un retournement de situation final, monseigneur.

Mer Égée, mars 1475

C'est sous une bruine légère que le caïque transportant Giovanni Soranzo entra dans le port de Candie. Les navires vénitiens se balançaient docilement sur les eaux de la baie. Des ouvriers de l'arsenal étaient en train de repeindre à neuf le vaisseau amiral du capitaine, tandis que d'autres montaient la sirène sur la proue. Elle avait les cheveux blonds et un visage d'albâtre.

Soranzo la contempla rêveusement. Catherine. Le marin pêcheur l'avait transporté sans difficulté jusqu'à l'île la plus proche, où il avait monnayé sa place sur un bateau marchand en route pour Candie. Malgré le mauvais temps qui avait ralenti sa progression, le caïque était enfin arrivé à quai.

À terre, Francesco Giustinian fut la première personne que Soranzo aperçut. Il était en train de parler avec un bel homme grand et blond, très élégant, qui tenait un lévrier en laisse ; un page maure veillait à ce que sa cape ne traînât pas dans les flaques. Soranzo le reconnut : Marco Venier, fils unique du plus riche marchand de Candie et cousin de Catherine. Il agita la main pour le saluer, mais le jeune homme ne le remarqua pas. Giustinian, en revanche, vint aussitôt à sa rencontre.

— Monsieur Soranzo ! Quelle surprise… Comment avez-vous fait pour arriver jusqu'ici, avec un temps pareil ?

— À vrai dire, je n'en sais rien. Il faut que je parle au capitaine général de toute urgence.

— Je vais vous conduire à lui immédiatement. Vous avez de la chance : aujourd'hui, il n'est pas sorti en mer. Hier, nous avons capturé une galère napolitaine en provenance de Chypre : elle transportait de l'or et des documents. Le capitaine les examine en ce moment même.

Tournant le dos au jeune homme avec le page et le chien, il emmena Soranzo vers la forteresse.

La chambre du capitaine était spacieuse et dépouillée : une table, quelques chaises et des cartes sur tous les murs. Mocenigo était penché sur une lettre.

— Soranzo. Enfin. Vous êtes en retard.

— Les navires marchands ne sont pas aussi véloces que votre flotte guerrière, capitaine.

Pietro hocha la tête et se replongea dans sa lecture, au son de la pluie qui tambourinait contre les vitres. Soranzo patienta ; la chaise, trop dure, lui faisait mal au dos. Pietro leva finalement les yeux.

— Bien, dites-moi si je me trompe : Nicola del Sangro a conquis Famagouste, emprisonné la reine et vidé les caisses royales. Après quoi il a envoyé une galère à Naples avec de l'or et des lettres pour son seigneur, le prince Alphonse, en l'invitant à venir accaparer le trône dès que possible.

— C'est exact, excellence.

— Comment une telle chose a-t-elle pu se produire ?

— Une conjuration. Andrea Cornaro et son neveu ont été assassinés. Rizzo a ensuite obligé la reine à ôter les chaînes de protection que vous aviez fait jeter dans le port. Les Aragonais ont alors occupé la ville.

— Obligé ? Par quels moyens ?

Soranzo eut un moment d'hésitation avant de répondre.

— Ma femme Fiammetta est la gouvernante du petit Jacques. Elle a livré l'enfant à Rizzo et Anna de Rocas, qui ont menacé de le tuer si Catherine ne donnait pas l'ordre d'ouvrir le port.

Soranzo se tut. Il se sentait soudain éreinté, ses os le tourmentaient plus que jamais. « Je suis vieux, songea-t-il, trop vieux pour tout ceci. » La main du capitaine se déposa sur son épaule.

— Je n'ai jamais douté de l'honneur de votre épouse, je ne vais certainement pas commencer maintenant. Dites-moi plutôt : où est Tafures ?

— Dans les montagnes. Malgré un hiver très rude, les estradiots ne l'ont pas abandonné.

— Et le commandant Contarini ?

— À Cérines avec les troupes vénitiennes. Le baron entend les acculer à la famine.

— Et pourtant, même dans sa stupidité, il devrait savoir que mes galères sont capables de naviguer par toutes les saisons – contrairement à celles du prince Alphonse.

Se tournant vers Giustinian, qui attendait sur le pas de la porte :

— Nous levons l'ancre demain.

Francesco soupira imperceptiblement. À son retour de Rhodes, Sigismond l'avait examiné et s'était montré on ne peut plus clair : « Vos poumons sont malades, l'air saumâtre ne fait qu'aggraver leur état. Vous devez arrêter de naviguer. »

« Arrêter de naviguer ? » s'était demandé le jeune second. À quoi aurait rimé sa vie ? Serait-il devenu comme ce Marco Venier, qui passait tout son temps à chasser, élever des chiens et déshonorer les femmes ? Jamais. La voix bourrue du capitaine le ramena à la réalité.

— À l'aube. La flotte au grand complet. Avertissez tous les commandants.

Giustinian faillit objecter que les ouvriers n'avaient pas fini de repeindre le vaisseau amiral, mais il s'empressa d'acquiescer. Famagouste aux mains des Aragonais, Catherine prisonnière... Seigneur ! Après avoir salué, il repartit d'un pas vif vers le port.

Marco Venier, pâle et transi de froid, n'avait pas bougé ; ses cheveux blonds et son précieux manteau étaient trempés de pluie.

— Alors ? Vous avez parlé au capitaine général ?

— L'occasion ne s'est pas présentée. Il avait des questions plus pressantes à régler.

— Plus pressantes ? Rendez-vous compte, enfin ! Ils veulent me poursuivre en justice. Juger un Venier ? Et ce pour une paysanne !

— La paysanne a mis fin à ses jours car elle attendait un enfant de vous. Selon les lois de la République, séduire une honnête femme est un délit. Le capitaine général ne peut pas intervenir. À moins que...

— À moins que ?

— Que vous vous enrôliez dans sa flotte. Nous appareillons demain.

Venier blêmit encore plus.

— Tout le monde sait que Mocenigo est le pire des tyrans.

— Je ne sais pas quoi vous dire d'autre.

— C'est injuste ! Cette femme était ivre... C'était une distraction, rien de plus ! Par sa faute, je devrais m'engager sur une galère ?

Pluie et larmes mêlées striaient les joues du garçon.

Francesco, dégoûté, était à bout de nerfs : Venier l'avait harcelé toute la matinée avec ses lamentations. Une jeune femme s'était noyée avec la créature qu'elle portait en ses entrailles, et lui parlait de « distraction » ? Il lui tourna le dos.

— Capitaine Giustinian ! Attendez... Où allez-vous, demain ?

— À Chypre.

— Ah, il fallait le dire tout de suite ! Je cours m'enrôler.

Orgeval, mars 1475

Quand Mistabel, accompagné par Antonio Bragadin, sa nièce Maria et Tristan Giblet, arriva à Orgeval pour les funérailles de Fiammetta, il trouva Guillaume en train de veiller sa dépouille, épuisé par le froid et le jeûne. Il pleuvait à verse, et le déluge se prolongea pendant toute la cérémonie, conduite par le prêtre du village. Fiammetta fut inhumée dans le caveau familial, où reposaient ses ancêtres venus à Chypre aux côtés de Richard Cœur de Lion.

On avait décoré le château de branches de sapin et d'arolle. Selon la tradition française, un banquet était prévu pour les amis après l'enterrement. Ils n'étaient guère nombreux. L'occupation aragonaise, l'hiver cruel et la disette avaient empêché la plupart des voisins de quitter leurs terres, mais tous avaient envoyé un don à mettre dans le cercueil. Lorsqu'on referma le couvercle sur le visage encore si beau de Fiammetta, Maria Bragadin s'évanouit ; Guillaume, lui, ne trahit aucune émotion, s'entretenant plaisamment avec ses invités pendant toute l'après-midi.

— Je vous admire, monsieur, lui chuchota à l'oreille Bragadin. Même moi, après une vie d'ambassadeur, je ne saurais pas feindre comme vous le faites.

— Je ne feins pas. Fiammetta est sauve. Son honneur est sauf. Comme elle le souhaitait.

Bragadin se contenta d'opiner. La façon de penser des aristocrates français lui avait toujours échappé.

— Soranzo est arrivé à Candie, ajouta-t-il à voix basse.

— Je ne doutais pas qu'il y arriverait. Ah, voici notre dernier invité !

Le murmure des conversations se tut brusquement : Tafures s'avançait vers la table. Barbu, amaigri et sale sous son armure, il était méconnaissable. Le comte se leva pour aller l'accueillir, comme il le faisait uniquement avec les personnages d'un rang égal au sien. La nuit tombait sur une journée lugubre, le poids du deuil était tangible malgré le vin, la nourriture et les grands brasiers de bois odorant.

Après avoir mangé, Tafures se rinça les mains et se dressa en appuyant ses gantelets de fer sur la nappe blanche.

— Je suis venu honorer la mémoire de la comtesse d'Orgeval, et faire le serment de venger sa mort.

Guillaume brandit sa coupe.

— Rien ne peut nous séparer de l'amour de Dieu, écrit saint Paul. Rien, sauf le désespoir. Le désespoir est l'instrument de Satan. Foi, courage et miséricorde : le serment des Chevaliers. Seulement ainsi le mal sera-t-il vaincu. Ne l'oubliez jamais.

Château de Famagouste, avril 1475

Anna de Rocas plongea les mains dans le coffret et leva les perles à la lumière. Leur blancheur intense l'éblouit presque. La perfection. Anna sourit à part elle : elle se souvenait du jour où Giacinta les avait choisies pour Catherine. « Aucune impureté, se dit-elle, contrairement à ma conscience. » Elle examina les autres bijoux. Seule manquait la bague de rubis avec les serpents en or, frappée du sceau des Lusignan, que Rizzo s'était appropriée. Anna s'en moquait : les pierres du coffret valaient déjà une fortune. Del Sangro les avait confisquées à Catherine pour la punir de son refus obstiné de marier Ciarla à Alphonse. Tel un ours, le baron était lent et d'apparence lourdaude, mais devenait violent et dangereux quand on le provoquait. Ayant compris cela dès leur première rencontre, Anna s'était comportée en dompteuse avec lui, le caressant pour mieux l'aiguillonner, lui concédant quelque plaisir, jusqu'à obtenir sa soumission totale ; l'écrin en était la preuve. Il ne lui restait désormais qu'à embarquer au plus vite pour Rhodes, où elle aurait acheté une place sur le premier bateau pour l'Italie. Un bruit la fit sursauter. Il y avait quelqu'un dans la chambre. Anna battit les paupières. Incroyable... Tristan Giblet. Que faisait-il au château ? Il aurait dû se trouver à Orgeval.

— Quelle surprise, comte. Un peu de vin ?

— Merci. Il fait grand froid ici.

— Le baron del Sangro ne nous fournit pas de bois : il est en colère contre la reine et a juré de la soumettre au froid tant qu'elle n'aura pas consenti aux noces de Ciarla. Pauvre Catherine... Sa naine est venue me dire que les cuisines seront bientôt à cours de provisions.

Giblet était visiblement ébranlé.

— Assujettir la reine au froid et à la faim... C'est terrible.

Il vida son verre d'un trait.

— Les choses ne feront qu'empirer si elle ne cède pas. Que me vaut l'honneur de votre visite ?

— Je viens de rentrer d'Orgeval. Fiammetta a mis fin à ses jours.

— Oui, je sais.

Anna remplit sa coupe.

— Ce que vous ne savez pas, c'est que le général Tafures était présent à l'enterrement.

Le vin éclaboussa la nappe immaculée.

— Il est encore vivant ! Où se terre-t-il ?

— Dans les montagnes derrière le château. Il en descend régulièrement pour se ravitailler.

— Et dire que le baron est en train de ratisser les sommets escarpés du Troodos, alors que Tafures est tout près d'ici...

Anna éclata de rire, ce son de flûte que Tristan jugeait à présent sinistre.

— Pourquoi me dire tout cela ?

— Je suis pauvre. J'ai perdu tous mes biens pour servir le roi, et je dois m'occuper de ma sœur. Barbara n'est malheureusement pas avenante, elle ne trouvera jamais de mari sans une dot considérable. Croyez-vous que le baron m'octroiera un fief si je lui livre Tafures ?

— Certainement.

Le sourire d'Anna cachait un sentiment de nausée. Les dettes de Giblet venaient du jeu, pas du roi, qui l'avait toujours comblé de ses largesses. Les amis sont toujours les premiers à trahir. Anna ouvrit grand la fenêtre et inspira l'air frais du matin, chargé du parfum aigre-doux des citronniers et des orangers. Les gouttes de pluie glissaient sur les statues antiques du jardin et les faisaient briller d'une étincelle de vie. « Quel enchantement ! » pensa Anna. « Comment ferai-je, loin d'ici ? » Il lui fallait pourtant trouver le courage de partir, avant qu'il fût trop tard. Elle était riche désormais. Riche et libre.

Dans l'affolement des préparatifs pour sa fuite, la comtesse de Rocas commit une erreur : elle tarda à transmettre au baron les renseignements de Tristan. Ainsi, lorsque les soldats aragonais arrivèrent à Orgeval et quadrillèrent les monts boisés derrière le château, Tafures et ses estradiots avaient déjà disparu sans laisser de traces. Leurs poursuivants ne découvrirent que des restes de bivouacs et les détritus que toute armée abandonnait derrière elle. La mer déchaînée obligea les hommes du baron à traverser à pied les terrains marécageux qui séparaient Orgeval de Famagouste. Nombre d'entre eux tombèrent malades et moururent. La garnison aragonaise en sortit décimée. Pour échapper à la vengeance du baron del Sangro, furieux, Tristan Giblet se réfugia dans les montagnes.

Famagouste, Pâques 1475

La procession serpentait lentement sur la route de la cathédrale. Le prêtre tenait bien haut l'antique crucifix byzantin aux pouvoirs miraculeux ; derrière lui avançaient le baron del Sangro avec les soldats aragonais, puis la chaise à porteurs de la reine. Dès que Catherine descendit sur la place, le peuple commença à se presser pour voir s'il était vrai que le baron voulait la faire mourir de faim et de froid. Les gardes l'escortèrent hâtivement à l'intérieur. L'office venait de débuter lorsqu'un groupe de chevaliers en armure remonta la nef à grands pas jusqu'au baron ; l'un d'entre eux lui murmura quelque chose à l'oreille. Tournant le dos au prêtre, del Sangro s'en alla précipitamment.

— On a aperçu la flotte vénitienne au large, chuchota Maria Bragadin à la reine.

La rumeur se répandit. L'église se vida peu à peu. À la fin de la messe, lorsque Catherine sortit à son tour, elle trouva la place vide ; même les soldats aragonais avaient disparu. Deux hommes attendaient à côté de la chaise à porteurs. Pour mieux les voir, Catherine se protégea des deux mains contre la lumière aveuglante du soleil.

— Tafures !

— En personne, majesté. Voici Tristan Giblet. C'est grâce à lui que je suis ici à présent. Il m'a tenu informé de tous les événements récents : le voyage de Soranzo à Candie et l'arrivée imminente de la flotte vénitienne.

Le bras tendu vers la mer, il ajouta :

— Les Aragonais sont en train de fuir toutes voiles dehors. Ils n'ont même pas tenté de résister. Mes estradiots sont restés sur leur faim.

— Vous êtes libre, madame, dit Giblet en s'inclinant.

Catherine resta immobile sous le soleil. Libre... Pietro était revenu. Il avait tenu sa promesse. Tafures et Giblet l'aidèrent à grimper sur la chaise. Le peuple réuni devant le palais royal l'accueillit à grands cris et acclamations.

— Ils veulent voir le petit Jacques, madame. Le bruit court que le baron l'a fait étrangler.

La reine se montra au balcon avec l'enfant dans les bras. Les vivats redoublèrent.

— Le peuple vous est toujours resté fidèle, souffla Giblet derrière elle.

Les courtisans étaient de retour et se promenaient dans le palais, reprenant leurs fonctions comme s'ils venaient de se réveiller d'un long sommeil. Catherine se retira dans le bureau du roi.

Le pendule de la grande horloge, un cadeau du sultan d'Égypte, produisait un tic-tac doux et immuable. Pietro, Pietro... Combien de temps encore ? Tristan Giblet entra avec un gros bouquet de roses rouges.

— Ma sœur Barbara les a cueillies pour vous, majesté.

Il posa le vase sur la table, puis s'achemina vers la porte.

— Attendez. Comment puis-je vous récompenser de votre loyauté ?

— Je considère la loyauté comme un honneur, majesté. Je ne désire rien pour moi, mais Barbara, peut-être... Elle adore les enfants, et maintenant que Fiammetta n'est plus...

— Je la nommerai gouvernante à sa place.

Catherine tourna la tête vers le balcon. Parler de Fiammetta était douloureux et jetait une ombre sur une journée autrement parfaite. Tristan se retira en silence.

Le capitaine général Mocenigo ne se rendit pas à la cour dès le premier soir. Au lieu de cela, il descendit aux prisons avec Francesco Giustinian. Rizzo da Marino n'avait pas réussi à s'enfuir sur une galère aragonaise ; on l'avait arrêté. Sa cellule était sombre, exiguë, avec un banc et une paillasse sale où le prisonnier se tenait recroquevillé. Il n'avait pas touché le bol de soupe posé à même le sol.

— Mangez, Rizzo. Rassurez-vous, nous n'avons aucune intention de vous empoisonner.

— Je sais. Que faites-vous ici, capitaine Mocenigo ?

— J'ai appris que les bijoux des Lusignan ont été volés.

— Pas par moi, capitaine, je suis trop superstitieux. Le baron del Sangro les a offerts à la comtesse de Rocas : le pauvre homme était son esclave. Elle doit déjà être à Rhodes avec son précieux coffret.

Pietro gardait le silence.

— Vous méprisez les richesses, n'est-ce pas, capitaine ? J'ai tout de suite compris que vous étiez l'un de ces rares individus pour qui les objets n'ont aucune valeur. Ce qui a de la valeur à vos yeux, c'est Catherine. Un Mocenigo et une Cornaro... Si Jacques ne s'en était pas mêlé, vous auriez pu l'avoir.

Francesco fronça les sourcils : Rizzo provoquait le capitaine délibérément. La fureur de Mocenigo était lente à se déclarer, mais redoutable. Les Turcs le savaient. Tous ceux qui avaient eu affaire à lui le savaient. Qu'espérait donc Rizzo ?

— Anna est rusée : elle persuadera le grand maître de la laisser embarquer sur un de ses navires dirigés en Sicile. Iriez-vous jusqu'à attaquer un bateau des Chevaliers, monsieur ? J'en doute. Je peux toutefois faire en sorte que la comtesse vous rende les bijoux.

— Comment ?

— Oh, il y a toujours un fil distendu dans la trame de chacun, même chez les gens les plus astucieux. La reine tient beaucoup à ces bijoux. C'était toujours le roi qui les choisissait : des saphirs de la couleur de ses yeux, des diamants purs comme sa carnation, et les perles… Ah, les perles ! Jacques aimait la contempler lorsqu'elle ne portait rien d'autre que ces perles. « Ma petite sirène, lui susurrait-il. Ma déesse… » Je m'amusais à les espionner.

Rizzo s'esclaffa. Le capitaine resta impassible ; Francesco, au contraire, se rendit compte qu'il transpirait abondamment et que l'air lui manquait.

— Catherine pourrait désormais les porter pour vous, capitaine. Rien que pour vous. Vous la désirez tellement, depuis si longtemps. Accordez-moi simplement de garder le rubis des Lusignan. Il a des pouvoirs magiques ; même sous la torture, je ne vous révélerai pas où je l'ai caché.

Pietro ne disait toujours rien.

— Voici ce que je propose : dès que vous aurez récupéré le coffret, vous m'emmènerez au large d'une île, n'importe laquelle, et vous me laisserez m'enfuir. Le reste, c'est mon problème. Donnez-moi votre parole. Une simple parole, capitaine général.

Pendant un long moment, le seul bruit audible dans la cellule venait des gouttes d'eau qui tombaient des poutres pourries. Francesco s'appuya contre le mur ; une image s'imposa à lui : Catherine, les perles, son corps laiteux, le roi qui la caressait… Une haine féroce contre Jacques monta en lui. Rizzo était habile.

La voix de Mocenigo claqua comme un fouet dans le silence.

— Non. Vous libre, Catherine ne sera jamais en sécurité.

Il fit signe au geôlier d'ouvrir la porte.

Rizzo le regarda droit dans les yeux.

— Pauvre capitaine ! Vous l'aimez. Cette femme ne vous est pas destinée. Elle ne vous apportera que le tourment, un tourment égal à celui que vous m'infligez.

Pietro lui tourna le dos. La porte se referma avec un bruit sourd. Francesco se rendit compte qu'il tremblait.

La cage où Rizzo da Marino était enfermé balança dans le vent pendant toute la nuit. Le peuple s'amassa devant le bastion pour profiter du spectacle : l'homme le plus haï de l'île, qui s'était enrichi en spoliant les pauvres, l'homme le plus puissant de Chypre, protégé par le roi et même par l'évêque, se cramponnait désormais aux barreaux comme une bête enragée, tandis que les enfants lui crachaient dessus et lui lançaient des excréments de cheval. Cela dura presque trop peu : les marins hissèrent la cage sur une galère qui largua les amarres et, les voiles gonflées, franchit les bastions du port ; l'écho des cris de Rizzo s'éteignit peu à peu. Déçue, la foule commença à se disperser.

Par la fenêtre de sa maison, Giovanni Soranzo suivit le bateau du regard jusqu'à ce qu'il disparût sur l'horizon. Il avait l'impression que le parfum de Fiammetta flottait dans l'air, plus fort que jamais. S'efforçant de l'ignorer, il retourna s'asseoir au bureau : sa lettre allait partir avec la galère qui escortait celle de Rizzo jusqu'à Venise. Il lui restait peu de temps.

Marco Cornaro était allongé sur son lit, d'où il pouvait admirer les nouvelles fresques sur les parois. Assis sur une chaise face à lui, son aîné Alvise termina de lui lire la lettre de Soranzo qu'ils avaient reçue ce matin-là. Le soleil resplendissait et les chants des gondoliers montaient du canal. Alvise remua impatiemment. Ses amis et les fauconniers étaient déjà en train de chasser le long du fleuve Brenta. Le haras du marquis de Mantoue venait de leur livrer un étalon qu'Alvise avait hâte d'essayer. Bientôt, il n'aurait plus de temps à consacrer aux chevaux : pour ses dix-huit ans, son père allait lui acheter la pourpre cardinalice. Plus que quelques mois. Il replia la lettre.

— C'est épouvantable.

Son père acquiesça en silence. Alvise devinait aisément ses pensées : l'oncle Andrea et le cousin Marco assassinés, les caisses du royaume vides, Catherine prisonnière…

— Épouvantable, répéta-t-il en jetant un coup d'œil à la lagune baignée de lumière. Laissez-moi aller à Chypre. La pourpre de cardinal peut attendre.

— C'est inutile. Le Sénat a déjà pris les mesures nécessaires : Jacques Quirini et Pietro Diedo iront seconder Catherine au gouvernement.

— Mais Diedo s'est ruiné aux jeux de hasard, et Quirini avec ses affaires ! Ils croulent sous les dettes. Vous devez intervenir.

— Je ne peux pas. Les Quirini et les Diedo sont des familles puissantes à Venise. Prends ta plume. Dépêche-toi, il n'est pas encore trop tard pour ta cavalcade.

Alvise s'exécuta. Pendant qu'il transcrivait fidèlement les paroles de son père, il ressentit le désir ardent de traverser la mer, dans le soleil et le vent, jusqu'à l'île d'Aphrodite. Pourquoi fallait-il qu'il devînt cardinal ?

— Relis.

Seulement alors Alvise mesura-t-il vraiment ce qu'il venait d'écrire. Il en éprouva un frisson d'admiration. Son sentiment de rébellion s'évanouit. Après tout, il était un Cornaro.

Famagouste, automne 1475

Pietro Mocenigo décida de marcher jusqu'au château royal. Il regretta vite son idée : le long du chemin, les gens le reconnurent et se pressèrent autour de lui pour le toucher, lui parler, ou simplement le voir. Pietro détestait la foule, dans son euphorie comme dans sa fureur. Lorsqu'il réussit enfin à franchir le portail du palais, il lui sembla entrer dans un autre monde. Quiétude, parfum de roses, gazouillis d'oiseaux. Jacques faisait ses premiers pas sous la surveillance de Giacinta et de Maria, Ciarla et les autres filles jouaient à la balle sur le gazon, et les rires des demoiselles se mélangeaient à la flûte de Demetrio dans l'air frais. Pietro s'arrêta au milieu de l'allée. Cela faisait longtemps qu'il n'avait pas entendu de rires.

Vêtue de soie rose, un ruban assorti dans les cheveux, Catherine vint à sa rencontre. Elle paraissait encore plus belle qu'avant.

— Capitaine, venez. J'ai quelque chose à vous montrer.

Il la suivit jusqu'à un petit lac caché entre les arbres. Des cygnes blancs et noirs glissaient entre les nymphéas, la mousse faisait miroiter l'eau de reflets émeraude. Pietro mit la main en visière au-dessus des yeux. Une déesse de marbre blanc était appuyée contre un arbre, dans une position si naturelle qu'elle lui donnait l'air vivant : la tête légèrement rejetée en arrière, le péplum qui tombait des épaules jusqu'à dévoiler ses seins, les hanches, les longues boucles de cheveux, les lèvres incurvées en un sourire. « Vivante et invitante », pensa Pietro. « Tel l'amour. »

— Aphrodite. Jacques la caressait et lui parlait comme si elle pouvait l'entendre.

Catherine sourit, et Pietro remarqua alors sa ressemblance avec la statue. Avec un effort, il détourna les yeux du corps de pierre dénudé.

— Je m'apprête à repartir, madame. Les Turcs ont rompu le traité de paix, leur flotte a quitté le Bosphore. Je suis venu vous remettre ceci, dit-il en lui donnant un pli. C'est une lettre de crédit auprès d'une banque vénitienne. Envoyée par votre père.

Il hésita avant d'ajouter :

— Deux émissaires du doge vont bientôt débarquer à Chypre pour gouverner à vos côtés.

Deux émissaires. Catherine imaginait sans peine la consternation du Sénat et du doge : les Turcs sur le pied de guerre et Chypre aux mains d'une femme... Pietro lui frôla l'épaule.

— Je connais Quirini et Diedo : grandes familles, petites cervelles. Comme tant d'autres, ils viennent ici pour s'enrichir, et comme tant d'autres, ils repartiront en voyant que cela n'arrivera pas. Vous avez l'avantage : vous ne pouvez pas partir et vous êtes déjà riche.

Catherine esquissa l'ombre d'un sourire. Le soleil jouait sur le lac, colorant le visage d'Aphrodite de reflets roses. « Elle lui ressemble tellement », songea encore Pietro. Doucement, il leva le menton de la reine. Quoi qu'il arrivât par la suite, il voulait imprimer ce visage dans sa mémoire, ces yeux, cette bouche. Il n'avait jamais rien éprouvé de tel pour une femme. La poussière dorée du jour lui fit plisser les yeux. Au loin, on entendait les cris du petit Jacques, le rire des enfants, les aboiements du lévrier. « C'est donc ça, l'amour », pensa le capitaine. Tout ce temps perdu. Ses doigts glissèrent entre les cheveux de Catherine, sur son cou, ses épaules, ses hanches.

— Je crois que je vous aime.

Elle ferma les yeux.

— Je sais. Je l'ai toujours su.

La main de Pietro la tenait enchaînée avec les reflets du soleil sur l'eau et l'odeur de la mousse.

L'instant d'après, il était parti. Catherine se sentait à la fois plus heureuse et plus désespérée que jamais. Les paroles de Jacques lui revinrent à l'esprit : « Tôt ou tard, tout le monde nous abandonne ou nous trahit. » Son cœur se serra : le roi lui manquait terriblement. Pouvait-on aimer deux hommes en même temps ? Que lui arrivait-il ?

Les cygnes noirs et blancs s'envolèrent pour aller se poser plus loin dans la paix du crépuscule.

Rhodes, automne 1475

Le grand maître Giovanni Dolfin ouvrit la fenêtre qui donnait sur le port. La fragrance obsédante d'Anna lui martelait les tempes. Personne n'imaginait combien Dolfin aimait les parfums, aussi bien le musc des ambres d'Orient que la douceur du jasmin, ou encore l'amertume pénétrante des agrumes qui le faisait frémir de plaisir. Le parfum d'Anna, cependant, ne ressemblait à nul autre. Il lui confondait les sens telle une drogue, et il savait qu'il continuerait à le chercher même après le départ de la comtesse. Inspirant profondément l'air marin, il s'efforça de revenir à la réalité.

— Je ne suis pas un voleur, madame.

— Non, naturellement. Considérez ce collier comme un paiement en échange d'une place sur l'une de vos galères pour la Sicile.

— C'est de l'or volé.

Anna attendit. Derrière son sourire, elle était désespérée : que comptait faire ce vieux fou ? Rendre les bijoux à Catherine et la renvoyer à Chypre ? La seule punition pour la trahison, c'était la mort. Et quelle mort... Anna repensa au supplice de Blanca de Resquens.

— Alors, exécutez-moi ici. Je ne veux pas être exposée à la plèbe sur la place publique.

— Je n'ai nulle intention de vous exécuter, comtesse. Nous nous connaissons depuis trop longtemps et vous m'avez rendu trop de services. Je ne suis pas plus un voleur qu'un ingrat. Je vous enverrai en Sicile, comme vous le demandez, mais pauvre. Il faut que les bijoux soient rendus à Catherine. Tous.

Soulagement et déception mêlés passèrent sur le visage d'Anna. C'en était presque amusant pour Dolfin. Il avait l'habitude de sa froideur, de son absence totale de scrupules, de sa ruse. Elle comprenait qu'elle n'avait pas le choix, tout comme elle comprenait que ses chances d'arriver vivante en Sicile étaient bien minces. Une femme n'avait rien à faire sur un bateau de guerre des Chevaliers : il n'y avait aucun abri protégé et les canons occupaient le moindre espace libre. Intempéries, tempêtes, attaques de Sarrasins... Anna ne résisterait pas plus de quelques semaines avant de tomber malade et mourir. Tant de fatigue, tant d'intrigues pour rien.

Anna ouvrit le coffret pour en retirer les perles.

— Est-il vrai qu'Hélène les a ramenées de Constantinople ?

— Peut-être. Cela remonte si loin en arrière... Les années brouillent les souvenirs. La flotte prend le large demain. Vous logerez sur le vaisseau amiral. Je vous souhaite bon voyage, madame. Une dernière chose : promettez-moi de ne plus jamais porter ce parfum. Pour aucun autre homme.

Anna renversa la tête et se mit à rire. Ses cheveux se libérèrent des peignes et tombèrent en cascade dans son dos, noirs comme les ailes d'un corbeau.

— Le parfum éloigne les insectes. Cet endroit, de même que vos galères, en est infesté. Adieu, excellence.

Elle lui envoya un baiser du bout des doigts.

Le grand maître la regarda sortir. Soudain, tout lui paraissait différent. Les grands changements qui s'opèrent en nous adviennent sans que l'on s'en rende compte.

Famagouste, printemps 1476

Le page ouvrit la porte de la salle de l'Horloge pour laisser entrer Jacques Quirini et Pietro Diedo. Le soleil tapait sur les frises murales, la pendule en or marquait docilement les secondes. Silence. Catherine était assise à la table avec ses conseillers : Tafures, Mistabel, Soranzo, Bragadin, le commandant Contarini et Nicolò Pasqualigo, réinstallé à sa fonction de gouverneur du port. Francesco Giustinian représentait le capitaine Mocenigo.

— Majesté, cela fait un mois que nous sommes arrivés, commença Quirini, et nous n'avons toujours aucun pouvoir.

— Le fait est, madame, renchérit Diedo sur un ton obséquieux, que le Sénat vénitien nous a confié un mandat bien précis.

— Ce Conseil se réunit régulièrement et vous y avez toujours été invités, observa Mistabel.

— Invités ? C'est nous qui devrions gouverner l'île ! Tels sont les ordres du Sénat.

— Dans la lettre que vous nous avez montrée, intervint Bragadin, il est question de conseils, pas de gouvernement.

Quirini le foudroya du regard : l'ambassadeur de la Sérénissime s'opposait à lui ! Si les ordres manquaient de clarté, la faute en revenait à Marco Cornaro. Au dernier moment, il s'était refusé à investir le moindre denier à Chypre, laissant les sénateurs perplexes. « Sans argent, point de pouvoir », se dit Quirini. Il ne se laisserait pas faire aussi facilement : l'île était opulente. Il s'éclaircit la gorge.

— Au nom du doge, je demande à administrer ce royaume.

Soranzo fit glisser une liasse de documents sur la table.

— Voici les comptes. Permettez-moi de vous prévenir : ils sont compliqués. Le roi ne supportait même pas de poser les yeux dessus.

Diedo se perdit dans les relevés, mais Quirini ne tomba pas dans le piège.

— Peu m'importent ces chiffres. Ce qui m'intéresse, c'est le revenu généré par les épices, les agrumes, le blé et le vin. Sans oublier le sel, évidemment. Combien ? Très simple.

Une lueur s'alluma dans les yeux de Diedo. Francesco Giustinian, lui, réprima un bâillement. Les deux émissaires l'auraient peut-être amusé si l'on n'avait pas repéré au large des caïques sarrasins chargés d'esclaves chrétiens.

— Nous avons des questions plus urgentes à traiter, notamment la protection de l'île.

— Capitaine Giustinian, vous nous faites volontairement obstacle ! J'en référerai à Venise, j'en référerai au doge en personne. Nous n'avons pas affronté la traversée jusqu'à Chypre pour être tournés en ridicule ! J'exige…

— Quoi donc, monsieur Quirini ? l'interrompit Catherine.

Le silence se fit.

— L'administration des finances publiques pour moi, la défense de l'île pour monsieur Diedo.

Ce dernier ouvrit la bouche pour parler, avant de se raviser. La défense – autrement dit, la paie des soldats. Foin de paperasserie : Soranzo serait obligé de lui donner de l'argent.

— Soit, je vous l'accorde.

Catherine se leva, mettant brusquement fin à la réunion. Les autres l'imitèrent. Quirini et Diedo s'inclinèrent jusqu'à raser le sol, chose que les Vénitiens ne faisaient jamais.

Famagouste, juin 1476

« *Très cher père,*
J'ai suivi votre conseil : les envoyés du doge ont obtenu ce qu'ils demandaient. Pour l'instant, la situation est stable. Le grand maître m'a renvoyé les bijoux, à l'exception du rubis des Lusignan, qui a disparu. À Piscopi, la récolte de blé et d'épices s'annonce abondante. Votre petit-fils Jacques est en excellente santé. »

Barbara Giblet entra dans la chambre, apportant la couronne et une robe pourpre. Ce soir-là, on fêtait l'arrivée de l'été ; tout devait se dérouler selon la tradition : vêtements rouges et danses anciennes d'inspiration païenne.

— Votre cousin Marco Venier a débarqué ce matin. Il est déjà au palais. Je l'ai vu par la fenêtre qui descendait de cheval. Je n'ai pas pu m'empêcher de le regarder…

Catherine s'assit devant le miroir, où Barbara commença à la coiffer. Giacinta entra avec Ciarla, qui tenait le petit Jacques dans les bras. Celui-ci s'agitait pour qu'on le laissât marcher tout seul.

— Nous venons de rencontrer votre cousin, maman ; il porte un grand chapeau de plumes jaunes et une tunique indigo. On dirait un perroquet.

— Les plumes sont très à la mode.

Barbara releva le miroir et attendit le verdict de Catherine, qui hocha gentiment la tête. Plus personne ne la coifferait aussi bien qu'Anna de Rocas. Elle prit son fils par la main et descendit lancer les festivités.

Pour ce premier bal après une longue période de grisaille, les invités étaient plus nombreux que prévu. Avec son chapeau à plumes, Marco Venier se remarquait au premier coup d'œil.

— Ma chère cousine... J'ai l'impression que c'était seulement hier que nous jouions ensemble à Venise.

Bien qu'elle ne se rappelât pas avoir jamais joué avec lui, Catherine l'embrassa. Barbara avait raison de le trouver séduisant : grand, blond, des yeux d'un azur intense, un sourire irrésistible.

— Mon arrivée vous a certainement cueillie au dépourvu. À vrai dire, je m'ennuyais à Candie et le capitaine Giustinian a insisté pour me prendre à bord.

— J'espère que vous resterez quelque temps à Chypre.

À nouveau, ce sourire ravageur.

— Cela dépendra de vous, chère cousine, et de vos demoiselles.

Le soleil couché, il était temps d'ouvrir le bal. Marco s'inclina, avant de conduire Catherine vers les musiciens.

— Je vous ai apporté un cadeau de Candie, murmura-t-il pendant qu'ils dansaient. Un collier de coraux rouges comme votre robe. Les soieries

viennent de mon père, mais je les ai personnellement choisies.

Le banquet fut servi. Quirini et Diedo s'assirent
en face de la reine, Soranzo et Mistabel à ses côtés.
Marco Venier regardait autour de lui, contrarié de
voir qu'il n'y avait pas de place pour lui à la table
royale. Une jeune femme blafarde lui toucha le
bras.

— Monsieur Venier... Je suis Barbara Giblet, la
dame de compagnie de la reine. Mon frère Tristan
aimerait faire votre connaissance.

Il la suivit à contrecœur ; il se frayait un chemin
parmi les invités lorsque le capitaine Giustinian
entra. Allait-il parler à la reine de la paysanne
enceinte qui s'était noyée ? Lui dire qu'à Candie,
on voulait le juger ? Il mesura soudain que Giustinian pouvait causer sa ruine. Tristan Giblet lui
fit signe de s'asseoir à côté de lui.

— Combien de temps resterez-vous à Chypre,
monsieur Venier ?

— Cela dépend, répondit Marco sans quitter
Giustinian des yeux.

Il était en train de discuter avec la reine.

— L'île regorge de possibilités pour un gentilhomme, disait Tristan. Que préférez-vous, naviguer ou manier l'épée ?

— Manier l'épée, répondit l'autre distraitement.

— Dans ce cas, il vous faut rencontrer Paolo
Contarini, le commandant de la forteresse de
Cérines et l'un des hommes les plus puissants du
royaume. Ses officiers sont bien payés – non que
vous ayez besoin d'argent – et jouissent de nombreux privilèges. En particulier les Vénitiens.

Giustinian s'était tourné vers Marco, qui le salua
d'un signe de tête. Il devait profiter de la situation
avant qu'il fût trop tard.

— Je vous saurais gré de me présenter le
commandant Contarini, monsieur.

Afin de montrer à Giustinian qu'il ne se préoccupait pas de lui, il invita l'insignifiante Barbara à danser.

Famagouste, un mois plus tard

Paolo Contarini ne correspondait en rien à ce que Venier avait imaginé. C'était un homme rustre à la tenue négligée, plein de mauvaises manières : il était d'ailleurs en train d'examiner Marco comme un acheteur avec un cheval. Il l'avait convoqué aux aurores dans une pièce sombre de la forteresse de Famagouste. Les murs suintaient d'humidité, il faisait froid malgré le plein été.

— Vous êtes-vous déjà battu ?

— Je n'en ai pas encore eu l'occasion, monsieur, à l'exception de quelques duels.

— Des duels... Il y a encore des gens qui ont du temps pour ça ? Nous sommes en guerre contre les Turcs, il n'est pas exclu que le sultan décide d'attaquer Chypre.

Marco tressauta mais se reprit aussitôt, feignant de chasser un insecte.

— Ainsi, vous êtes déterminé à vous enrôler ?

« Non, si seulement je pouvais l'éviter », pensa Marco. Mais cela valait toujours mieux que les galères du capitaine général. En outre, il n'avait plus d'argent : les cadeaux aux femmes qui partageaient ses nuits, le loyer de la maison à Famagouste, les chevaux et tout ce qui convenait à un gentilhomme... Catherine le traitait avec gentillesse, sans pourtant lui offrir de charges ou de prébendes.

— Oui, commandant.

— Je vous préviens : la paie est élevée, mais le service est épuisant. Mes hommes s'entraînent de l'aube au crépuscule. Les officiers montent la garde une nuit sur deux. Tout manquement est sévèrement puni.

Marco acquiesça. Il avait soudain l'impression d'être tombé dans un traquenard. Contarini avait fini de l'étudier et décida de conclure le marché.

— Je ne trahirai pas votre confiance, monsieur.

— Je l'espère. Et je vous le souhaite.

Sur ces mots, Contarini tourna les talons et s'en alla. Peu après, son adjudant, un homme aussi rustre et mal élevé que lui, entra avec une armure, des bottes neuves et une épée au pommeau doré.

— Un présent de la reine. Aurez-vous besoin d'autre chose ?

— Oui, d'une femme. De préférence jeune et avenante.

L'officier ne sourit même pas.

— Vous avez une heure pour rassembler vos affaires, ordre du commandant.

Il sortit sans prendre congé. Marco alla à la fenêtre, si étroite qu'elle ne laissait filtrer qu'un maigre rayon de soleil. Dans la cour, les soldats chargeaient armes et vivres sur des mules. « Qu'en sera-t-il de ma vie dorénavant ? » se demanda-t-il. Fini, la chasse au faucon, les festins, les beaux vêtements, les bals. Et surtout, plus de femmes. Le découragement le céda à une vive colère. « Ce n'est que temporaire », se jura-t-il en endossant l'armure. « Cette île me rendra riche. D'une manière ou d'une autre. »

Rhodes, été 1476

— Capitaine général.

Avec un effort surhumain, Pietro Mocenigo souleva la tête. Son extrême faiblesse lui troublait la vue, l'empêchant de reconnaître la personne qui se tenait devant lui. Sa maladie durait depuis plusieurs jours – il n'aurait su dire combien. La flotte vénitienne avait jeté l'ancre au large de Rhodes, à une distance prudente de l'île ravagée par la peste. En vain. La pestilence s'était répandue à bord.

— Capitaine général. C'est Antonio Loredan. Nous avons repéré les navires turcs.

La chambre de Pietro tournait autour de lui.

— Je dois assumer le commandement, capitaine. Ce sont les ordres du Sénat. Une chaloupe vous attend pour vous transporter jusqu'à notre galère la plus rapide. Elle vous conduira en sûreté.

« En sûreté », pensa Loredan. « Quelle drôle d'expression ! »

— Sigismond est persuadé que vous guérirez, ajouta-t-il après une courte pause.

Son cœur se serra lorsque Pietro posa son regard fiévreux sur lui. Dans ces conditions, la traversée risquait de lui être fatale. Il détestait l'idée de remplacer Mocenigo, mais son mandat était clair : le capitaine général n'était plus en état de commander, et l'heure était grave. Il posa devant lui la lettre frappée des sceaux sénatoriaux. Il avait attendu jusqu'à la dernière minute dans l'espoir que Pietro se reprendrait. Désormais, le temps était compté.

— S'ils parviennent à pénétrer nos défenses, les Turcs assiégeront Rhodes. Ensuite viendra le tour de Chypre.

Pietro se redressa d'un coup.

— Qu'allez-vous faire ?

— Prêter immédiatement main-forte aux Chevaliers. La peste a décimé leurs effectifs et le pacha a quitté le Bosphore avec plus de mille hommes, sans compter les esclaves aux avirons.

— Contournez l'île par le nord, l'interrompit Pietro. La flotte turque se retrouvera avec le vent contraire, prise en tenailles entre nous et les

223

Chevaliers. Avec leurs galères surchargées et donc difficiles à manœuvrer, les Turcs n'auront pas le temps d'inverser le cap. Vous les réduirez en morceaux. Dépêchez-vous, qu'est-ce que vous attendez ?

— J'exécuterai vos ordres, mais il faut d'abord que vous embarquiez sur la chaloupe, capitaine général.

Pietro s'enveloppa de son manteau et monta sur le pont d'un pas mal assuré. Ses marins l'attendaient. En le voyant, ils s'amassèrent aussitôt autour de lui. Personne ne pensait à la contagion ni à la bataille. Pietro les salua un par un, sans oublier un seul prénom, avec un sourire et un mot gentil pour chacun. Loredan constata avec étonnement que, lorsqu'il souriait, son visage se transformait jusqu'à dégager une tendresse presque palpable. Ses hommes avaient les larmes aux yeux. Ils l'aidèrent à descendre dans la chaloupe, puis regardèrent l'embarcation s'enfoncer dans les ténèbres. Ainsi Antonio Loredan devint-il le nouveau capitaine général du Levant.

Giovanni Dolfin scruta l'obscurité qui s'éclaircissait peu à peu. Devant lui, les voiles de la flotte turque émergeaient de la brume, si denses qu'elles évoquaient une forêt fantastique jaillissant des flots.

— Quel déploiement de forces ! maugréa Dolfin. Combien sont-ils ?

Il ne s'attendait pas à un ennemi si nombreux. Où étaient les Vénitiens ?

— Monsieur, regardez ! cria l'un des officiers.

Éclairées par les premiers rayons du jour, des sphères lisses flottaient sur la mer.

— Des têtes décapitées de prisonniers ! Je me demande comment ils font pour les conserver aussi bien. Il doit y avoir une puanteur abominable sur les navires du pacha… Qu'on les ramasse et les tire contre les Turcs avec nos canons.

— C'est dangereux, monsieur. Et s'ils étaient morts de la peste ? observa l'officier. Les galères turques se déplacent lentement, c'est le signe qu'ils sont à court de rameurs.

— Ou qu'ils sont trop chargés.

Avant que Dolfin terminât de parler, un boulet de canon fit jaillir une colonne d'eau à quelques mètres de lui. La forêt fantastique s'approchait. Dolfin jura : où diable étaient passés les Vénitiens ? Peut-être Mocenigo était-il mort, laissant la flotte en proie au chaos… La croix écarlate sur sa tunique frémit lorsque enfin il soupira de soulagement : les étendards aux lions de Saint-Marc apparurent soudain derrière le croissant de lune des Turcs. Une manœuvre magistrale. Il n'aurait jamais dû douter de Pietro Mocenigo.

Famagouste, printemps 1477

Catherine déchira nerveusement les cachets de la lettre – le sceau des Mocenigo. Était-ce l'avis de décès de Pietro ? Il ne lui avait pas écrit depuis longtemps, elle savait qu'il avait été très malade. Debout devant elle, Francesco Giustinian montrait lui aussi une vive anxiété.

Catherine poussa un long soupir de réconfort.

— La lettre est écrite de sa main. Il me prie de vous la lire également.

« Lorsque vous lirez ces lignes, je ne serai plus capitaine général. Antonio Loredan m'aura succédé. C'est un homme valeureux qui avait déjà battu les Turcs à Scutari, avant de les vaincre à nouveau à Rhodes, se portant au secours des Chevaliers décimés par la peste. Le pacha Kapudan était tellement sûr de sa victoire qu'il avait déjà préparé un pieu pour empaler le grand maître. Or,

c'est lui qui a subi ce sort après son retour à Constantinople.

Je ne doute pas que vous témoignerez à Loredan la même confiance dont vous m'avez honoré.

Considérez-moi à tout jamais votre serviteur et ami. »

La lettre s'achevait ainsi, de manière brusque et anonyme. Rien de personnel, à l'exception de ces trois petits mots, « à tout jamais », au milieu des formules d'usage.

Francesco fronça les sourcils.

— Après Rhodes, la pestilence est malheureusement en train de se répandre à toutes les îles du Levant. Je vais devoir placer tous les navires arrivant à Famagouste en quarantaine. Il faudrait engager des mercenaires supplémentaires pour la faire respecter, mais Quirini et Diedo prétendent que nous manquons d'argent.

— Je ne peux pas augmenter les taxes, capitaine. Le peuple paie déjà un dixième de la récolte, en plus de quarante journées de travail non payé.

— C'est aux nouveaux administrateurs de résoudre la crise financière. Vous l'aviez prévu, n'est-ce pas ? demanda Francesco avec un demi-sourire.

— Mais je n'avais pas prévu la peste.

« Ni le danger que va courir mon fils », pensa Catherine. Elle se leva et ouvrit un compartiment creusé dans le montant de la porte. Elle en sortit la lettre de crédit de son père.

— N'utilisez pas cet argent, madame. Laissez Quirini et Diedo s'embourber.

— En laissant la peste ravager le royaume ? Prenez cette lettre. Vous déciderez quand l'utiliser, capitaine Giustinian. Bien entendu, Quirini et Diedo ne doivent rien savoir. Personne ne doit rien savoir. Toute mention de la peste provoquerait l'affolement en ville.

Francesco accepta la lettre à contrecœur.

— Nous fêterons bientôt l'anniversaire de Ciarla. La vie du royaume doit se poursuivre comme si de rien n'était.

Cérines, été 1477

Marco Venier grommelait à voix basse en faisant les cent pas sur les glacis. Il montait la garde ce jour-là et maudissait sa décision de servir dans cette forteresse. Heureusement, on n'avait pas encore vu l'ombre d'un Sarrasin. Il scruta l'horizon au-delà des fortifications qui descendaient vers la mer, tel un serpent sinueux. Il détestait ce panorama, détestait la vie militaire sous tous ses aspects : la nourriture médiocre, les ordres lancés en aboyant, la saleté, le froid… Depuis son arrivée, il ne pensait qu'à une chose : quand pourrait-il repartir ? Une fois mort, peut-être. Trop grossier pour prêter attention au rang des Venier, Contarini ne l'avait pas encore promu. À Venise, un homme pareil n'aurait même pas pu entrer dans le palais familial des Venier. Il revint à la réalité en apercevant une voile gonflée au loin. La quarantaine était pourtant déclarée. Des Sarrasins ? Il reconnut bientôt le rouge et or de la flotte royale. Probablement des soldats en renfort – comme s'il n'y en avait pas déjà assez d'entassés dans la forteresse. Ils puaient tellement que Marco en avait la nausée… Toutefois, lorsque le bateau toucha terre, un seul homme en descendit. Tristan Giblet. Venier abandonna son poste pour aller à sa rencontre.

— Quel plaisir de vous voir. Comment allez-vous, mon ami ?

— Et vous ? Vous avez mauvaise mine. La vie à Cérines est-elle trop éprouvante ? Au moins, vous jouissez d'une vue splendide.

« C'est une forteresse, évidemment qu'elle a une vue dégagée », pensa Marco avec agacement. Le Français était devenu encore plus bête qu'il se le rappelait.

— Si vous m'aviez averti de votre visite, comte, j'aurais ordonné à mes serviteurs de préparer un banquet.

Quels serviteurs et quel banquet ? Les ordres de Contarini stipulaient clairement que les vivres devaient être partagés équitablement entre tous les hommes. Et avec parcimonie.

— N'y songez pas. Soyez plutôt mon invité à bord.

Marco hésita un instant à l'idée de s'éloigner de son poste de garde ; or, Contarini n'était pas à Cérines ce jour-là. Il suivit donc Tristan vers la plage.

— Si vous souhaitez parler avec le commandant, il est absent.

— Je sais. C'est avec vous que je veux parler.

Le cœur de Marco se mit à battre plus vite : il se passait quelque chose. Enfin.

— Catherine a refusé de donner Ciarla en mariage au prince Alphonse de Naples.

— Rien d'étonnant. Elle aurait perdu l'île.

— Mais Jacques avait consenti au mariage. Revenir sur sa parole est grave. Alphonse, indigné, m'a écrit une lettre.

— Le prince vous a écrit ? s'étonna Marco, incrédule.

Les Giblet étaient des nobles déchus, sans terres ni argent. Et ils étaient surtout français. Et Tristan mentait : Jacques n'avait jamais promis Ciarla à Alphonse.

— J'ai eu l'honneur de connaître le baron del Sangro. Un vrai gentilhomme. Je suppose qu'il a évoqué mon nom auprès du prince.

— Et ?

Marco perdait patience, tel un animal affamé qui flairait l'odeur du sang.

— Le prince m'a fait une proposition : je devrais enlever Ciarla et l'embarquer au moment opportun sur un navire dirigé vers Naples. Ainsi, Catherine ne pourrait plus s'opposer aux noces.

Il fit une pause. Les traits de Venier ne trahissaient aucune émotion.

— Ciarla est une enfant gâtée, elle agit toujours à sa guise. Il suffirait d'intervenir au bon moment. Ma sœur est sa gouvernante : elle nous avertira.

— Et moi, que devrais-je faire ?

— Cacher Ciarla en attendant que le bateau napolitain trouve moyen d'accoster. Tafures fouillera l'île de fond en comble, mais il ne soupçonnera pas le cousin de la reine.

— Je risquerai ma peau.

— Vous ne risquerez rien du tout : Chypre ne condamnera jamais à mort un Vénitien – encore moins un Venier.

Le Français lui tendit une lourde bourse.

— Des ducats en or, et il n'y a là que la moitié de la somme. Avec cela, vous pourrez abandonner cette forteresse sordide et rentrer en ville. Vous direz à Contarini que votre santé est trop fragile et que votre père vous a chargé de gérer certaines affaires à Chypre. Alors ?

— Très ingénieux.

Marco plongea les doigts dans les pièces, éprouvant sa première sensation de plaisir depuis de longs mois.

— C'est d'accord, j'accepte.

— Une dernière chose. Au sujet de Barbara, ma sœur. Vous l'avez rencontrée. Elle a dépassé l'âge nubile depuis un moment, mais elle aimerait se marier.

Giblet hésita.

— Elle voudrait vous épouser.

Marco éclata d'abord de rire, puis s'arrêta rapidement tandis que son esprit calculait fébrilement. Contrairement au Français, il n'était pas stupide : Barbara était leur atout principal. Sans elle, l'enlèvement de Ciarla relevait de l'impossible. Une promesse de mariage ne coûtait rien, ce ne serait pas la première pour lui.

— Entendu. Votre sœur est noble, honnête, et elle sera bientôt riche. Que demander de plus à une femme ?

Malgré le vent, Marco entendit clairement le soupir de soulagement de Giblet.

— Le déjeuner est probablement prêt. Montons à bord pour fêter cela.

— Non, dit Marco.

Le Français était d'une bêtise sans bornes.

— Les soldats en référeraient aussitôt à Contarini. Nous dînerons ensemble dans quelques jours. Chez moi, à Famagouste.

On célébrait l'anniversaire de Ciarla. Dans la douceur du soir, le parfum des oranges et des citrons confits servis par des pages en livrée se mêlait à celui du gibier cuit à la broche, à la française, selon les désirs de Ciarla. La nourriture préférée de son père. On avait invité des magiciens et des jongleurs, des clowns et des acrobates, et bien sûr un grand nombre d'amis ; Ciarla avait hérité du pouvoir d'attraction de son père, séduisant les gens autant qu'elle les dominait. Catherine la regardait traverser le jardin dans sa robe rose nuageuse. Soudain, elle n'était plus une petite fille. Douze ans. Grâce à Mistabel, elle savait lire le latin, jouer du luth, danser telle une libellule. Une libellule d'une grande beauté. N'importe quel prince aurait voulu l'épouser. Après avoir terminé sa tournée de remerciements pour les cadeaux, elle fit signe aux musiciens. Catherine soupira : une pavane. Une danse scandaleuse et interdite, mais que le roi préférait parmi toutes. Marco Venier invita Barbara, à laquelle il venait de se fiancer.

Les serviteurs circulaient avec des pyramides de sucreries rouges et or, les couleurs royales. On déposa un plateau devant Catherine. Elle choisit la fraise confite qui constituait le sommet de la pyramide, mais le lévrier de Ciarla s'en empara en un éclair avant de s'enfuir. La musique était assourdissante. Venier faisait voltiger Barbara de plus en plus vite, au point que sa robe se soulevait et dévoilait ses jambes.

— Vous êtes trop indulgent avec votre cousin, majesté, murmura Francesco Giustinian.

Il ne cachait pas son aversion pour Marco, bien qu'il n'en eût jamais révélé la raison. Les musiciens s'interrompirent brusquement. Un scintillement lumineux, au loin. Deux cavaliers en armure chevauchaient au galop sur le pré.

— Une joute ! se réjouit Ciarla.

Deux étalons normands, l'un noir, de belle taille et puissant, l'autre gris, léger et rapide.

— C'est le gris qui va gagner, décréta Ciarla. Il vient du haras du marquis de Mantoue. Sur les grands espaces, ces chevaux sont imbattables.

Leurs lances pointées, les participants s'élancèrent. Le gris tournait autour du noir, l'obligeant à décrire des cercles de plus en plus serrés, jusqu'au moment où le gros normand glissa. Désarçonné, le cavalier leva un gant en signe de défaite. Après s'être incliné, le vainqueur ôta son heaume à panache rouge et or. Le commandant Contarini. Les convives applaudirent avec enthousiasme. Le cavalier vaincu se releva, se débarrassant avec rage de sa cuirasse et de son casque doré. C'était Diedo.

— Il est devenu trop riche pour combattre, commenta Tafures.

Tous retournèrent s'asseoir. Les clowns ne tarderaient pas à commencer leur spectacle.

— Mon chien !

Les cris de Ciarla retentirent au-dessus des voix des invités.

— Frimousse ! Frimousse !

Une main se posa sur l'épaule de Catherine. Sigismond.

— Majesté ?

Petit, vêtu d'un simple habit blanc, le médecin passait complètement inaperçu, tel un moineau dans une cage de perroquets.

— Majesté. Le lévrier a été empoisonné.

8

Venise, été 1510

CATHERINE ESSAYA DE SE REDRESSER sur les coussins. Elle ne reconnaissait pas l'homme debout au fond de la chambre, habillé de satin noir avec une chemise blanche légère au col ouvert. Noir et blanc, comme le roi. L'ombre s'approcha du lit.

— Giorgio.

Son frère, provéditeur de la République, podestat de Brescia, l'un des hommes les plus puissants et craints de Venise. L'un des plus séduisants, aussi.

— Ma sœur.

L'habit n'était pas noir, mais grenat.

— Je suis contente que tu sois arrivé à temps.

— Tu vas te rétablir, j'en suis sûr.

C'était faux, tous deux le savaient.

— La drogue de Giulio est trompeuse. Elle efface la douleur mais trouble l'esprit.

Prenant la main de son frère, elle ajouta :

— Qu'est-ce qui te tracasse ?

— Tu lis dans mes pensées. Les Français. Qu'est venu faire Commynes ici ? Qu'est-il en train de manigancer avec le cardinal Orsini ? Si le pape s'allie au roi de France, c'en est fini de la Sérénissime.

— Que tu es devenu méfiant… Malgré la guerre, Commynes reste un ami.

— Les amis sont les premiers à trahir. Les amis et les femmes, surtout lorsqu'elles se prétendent amoureuses. Cela dit, je ne devrais pas me plaindre, moi qui ai trahi ma propre sœur.

Les yeux bleu pervenche de Giorgio se voilèrent. À part les cheveux gris, son visage n'avait pas changé avec les années. Beauté, intelligence, argent, pouvoir : Catherine se dit que son frère possédait tout, sauf la tranquillité d'esprit.

— Assez avec les remords.

Pendant quelques instants, ils écoutèrent tomber la pluie en silence.

— Tu portes un vêtement rouge. Je croyais que tu détestais cette couleur.

— Le rouge éblouit, il est parfait pour cacher notre inadéquation au monde et notre identité profonde. Ce n'est pas un hasard s'il a la faveur des rois et des cardinaux.

Un bruissement de soie le fit se retourner.

— Quand on parle du loup : son éminence est de retour.

— Vous n'avez rien à craindre, monsieur Cornaro. La lettre que Commynes m'a apportée ne concerne ni la guerre ni les Vénitiens.

— Vous me rassurez, prince. Je suis désolé d'avoir manqué de courtoisie avec Commynes. Au fond, c'est un brave homme.

— Un Chevalier, oui. Foi, courage et miséricorde. Moi aussi, j'ai prêté le même serment. Il y a fort longtemps.

Le cardinal s'approcha de Giorgio, le rouge flamboyant de sa robe côtoyant le manteau pourpre de Cornaro.

— Je sais, prince.

— Pourquoi persistez-vous à m'appeler ainsi ?

— Parce que je ne me laisse pas leurrer par votre soutane rouge, Giulio.

— Je suis ici par amitié, et non par tromperie.

— Si vous le dites…

Le cardinal éclata de rire.

— Les comédies réservent toujours un retournement de situation final. Vous rappelez-vous cette nuit, à Altivole ? Était-ce Plaute ?

— Altivole appartient à une autre vie.

Le clapotis du canal sous la pluie berçait les souvenirs. Les yeux du cardinal se promenaient sur la fresque murale, sur les nymphes et les dieux, sur leur danse d'amour silencieuse.

Famagouste, août 1477

— Il faut que je vous parle, majesté, mais pas ici.

Francesco Giustinian s'interrompit, secoué par une quinte de toux. La chaleur étouffante de cette journée estivale lui brûlait les poumons. Même les cygnes ne bougeaient pas. « Seule la superbe Aphrodite de marbre est insensible au passage des saisons », songea Giustinian. Et Catherine, avec ses cheveux défaits, semblait l'incarnation vivante de la statue. Le majordome Alvise Gabriel apporta un plateau de boissons fraîches. Ciarla le suivait. Elle portait un châle rouge à longues franges sur un corsage de même couleur qui laissait ses épaules découvertes.

Catherine fronça les sourcils.

— Où as-tu trouvé cette tenue ? Le rouge ne te va pas.

— Le dompteur d'ours me l'a offerte pour mon anniversaire. C'est ma préférée. J'ai une chose importante à vous dire…

Le majordome lui coupa la parole.

— Majesté, monsieur Soranzo demande à être reçu immédiatement.

Ciarla s'en alla en courant, bousculant Soranzo qui remontait l'allée. Celui-ci fit tomber la pile de documents qu'il tenait à la main. Le majordome se précipita pour les ramasser, mais Soranzo l'arrêta d'un geste. Après avoir soigneusement rassemblé ses papiers, il s'assit à l'ombre des arbres, à côté de Catherine et Giustinian.

— Pardonnez les manières de Ciarla, monsieur. Depuis quelque temps, elle est d'humeur étrange.

— Pauvre princesse, il faut la comprendre : le chien empoisonné était le plus beau souvenir de son père – à part le dompteur d'ours, bien sûr.

Soranzo prit une coupe de limonade sur le plateau. Il attendit le départ du majordome pour poursuivre.

— J'ai les preuves que Quirini et Diedo volent dans la caisse. Vous devez exiger la restitution de votre argent, majesté.

— Quel argent ? Ils l'ont déjà dépensé depuis longtemps : Diedo aux jeux de hasard, comme à son habitude, et Quirini en investissant dans un chargement d'épices capturé par les Sarrasins.

Soranzo soupira.

— J'écrirai au Sénat. Malheureusement, avec la peste qui ravage la Méditerranée, la lettre ne leur parviendra pas avant un bon moment.

— Me faut-il l'autorisation du Sénat pour jeter des voleurs en prison ?

— Je vois, fit Soranzo en secouant la tête. Vous aviez tout prévu. Très habile, majesté. Après un tel incident, je doute que le Sénat envoie quelqu'un d'autre vous déranger. Oui, très habile.

— C'est grâce à vous, cher ami. Mais il est temps que vous vous accordiez un peu de repos. Vous avez l'air fatigué.

Soranzo contempla les cygnes assoupis. Il se sentait fatigué, oui : fatigué de la cupidité des gens, des intrigues, de la soif de pouvoir. Toujours les mêmes choses… Il avait l'impression que toutes les passions humaines suivaient le même cours, vers une même fin. Excepté l'amour. Fiammetta. « Pourquoi ? » se lamenta-t-il en pensée. « Pourquoi ? » Il se passa une main sur le front. Malgré la brise, il était brûlant. Il se leva, les documents serrés contre sa poitrine.

— Je vais les transmettre au capitaine de justice d'ici ce soir.

« Les comptes », se dit-il en s'éloignant sur le sentier. « Seuls les comptes ne trahissent jamais. »

Marco Venier empoigna un précieux vase de Murano et le projeta contre le mur. Tout s'était déroulé de travers. Désormais, les soldats de Tafures surveillaient le palais si étroitement qu'enlever Ciarla était impossible. Et pourtant, il avait tout planifié avec soin : l'empoisonnement des chiens de garde pendant la fête d'anniversaire et, dans la confusion générale, la disparition soudaine de la princesse, que l'on n'aurait remarquée que trop tard. « Comment diable le poison a-t-il pu atterrir sur la table de la reine ? » se demanda Marco pour la énième fois, remplissant un calice à la dernière bouteille de son meilleur vin. Une chose était sûre : quelqu'un avait modifié le plan, quelqu'un qui avait intérêt à se débarrasser de Catherine. Dans tous les cas, la faute allait retomber sur l'homme qui avait corrompu le cuisinier et fourni le poison inodore pour les molosses. Et cet homme, c'était lui. Il frissonna malgré la canicule. Tristan Giblet – qui d'autre ? Le Français avait certainement tout manigancé depuis le début avec son maître, le prince d'Aragon. Débarrassé de Catherine, marié à Ciarla, Alphonse serait aussitôt devenu roi de Chypre.

Conscient que Venier n'aurait jamais accepté d'assassiner sa cousine, Giblet lui avait caché ses véritables intentions.

Marco remplit à nouveau sa coupe à ras bord. Dénoncer Giblet ? Avec quelles preuves ? Une sueur glacée succéda aux frissons. Il était piégé. Il se trouvait contraint d'obéir à cet odieux Français. Et d'imaginer une autre façon de lui livrer Ciarla.

— Je n'osais espérer que vous accepteriez, dit Francesco Giustinian en aidant Catherine à monter à bord de sa galère. Les marins larguèrent les amarres et le bateau partit à voile vers le large. Les derniers rayons du soleil léchaient le littoral. De loin, l'île était d'une beauté à couper le souffle. Barbara Giblet, la seule demoiselle accompagnant la reine, demanda l'autorisation d'aller savourer l'air pur à la proue du navire. Catherine et Giustinian s'assirent à la table dressée pour le dîner. Francesco poussa un long soupir. Il n'était plus tellement sûr de vouloir lui dire la vérité, mais se taire aurait été trop dangereux.

— La quarantaine n'a servi à rien, madame. L'épidémie se répand. Vous devez partir. Tout de suite.

— Si j'abandonne la ville, toute la cour en fera de même. Il ne restera personne pour administrer la justice et l'ordre public. Et qui assurera les ravitaillements, une fois le port bloqué ? Je suis la reine, j'ai le devoir de gouverner.

— Personne ne peut gouverner en temps de pestilence. Ceux qui doivent mourir mourront, selon le destin ou la volonté de Dieu, comme cela a toujours été le cas. Mais vous, Catherine, vous devez vivre. Réfléchissez : sans vous, qu'adviendrait-il de l'île ? Turcs, Napolitains et Vénitiens se livreraient bataille. Pensez à votre fils. En outre...

Francesco se tut. Ils avaient jeté l'ancre dans une baie tranquille. Le bateau oscillait paresseusement sur les eaux calmes, sous un ciel voilé sans lune.

— Je suis malade. Pour le moment, seul Sigismond est au courant, mais je ne pourrai pas continuer à le cacher bien longtemps. Je vais devoir rentrer à Venise. Je pensais que je ne trouverais jamais le courage de vous parler, mais la maladie a tout changé. Il faut que vous sachiez une chose : quel que soit le sort qui m'attend, ce que j'éprouve pour vous ne changera pas. Jamais.

Catherine le laissa lui caresser la main. Il était si doux d'entendre à nouveau parler d'amour.

— L'île des pirates... Vous en souvenez-vous ? C'est là que tout a commencé.

« Et voilà que l'histoire se répète », songea Catherine : une fois encore, ensemble sur un bateau, au large d'une île, avec la peste qui effaçait toutes les certitudes. Sauf que cette fois, le vent ne se lèverait pas pour les conduire en lieu sûr. Elle sentit des larmes couler sur ses joues. Francesco la serra contre lui et l'embrassa. Brusquement, Catherine eut l'impression que la nuit changeait : la grisaille opaque et immobile disparut, remplacée par un bleu éclatant, strié de lumière. L'odeur d'un homme, le goût salé de ses mains, sa voix, les mots qu'il prononçait... Personne ne lui avait jamais parlé ainsi. Lorsque Jacques désirait une femme, il ne parlait pas. La rose rouge glissée dans ses cheveux blonds tomba à terre.

Appuyée à la balustrade du pont, Barbara Giblet observait la reine et le capitaine Giustinian avec une fascination mêlée d'envie. Leurs corps semblaient se mouvoir au rythme d'une mélodie secrète qui n'appartenait qu'à eux. « En sera-t-il ainsi avec Marco Venier ? » s'interrogea-t-elle. L'aurait-il, lui aussi, regardée et caressée de cette manière ? Il y avait tant de choses qu'elle voulait savoir sur l'amour, mais elle ne savait rien. Rien, sinon qu'elle deviendrait folle si Marco l'abandonnait. Elle l'avait dit à Tristan le jour où celui-ci lui avait demandé, inopinément et sans raison, de renoncer au mariage. Son frère était jaloux. Barbara libéra ses cheveux et y enfonça les doigts avec langueur. Bientôt, elle aussi connaîtrait la passion avec l'homme qu'elle désirait plus que tout au monde. Rien ne changerait. Jamais... Barbara se rendit compte qu'elle était seule sur le pont. La reine et le capitaine avaient disparu dans l'obscurité.

Giovanni Soranzo avait passé une nuit exécrable. Après avoir tenté en vain de s'endormir, il avait jeté les draps à terre et demandé qu'on lui apportât une carafe d'eau fraîche : il avait l'impression de brûler. Or, l'eau glacée ne fit qu'aggraver sa migraine lancinante. La reine avait raison : il travaillait trop pour son âge. À l'aube, il sombra dans un sommeil agité où Fiammetta l'appelait en remuant la main ; il crut même sentir son parfum de violette et jasmin. Lorsqu'il rouvrit les yeux, le soleil inondait la chambre. Il se réveilla au bruit cahotant des charrettes sur les pavés, aux cris des matrones et aux pleurs des enfants. Un jour nouveau commençait. Luttant contre l'épuisement total qui l'envahissait, Soranzo se leva et s'assit au bureau pour écrire au Sénat, comme il l'avait promis à Catherine ; or, il avait à peine écrit quelques lignes que sa main heurta l'encrier, qui se renversa en formant une large tache noire sur la feuille blanche. « Quel dommage », pensa Soranzo. « Quel dommage. »

Ce fut sa dernière pensée.

Catherine fut réveillée par le chat du capitaine qui se frottait contre son bras.

Francesco entra avec une assiette de biscuits, du miel et un pot de lait. Ils mangèrent en silence, craignant de rompre l'enchantement.

— Il est tard, dit finalement la reine. La pauvre Barbara attend depuis des heures sur le pont.

— Elle m'a semblé d'excellente humeur : elle est en train de pêcher, et elle a même attrapé un poisson.

Catherine éclata de rire.

— Pour ça, oui, elle en a même attrapé un gros : mon cousin Marco Venier. Ils vont bientôt se marier, après quoi ils iront habiter à Candie dans le palais familial.

— À votre place, je ne m'en réjouirais pas.

— Vous n'aimez pas mon cousin. Pour quelle raison ?

— Il pourrait avoir n'importe quelle jeune femme de la cour, mais il en choisit une insignifiante, et pauvre de surcroît. Je vous retourne la question : pour quelle raison ?

Le sifflement d'un marin l'interrompit. Ils entraient au port. Après s'être rhabillée hâtivement, Catherine monta sur le pont. L'aube avait cette clarté rosée qui n'existait nulle part ailleurs qu'à Chypre. Son carrosse, attelé de chevaux au harnachement flamboyant, l'attendait à quai avec les serviteurs en tenue rouge et or ; Alvise Gabriel n'était finalement pas si incompétent dans son rôle de majordome. Dès que Catherine mit pied à terre, les enfants se pressèrent autour d'elle, les femmes inclinèrent le chef et les paysans qui vendaient fruits et légumes ôtèrent leurs chapeaux. Personne n'aurait deviné que l'ombre de la peste pesait sur la ville. On aurait dit une journée estivale parmi d'autres, pleine de joie et de couleurs. Giacinta descendit du carrosse en courant. Avant même que la naine ouvrît la bouche, l'expression sur son visage glaça les sangs de Catherine.

— Majesté, la princesse Ciarla a disparu.

Marco Venier se tira du lit et enfila une robe de chambre de soie jaune en bâillant.

— Faites entrer le Français, ordonna-t-il au domestique.

— Alors ? demanda anxieusement Giblet sans autre forme de cérémonie.

— Facile, comme prévu : Ciarla a immédiatement accepté de me suivre à la maison pour voir le chiot. Elle veut faire une surprise à Catherine. En ce moment, elle est en train de jouer avec le chien dans le jardin. Elle ne soupçonne rien. Une enfant si charmante… J'en suis presque désolé pour elle.

— Épouser le fils du roi de Naples vous semble-t-il un destin si terrible ?

— Là n'est pas le problème. Je n'aime pas lui mentir. Elle est adorable. En voiture, elle a imité pour moi tous les courtisans, nous avons bien ri. Ensuite, elle a dit quelque chose qui m'a frappé : « Je n'ai jamais connu ma mère. Ma vraie maman, c'est Catherine. Je ne la laisserai jamais et je m'occuperai toujours d'elle, même quand elle sera vieille. » Un jour, j'aimerais moi aussi avoir une fille qui s'occupe de moi.

— Oui, très émouvant. Maintenant, persuadez-la de remonter en voiture et rejoignez la baie de Polis. Le navire aragonais accoste demain soir. Personne ne verra rien puisque l'endroit est désert. Une ancienne croyance populaire le prétend hanté par les esprits. En réalité, il n'est hanté que par les insectes.

— Comment y arriverai-je ? Je ne connais pas l'île, et les brigands…

— J'ai payé un cocher qui connaît l'itinéraire. Quant aux brigands, ils évitent Polis. Je viens de vous dire que c'est un lieu hanté. C'est plutôt la peste qui m'inquiète : plusieurs cas se sont déclarés en ville. Il faut se dépêcher, ils risquent de fermer les portes.

Venier blêmit. La peste ? Se débarrassant de sa robe de chambre, il se mit à fouiller dans un bahut qui débordait d'étoffes et de vêtements. Pendant quelques instants, la lumière matinale éclaira son corps nu. Giblet ne put s'empêcher de l'admirer, aussi parfait que la statue d'un dieu sans tête que les paysans avaient jadis trouvée dans les alentours d'Orgeval.

— Barbara attend dans le carrosse.

— Barbara ?

— Elle est la gouvernante de Ciarla, non ? Et vous avez promis de l'épouser. J'ai déjà prévenu le prêtre : une cérémonie simple dans la chapelle de notre château, dès notre retour de Polis. Ciarla est très attachée à Barbara ; personne d'autre que ma sœur ne pourra la convaincre de partir sans Catherine.

Toujours nu sous les rayons crus du soleil, Marco ne bougeait pas.

— Pressons ! Je vous rappelle que nous sommes dans votre maison, et que c'est vous qui avez attiré l'enfant ici.

— Vous m'avez menti ! Vous avez tenté d'empoisonner ma cousine ! Je considère donc que mes obligations envers vous et votre sœur sont caduques. Je n'ai aucune intention de l'épouser : elle est laide, pauvre et stupide.

— Attention. C'est vous-même qui avez donné le poison au serviteur.

— Oui, en lui disant de l'administrer aux chiens. Plutôt mourir écartelé qu'épouser votre sœur.

— Cela tombe bien, c'est justement le sort réservé aux traîtres.

Tristan s'interrompit brusquement. Barbara se tenait sur le pas de la porte, ses cheveux ternes défaits sur les épaules, son corps osseux flottant

dans une robe de soie blanche. Sa robe de mariée.
Elle fixa longuement le corps dénudé de Marco,
avant de baisser les yeux.

— Vous ne serez pas écartelé. La princesse vous
attend dans le carrosse. Avant de quitter la ville,
faites-lui respirer ces herbes, dit-elle en lançant un
sachet au Vénitien. Elle s'endormira aussitôt pour
plusieurs heures. Adieu, monsieur Venier. Je ne
serai jamais votre épouse. Je ne vous aime pas, je
ne vous veux pas, vous ne me plaisez même pas.

Tristan la rattrapa en courant dans le couloir et
la saisit par le bras.

— Tu es folle ? Hier encore, tu disais que tu
mourrais s'il te quittait !

Barbara s'arrêta. Son visage et la robe formaient
une tache blanche dans la pénombre.

— Oui, j'ai pleuré, j'ai cédé au désespoir, j'étais
prête à mourir pour un homme que je n'aime pas
et avec lequel je ne partage rien.

Tristan lâcha son bras.

Le général Tafures rejoignit Catherine à l'ombre
du portique, d'où il pouvait surveiller les gardes
qui ratissaient le parc et le passage secret débou-
chant hors des murs. Ciarla, qui l'utilisait de temps
en temps pour s'amuser, y était peut-être coincée...
Au loin, un officier secoua la tête : rien. Giacinta
et Demetrio pleuraient, les courtisans fouillaient
les moindres recoins du château. En vain. Ciarla
s'était volatilisée.

— Et si elle s'était cachée ? marmonna Tafures.
Cela lui arrivait souvent quand le roi la grondait.
Si elle ne réapparaît pas d'ici ce soir, vous devrez
partir pour Nicosie sans elle. La peste s'est étendue
à d'autres zones de la ville. Une fois votre carrosse
sur la route, j'ordonnerai qu'on barre les portes : si
les gens s'enfuient, la contagion touchera l'île tout
entière.

Sigismond émergea à l'autre bout du jardin : il portait sur le visage le masque pointu utilisé par les médecins en période de peste, qui le faisait ressembler à un oiseau étrange.

— Je reviens du port, majesté. J'ai une bonne et une mauvaise nouvelle. La bonne, c'est que les deux émissaires du doge sont partis sur le dernier bateau. La mauvaise...

Sa voix retomba. Catherine remarqua qu'il avait les yeux brillants.

— La mauvaise, c'est que monsieur Soranzo est mort ce matin. Peste pulmonaire. Foudroyante et mortelle. Je n'ai rien pu faire.

La reine fut prise de vertiges. Soranzo, mort. Et si Ciarla gisait morte quelque part, à l'insu de tous ?

Sigismond désigna d'un geste les courtisans qui déguerpissaient furtivement du jardin.

— La nouvelle s'est répandue : ils savent que le port et les murailles seront condamnés dès ce soir. Nous n'avons pas une seconde à perdre, majesté. Montez en voiture. Giacinta vous attend avec votre fils.

Catherine eut beau acquiescer, elle était paralysée. Ciarla... Seule, abandonnée dans une ville ravagée par la peste. Le soleil baissait dans le ciel. Des salves de canon annoncèrent la fermeture du port ; bientôt, ce seraient les portes de la ville.

— Majesté ! implora Tafures.

Francesco Giustinian traversa au pas de course le jardin désormais désert.

— Pourquoi la reine est-elle encore ici ? Nous n'arrivons plus à contenir le peuple ! J'ai gardé un passage ouvert pour votre voiture, mais j'ignore pendant combien de temps les gardes réussiront à le défendre.

— Je ne partirai pas. Pas sans Ciarla.

Sigismond secoua la tête.

— Vous exposez votre fils à un grave danger.

— Ciarla aussi est mon enfant.

L'air exténué, Francesco se laissa tomber sur une chaise à côté de la reine. Gabriel apporta le dîner en s'excusant de sa frugalité.

— Les serviteurs ont perdu la tête, majesté.

— Et vous, ne craignez-vous pas de perdre la vôtre, monsieur ? lui demanda Tafures sur un ton anodin, sans lever les yeux de l'assiette.

Les autres arrêtèrent de manger.

Le majordome éclata en sanglots et tomba à genoux devant la reine.

— Pitié, madame Catherine ! Je vous jure que je n'étais pas au courant pour le poison ! Quirini m'a donné beaucoup d'argent pour que je lui rapporte vos conversations, c'est tout !

Tafures mangea un morceau de gâteau.

— En effet. L'argent qui aurait servi à engager des mercenaires supplémentaires. Résultat : la foule est à présent incontrôlable.

Gabriel balbutiait et pleurnichait.

Catherine sentit un dégoût profond monter en elle.

— Relevez-vous. Je ne vous ferai pas décapiter qu'à une condition : dites-moi où se trouve Ciarla. Car vous le savez, n'est-ce pas ?

Ce fut au tour de Tafures d'arrêter de manger.

— Elle est montée dans la voiture de votre cousin avec votre gouvernante. Je n'ai rien dit parce que monsieur Venier a menacé de m'accuser pour la tentative d'empoisonnement.

Tous semblaient pétrifiés de stupeur. Tafures bondit sur ses pieds.

— Sa maison ne fait pas partie de celles que nous avons perquisitionnées. Elle se situe dans la partie du port fermée à cause de la peste. Il faut faire vite.

— Allez ! cria Barbara au cocher tandis que le carrosse franchissait les barricades érigées par les gardes. Tout autour, une frénésie galopante s'était emparée de la ville. Barbara, qui avait grandi dans un château isolé à la campagne, n'avait jamais connu d'épidémie et ne s'attendait pas à de tels désordres. On avait mis le feu aux maisons des pestiférés, une fumée nauséabonde rendait l'air irrespirable. La rue principale était bloquée par des charrettes qui ne pourraient aller nulle part, ce qui n'empêchait pas les gens de continuer à les surcharger. Ceux qui n'en possédaient pas couraient vers les portes déjà condamnées, une marée humaine grondante en proie à la panique. « Et encore, ce n'est que le début », songea Barbara. Le soleil se couchait, voleurs et brigands ne tarderaient pas à sortir à découvert, et la garnison n'était pas assez nombreuse pour les neutraliser. Le carrosse de Barbara avança à grand-peine dans le sens contraire de la foule, jusqu'au palais royal ; le pont-levis baissé signifiait que Catherine n'était pas partie. La cour, qui grouillait habituellement de serviteurs, était déserte. Barbara descendit de voiture, enleva le dernier bijou qu'elle possédait – une chaîne en or avec un pendentif – et le tendit au cocher : c'était le prix convenu. Après avoir lissé sa robe blanche maculée et écarté de son front les mèches de cheveux qui collaient à sa peau, elle entra dans le château. L'espace d'un instant, elle crut que le courage lui faisait soudain défaut : elle faillit s'évanouir, peut-être avait-elle contracté la peste. La reine était assise sous le portique, avec une unique chandelle pour éclairer l'obscurité. Elle parlait à voix basse avec le capitaine Giustinian et Sigismond, qui buvaient du vin. Barbara inspira profondément.

— Majesté, j'ai quelque chose à vous dire.

Un cri de chouette réveilla Ciarla en sursaut. Elle eut d'abord peur en voyant qu'il faisait nuit noire. Elle ne se rappelait rien : où était-elle ? Que lui était-il arrivé ? Elle aperçut alors Marco assis face à elle, le chiot de lévrier sur les genoux.

— Ramenez-moi immédiatement au château. Maman est sûrement inquiète, peut-être même furieuse.

— Vous ne rentrerez jamais au château, ma petite, et vous n'avez pas à craindre la colère de Catherine, car vous ne la reverrez plus.

Le carrosse s'arrêta avec un dernier soubresaut, Marco ouvrit la portière. Ils se trouvaient sur une plage bordée de fourrés et de ronces impénétrables. Un endroit sauvage et sans aucune présence humaine.

— Comme vous pouvez le voir, nous sommes très loin de Famagouste. Vous avez dormi tout le long du voyage.

Ciarla ne pipa mot. Son silence prolongé agaça Marco.

— Vous souvenez-vous du prince Alphonse ? Vous avez même son portrait. Vous l'épouserez et vous deviendrez reine, selon le souhait de votre père.

— C'est faux. Mon père ne voulait pas me voir épouser un homme de sang aragonais. Il me l'a répété mille fois.

Marco haussa les épaules.

— De toute façon, c'est décidé. Une galère du prince va bientôt venir vous chercher pour vous ramener à Naples.

— Non. Je refuse de quitter mon île. Je sens que je ne survivrai pas dans un pays étranger. Si vous m'obligez, vous mourrez vous aussi.

Malgré lui, Marco était troublé. Ciarla ne pleurait pas, ne le suppliait pas ; elle se contentait de le regarder avec ses yeux noirs et profonds comme la nuit. Bien qu'il n'eût jamais rencontré le roi, on lui avait raconté que personne ne parvenait à soutenir son regard et qu'il recevait des prémonitions.

— Sottises, Ciarla. Voici ce qui va se passer : moi, je deviendrai riche, et vous, un jour, reine.

Il scruta la ligne d'ombre de la mer. Toujours rien. Le silence de cette plage était intimidant. Le cocher payé par Giblet – certainement une crapule – avait disparu. Et s'il était allé appeler d'autres crapules ? Et si le Français s'était trompé de lieu de rendez-vous ? La plage s'étendait à perte de vue… C'était une nuit sans lune. Le temps s'écoulait lentement. Marco ouvrit le panier que Barbara avait mis dans le carrosse : il débordait de délices, mais Ciarla donna la nourriture au chien et but seulement un peu d'eau. Marco, lui, mangea avec une telle voracité qu'il en eut la nausée. Les heures passèrent jusqu'au lever d'une aube brumeuse. Point de galère en vue.

— J'ai soif, réclama Ciarla.

— Nous n'avons plus d'eau.

— Il y a une source près d'ici, n'entendez-vous pas ?

Marco n'entendait que les stridulations assourdissantes des cigales. Avant qu'il pût l'en empêcher, Ciarla s'enfonça entre les arbustes des fourrés. Il ne lui restait plus qu'à suivre la piste qu'elle creusait sur son passage. Marco s'égratigna les jambes dans les ronces et poussa un juron. Ciarla courait aussi vite qu'une gazelle, impossible de la rattraper sur un terrain de moins en moins praticable. Ils s'éloignaient trop du littoral : si le bateau arrivait, ils ne pourraient ni le voir ni être vus.

— Ciarla, arrête-toi ! cria-t-il.

Aucune réponse à part les sons menaçants des bois : bruissements de serpents et cris de rapaces. Marco jura à nouveau. Soudain, il déboucha sur une clairière. Au centre se trouvait un étang parfaitement transparent sur lequel flottaient des fleurs blanches. Les derniers rayons de soleil se reflétaient sur la surface. Dans la forêt, un rossignol chantait.

— La fontaine de Vénus, murmura Ciarla. Je venais souvent ici avec mon père.

— C'est magnifique.

— Dommage que cet endroit appartienne aux démons. Dionysos est le pire d'entre eux : il a un visage et un corps parfaits, mais un pied de bouc. C'est le diable. Les nuits sans lune, les sorcières se retrouvent ici pour le vénérer. Elles vont certainement venir ce soir.

Une bourrasque de vent soudaine rida la surface de l'étang.

— Faisons demi-tour, dit Marco en tressaillant. La galère ne va pas tarder.

— N'êtes-vous pas curieux de voir les sorcières ? Elles sont jeunes, très belles, et elles dansent nues avec Dionysos.

Marco l'empoigna par le bras et l'entraîna sur le sentier. Ciarla eut beau résister, elle ne faisait pas le poids contre un homme adulte. Ils débouchèrent bientôt sur la plage. Un navire s'approchait toutes voiles dehors. Marco poussa un soupir de soulagement.

— C'est fini, se réjouit-il.

— Oui, c'est fini, lui fit écho Ciarla. Des étendards rouge et or : c'est la flotte de la reine.

Citadelle de Famagouste, septembre 1477

— Pourquoi m'a-t-il trahie ? Que lui ai-je fait ?

Catherine, ébranlée, arpentait la salle d'armes en long et en large. L'interrogatoire de Marco Venier était terminé : il avait tout avoué.

— Rien, madame. Les traîtres n'ont pas besoin d'autres raisons que leur gain personnel.

Le capitaine de justice de Avila baissa la tête. Depuis que sa femme Sancia s'était enfuie pour Naples, il avait considérablement vieilli.

— Barbara Giblet disait la vérité : votre cousin a enlevé Ciarla pour l'argent. Il devait l'embarquer sur un navire aragonais au large de Polis. Heureusement, le capitaine Giustinian est arrivé à temps. Les Espagnols, on le sait, ne sont jamais ponctuels.

— Marco n'avait pas besoin d'argent. Les Venier sont riches.

— Son père est riche, certes, mais lui est ruiné.

— Il aurait pu m'en parler. Je l'aurais aidé.

— L'orgueil, l'honneur, qui sait ? Giblet a réussi à s'enfuir, mais il n'ira pas loin avec la peste.

De Avila hésita avant de poursuivre.

— La loi prévoit l'écartèlement pour les traîtres. Avec un ordre écrit de votre main, on pourrait commuer la peine en décapitation.

Il lui tendit une feuille vierge.

— Dois-je condamner mon propre cousin à mort ?

— La loi doit être appliquée, madame. Ne pas le faire serait un signe de faiblesse. Je vous rappelle que le roi lui-même a dû faire exécuter ses meilleurs amis.

— Vous ne comprenez pas ! Les Venier et les Cornaro sont cousins.

De Avila ne répondit rien. Pendant quelques secondes, le temps sembla suspendu dans le rythme immuable des pas des mercenaires sur les glacis.

— Amenez-moi Marco Venier.

La construction des oubliettes remontait à plus de deux siècles. Situées sous le niveau des douves, elles étaient glacées en hiver, étouffantes en été, et infestées de rats toute l'année. La puanteur qui y régnait était tellement fétide que d'aucuns sombraient rapidement dans la folie. De toute manière, personne n'y passait beaucoup de temps : à Chypre, la justice était diligente et sans appel, selon la tradition des Croisés. Quand ils n'étaient pas exécutés, les coupables se retrouvaient bien vite enchaînés à une rame sur une galère. Les gardes traînèrent Marco Venier dans la salle d'armes. Les fers entravaient ses mouvements mais il ne paraissait pas inquiet, comme s'il ne se sentait pas concerné.

Catherine lui montra sa confession écrite.

— Vous avez admis avoir comploté avec Tristan Giblet pour enlever Ciarla. Un navire l'aurait emmenée à Naples, en échange de quoi vous alliez recevoir un fief, une rente et une épouse, Barbara.

— C'est exact, sauf la fin. Je n'aurais jamais épousé cette idiote.

Prenant une orange sur le plateau de fruits que quelqu'un avait laissé sur la table, Marco mordit dedans avec avidité. Ses yeux bleus brillaient plus que jamais sur son visage hâve. « Il est fiévreux, pensa Catherine, peut-être gravement malade. » Elle songea à son vieux père, seul à Candie : terres, argent, châteaux, et un horizon de solitude.

— Pourquoi m'avez-vous appelé ? Inutile de répondre, je sais pourquoi : vous cherchez une raison pour me condamner sans remords.

— La trahison ne vous semble-t-elle pas une raison suffisante ?

— Oh, mais vous êtes une Cornaro. Que dira-t-on à Venise ? Que les Cornaro ont trouvé le moyen de se libérer du plus jeune et plus prometteur des Venier. Un concurrent en moins. Je n'aimerais vraiment pas être à votre place, pauvre cousine.

Marco éclata de rire. Catherine s'interrogea : avait-il perdu la raison ? Elle fit glisser une feuille blanche vers lui.

— Je vous renverrai à Candie dès la réouverture du port. Vous n'avez qu'à écrire vous-même la demande de grâce.

— Non. Je ne demanderai pas votre grâce. Je suis un Venier, j'affronterai la mort avec honneur. Je me moque de ce que l'on dira de vous à Venise.

— Pourquoi me haïssez-vous tellement ?

— Je ne vous hais absolument pas. De toute façon, je suis en train de mourir.

Dans la cour de la forteresse retentirent des coups de hache : on construisait l'échafaud. Marco jeta un coup d'œil par la fenêtre : le ciel limpide au-delà des murs, les collines jaunes couvertes de genêts, l'odeur prégnante de la mer.

— Cette île est trompeuse. Adieu, chère cousine.

On découvrit le cadavre de Tristan Giblet dans une auberge abandonnée à cause de la peste. Vu son état de putréfaction avancé, sa mort devait remonter à plusieurs jours. Il rejoignit d'autres dépouilles de pestiférés dans une fosse commune que l'on recouvrit à la va-vite de terre et de cendres. Lorsque Tafures se présenta pour apprendre la nouvelle à la reine, il trouva les portes barrées et le château tendu de deuil. Au lieu de lui ouvrir, le capitaine de la garde royale vint à sa rencontre.

— C'est la peste, général. N'approchez pas.

— La reine ?

— Je ne saurais vous dire, monsieur.

Tafures courut chercher Sigismond au lazaret. Il dut lui parler à travers les grilles qui empêchaient les malades de s'enfuir. Dans leur délire, nombre d'entre eux perdaient leurs facultés mentales.

— Que se passe-t-il ? cria Sigismond, la gorge serrée d'angoisse.

— C'est le petit Jacques. Peste pulmonaire. Il n'y a plus d'espoir.

Le lendemain, Tafures retournait au palais pour les obsèques. Après l'inhumation de l'enfant aux côtés de son père, dans la crypte, Catherine se retira dans sa chambre et tira les rideaux, refusant de parler à qui que ce soit. Plusieurs soirs de suite, Alvise Gabriel lui apporta de la nourriture qu'il retrouvait intacte au matin. Les biscuits de Giacinta se décomposaient sous la chaleur. Ciarla, désespérée, finit par convaincre le majordome de l'accompagner au port en carrosse, où la flotte de Francesco Giustinian se tenait en quarantaine.

— Catherine est en train de se laisser mourir. Vous êtes le seul à pouvoir l'aider.

— Je vous en conjure, capitaine, renchérit Gabriel. Suivez-nous au palais.

Passé la stupéfaction d'avoir gardé la tête accrochée à son cou, Alvise s'était remis au service de Catherine avec une dévotion absolue.

Francesco monta dans le carrosse, bien que le capitaine général Loredan lui eût ordonné de ne pas quitter son navire. Le palais royal était à l'abandon. Catherine se trouvait assise dans la pénombre de sa chambre, une broderie pas même entamée entre les mains ; elle regardait d'un air absent le portrait d'une femme voilée. Francesco lui prit la main.

— Catherine.

Elle tressauta. Son visage était d'une pâleur mortelle, ses joues creusées, ses yeux bleus ternes et inexpressifs.

— Il n'y a rien au monde que j'aime plus que vous, murmura Francesco à son oreille, comme s'il parlait à une petite fille.

Lorsqu'il l'enveloppa dans ses bras, elle éclata en sanglots. Ses pleurs irrépressibles semblaient ne jamais devoir finir. Francesco lui caressa les cheveux. Quelques instants plus tard, Ciarla entra dans la pièce. Ils restèrent ainsi pendant long-temps, tous les trois, jusqu'à ce qu'enfin Catherine arrêtât de pleurer. Ciarla lui glissa un biscuit au gingembre dans la bouche, puis un deuxième. Gia-cinta vint lui tresser les cheveux, Maria et Barbara l'aidèrent à se changer. Ils descendirent dans le jardin envahi de mauvaises herbes, tels des nau-fragés après la tempête. Francesco ne lâchait pas Catherine, qui chancelait. Le chiot sautillait sur le gazon.

— Ce n'est pas sa faute si Marco l'a utilisé pour m'enlever, maman.

Catherine hocha faiblement la tête. Ils s'assirent au bord de la fontaine. À peine quelques semaines plus tôt, son garçon jouait avec les jets d'eau en piail-lant de joie. « Comment continuer ? » se demanda-t-elle. « Comment continuer ? »

— Autrefois, lorsque j'étais au couvent, une femme m'a fait une prophétie : « Vous serez seule et stérile, m'a-t-elle dit. Tel est votre destin. »

— Non, c'est faux ! s'écria Ciarla en la prenant dans ses bras. Vous ne serez jamais seule, maman, parce que je suis là, moi, et je ne vous abandon-nerai jamais, même quand j'aurai grandi. Les sor-cières peuvent se tromper, tout le monde sait ça.

Catherine esquissa l'ombre d'un sourire. Un coup de canon retentit au loin sans que personne y fît attention – personne, sauf Giustinian. C'était le crépuscule du jour fixé : on conduisait Marco Venier à l'échafaud.

Chypre, hiver 1478

L'épidémie de peste était terminée, laissant l'île exsangue : maisons vides, champs abandonnés, marchands sans marchandises. Catherine ordonna une réduction des taxes et alloua une partie des récoltes de blé de Piscopi aux pauvres et aux orphelins. Les dépenses du palais royal furent réduites : moins de serviteurs, moins de fêtes, moins de courtisans. Si les temps étaient difficiles, au moins personne ne mourait plus de faim dans les rues, et le lazaret se vidait progressivement. Le peuple ne perdait aucune occasion de témoigner sa gratitude à la reine chaque fois qu'elle apparaissait en public.

Après son enlèvement et la mort de son demi-frère, Ciarla avait profondément changé. L'enfant capricieuse s'était transformée en femme – une femme par ailleurs très séduisante : grande et brune comme son père, elle partageait sa capacité à subjuguer les gens. Les demandes en mariage se multipliaient, venant des feudataires de l'île, de riches Vénitiens et de jeunes aristocrates dans tout le Levant. Catherine s'inquiétait pour la dot.

— Je ne veux pas être obligée de marier une princesse au fils d'un marchand, plaisantait-elle.

— Mais pas non plus à un crapaud déguisé en prince, maman.

Tous les soirs, elles se promenaient à cheval avec le capitaine Giustinian. Ce dernier ayant du mal à respirer, l'air frais des collines le revigorait. À les voir galoper ainsi hors des murs, salués affectueusement par tous ceux qu'ils croisaient, on aurait dit une famille. Un jour, pourtant, Francesco ne se présenta pas au rendez-vous habituel. À sa place arriva un officier avec un message de quelques lignes pour la reine.

« *Les Turcs ont assiégé Rhodes en prenant les Chevaliers par surprise. J'ai reçu l'ordre de lever l'ancre immédiatement.* »

Le grand maître Giovanni Dolfin comprit qu'il lui restait peu de temps à vivre. Tourmenté sans répit par la douleur dans sa poitrine, il n'espérait qu'une chose : que sa mort soit rapide. Afin de soulager ses souffrances, il sirotait du vin de la Commanderie mélangé à une drogue qui troublait ses pensées, au point qu'il ne savait pas si la visite du capitaine général Loredan appartenait au rêve ou à la réalité, ou si la fin du siège n'était, elle aussi, qu'un rêve. Deux ans. Bien qu'habitué à la guerre, Dolfin n'avait jamais assisté à rien de semblable. Les Turcs avaient empalé tous leurs prisonniers devant les murailles de la citadelle. Des cadavres par centaines, tant et tant qu'ils avaient rasé au sol des forêts entières. Les Chevaliers avaient riposté en tirant les têtes des prisonniers turcs avec leurs canons. Et pendant ce temps, une grande partie de la population était morte de faim.

Atrocités, barbarie... Le monde entier coulait à pic. Que restait-il du serment des Chevaliers ? Dolfin prit une autre gorgée de vin, une agréable torpeur l'envahit. Les Grecs savaient trouver la dimension comique de n'importe quelle tragédie : dans le cas présent, le ridicule résidait dans son trépas imminent. Quelques jours plus tôt, il était allé chasser au faucon pour célébrer la retraite des Turcs : il faisait chaud et, à un certain moment, un poids écrasant s'était abattu sur sa poitrine. « Le cœur », avait-il pensé, devinant d'emblée qu'il était condamné. Il imaginait l'épitaphe sur son sépulcre : « *Ci-gît le grand maître des Hospitaliers de Rhodes, qui, après une vie passée à poursuivre les infidèles, a trouvé la mort en poursuivant un faucon...* »

Il éclata de rire. Soudain, il crut apercevoir quelqu'un sur le pas de la porte : un être sale à la barbe longue et hirsute, aux cheveux noirâtres, habillé d'or. Le diable ? Dolfin le chassa d'un geste de la main.

— Quoi ? Suis-je déjà en enfer ?

La figure s'approcha pour lui tendre quelque chose.

— Mes lettres de créance, excellence. Je suis le baron Nicola del Sangro, aux commandes de la flotte du roi de Naples.

— Vous arrivez tard, baron.

Dolfin, un Génois, ne supportait pas les Napolitains.

— Que voulez-vous ? Je n'en ai plus pour longtemps.

— En échange de l'aide que nous vous avons accordée, mon roi demande l'aide du vôtre au sujet d'une proposition de mariage…

Un mariage ! Dolfin vivait ses derniers instants et cet homme lui parlait de mariage ? Le grand maître partit d'un grand éclat de rire qui lui secoua la poitrine, devenant bientôt incontrôlable. Puis, brutalement, il s'arrêta ; un voile vitreux tomba sur ses yeux. Il était mort. Le baron se signa. Il avait vu beaucoup de gens mourir, mais personne en riant.

Famagouste, la première nuit de l'été 1480

Francesco Giustinian replia la lettre qui contenait les ordres du capitaine général Loredan. Il ouvrit la fenêtre et respira profondément pour chasser sa sensation de vertiges. L'air frais entra dans ses poumons, chargé d'un parfum intense de myrte et de romarin. Les parfums du Levant. « Comment ? » se demanda-t-il. « Comment pourrais-je à m'en passer ? »

Au loin s'éleva le son des flûtes et des tambourins. En ville, on fêtait à la fois la victoire des Chevaliers sur les Turcs et l'arrivée de l'été. La statue de la Vierge, couverte de sequins, descendit de l'église jusqu'au port en équilibre sur les épaules des porteurs. Mistabel lui avait dit que, jadis, c'était la statue de Junon, déesse de la fertilité, que l'on transportait ainsi, mais la fête se répétait à l'identique au fil des ans. À chaque coin de rue, les marchands de vin et de gâteaux vantaient leurs produits, des saltimbanques se préparaient au spectacle. Francesco referma la fenêtre et commença lentement à s'habiller : une veste en satin rouge, un collier en or, l'anneau orné de l'emblème des Giustinian... Lorsqu'il fut enfin prêt, les forces lui manquèrent. Il avait l'impression que la chemise collait à sa peau, que la veste était aussi rigide qu'une cuirasse. Jetant un coup d'œil au miroir, il remarqua qu'il avait maigri encore davantage. La maladie suivait son cours. « Pas ce soir », se dit-il. « Je ne veux pas y penser ce soir. » Il monta à cheval et se fraya un chemin dans la foule jusqu'au palais royal.

Ciarla recevait les invités dans le parc. Elle était ravissante, si brune et élancée, pleine de grâce, avec un chapeau de paille, une robe à fleurs estivale et un grand châle offert par les paysannes qui l'avaient brodé. Dès qu'elle l'aperçut, elle vint à sa rencontre, le sourire aux lèvres.

— Capitaine, avez-vous vu les saltimbanques ? Dommage que le dompteur d'ours ne soit pas venu, cette année.

Francesco se pencha en avant pour lui baiser la main. Le dompteur d'ours... Bien que nubile, Ciarla était restée enfant.

— On va bientôt servir le banquet.

— Je n'ai pas faim.

— Porcelet rôti. Votre plat préféré, capitaine.

Ciarla fronça les sourcils.

— Vous avez l'air fatigué. Mauvaises nouvelles ?

Francesco la prit aimablement par le bras pour l'entraîner vers la fontaine. Les premières étoiles de la nuit éclairaient le ciel. Les danses débutèrent.

— J'ai reçu l'ordre de rentrer à Venise.

— Vous nous quittez ? Quand ?

— Pas tout de suite, répondit le capitaine avec un geste vague. Lorsque les vents seront favorables. Mais ce n'est pas tout, Ciarla. Le Sénat souhaite que vous partiez avec moi en attendant que Catherine vous choisisse un mari. Ici, vous n'êtes pas en sécurité : le prince Alphonse insiste pour vous épouser et del Sangro se trouve actuellement à Rhodes. Il a déjà tenté de vous enlever...

— Qu'en pense ma mère ?

— Je ne lui ai encore rien dit.

Il saisit la main de Ciarla et se rendit compte qu'elle tremblait.

— Contrairement à moi, vous n'êtes pas obligée d'obéir au Sénat, Ciarla.

C'était une nuit merveilleuse. L'Aphrodite de marbre souriait entre les branchages, l'eau de la fontaine s'écoulait en murmurant de la corne d'abondance en pierre, et la musique se mêlait aux bruissements des bois. Giustinian soupira.

— Je suis désolé. Tout cela doit être pénible pour vous, Ciarla.

— Pour vous aussi, capitaine Giustinian, me trompé-je ? À ma place, que feriez-vous ? Qu'aurait fait mon père ?

— Le roi avait choisi les Vénitiens.

Ciarla le regarda fixement. « Je peux lire l'âge d'une femme dans ses yeux », avait coutume de dire Jacques. « Ces yeux-là, pensa Francesco, ne sont plus ceux d'une petite fille. »

— C'est drôle... Quand je vous ai vu arriver, capitaine, tellement élégant, j'ai cru que Catherine et vous alliez annoncer vos fiançailles ce soir. Mais la fête de l'été porte malheur.

— En effet...

Ils virent Catherine à l'autre bout du jardin, qui marchait vers eux avec le lévrier en laisse, suivie par un groupe de demoiselles qui riaient gaiement.

— Ne dites rien pour l'instant, chuchota Ciarla. Je vous donnerai ma réponse demain.

Elle se leva. Le lévrier bondit vers elle, mais elle continua son chemin sans lui prêter attention. « Son enfance s'arrête ici », se dit Giustinian avec amertume. Le dompteur d'ours et les saltimbanques ne feraient plus jamais partie de son monde.

Famagouste, Noël 1483

La pluie tombait à verse. Assise face à la cheminée dans sa chambre décorée de branches d'arolle, Catherine lisait les lettres à peine arrivées de Venise. La première venait de Francesco Giustinian. Elle caressa l'enveloppe avant de la mettre de côté. Elle ne se sentait pas encore assez forte pour lire des mots d'amour. La deuxième venait de Ciarla.

« *Très chère maman,*
Aujourd'hui, votre frère, le cardinal Alvise, m'a accompagnée à Padoue, au couvent des bénédictines. Vous savez que je n'aime pas les couvents, mais j'ai changé d'avis après avoir rencontré l'abbesse. Elle a promis de ne pas m'obliger à apprendre la broderie et de me laisser lire tous les livres de sa bibliothèque. Je n'aurais jamais cru qu'une religieuse pouvait posséder de tels ouvrages : des romans provençaux, des poésies de trouvères, et même des traités de magie ! »

Son père Marco lui avait également écrit :

« Ciarla est adorable. Elle a la même voix que toi. J'ai l'impression de te voir en elle, j'en suis tout ému. C'est comme si j'avais une autre fille. »

Giorgio ne partageait pas cet enthousiasme :

« Ciarla est insupportable. Elle nous a pris, Alvise et moi, comme souffre-douleur. Hier, elle a caché un chiot dans son manteau de cardinal. La bestiole a surgi pendant la procession et m'a mordu la jambe ! Je te parie qu'elle se fera expulser du couvent. »

Catherine sourit et reprit la lettre de Ciarla :

« Ici, on raconte que l'abbesse avait autrefois une sorcière pour servante, une Grecque qu'on a brûlée au bûcher. Dommage, j'aurais bien aimé la rencontrer. Je me demande si elle était aussi belle que les sorcières de Polis... »

— Majesté.

La voix de Mistabel fit sursauter Catherine. L'ambassadeur s'approcha du feu et tendit un bouquet de fleurs à la reine.

— C'est le commandant Contarini qui vous les envoie. Il semblerait que vous ayez un nouveau soupirant. Pourquoi cet air courroucé ?

— On a conduit au bûcher une femme que je connaissais.

Mistabel secoua la tête.

— À propos de sorcières, la comtesse de Rocas a réussi à atteindre Naples en survivant aux tempêtes, à la galère des Chevaliers, aux pirates et à la peste. Comme si cela ne suffisait pas, elle s'est insinuée dans les bonnes grâces du roi, qui la caresse en public et l'assied à ses côtés pendant les banquets.

Un coup de vent ouvrit brusquement la fenêtre. Dans l'âtre, les flammes gonflèrent en crépitant ; l'espace d'une seconde, Catherine crut y voir la Grecque, le visage déformé par une horrible grimace. Puis, un serviteur referma les battants et le silence retomba.

— Croyez-vous au diable, Mistabel ?

Le soleil couché, seul le feu éclairait encore la pièce. Sur le portrait, le voile blanc de la dame semblait flotter sur la paroi, animé d'une vie propre. Mistabel le désigna d'un geste.

— Observez ce corps, ces yeux, le rouge de ces roses sur le ventre blanc... Et ce sourire. Observez-le bien, madame : ce n'est pas un sourire, mais une invitation. À quoi ? À l'oubli, à l'abandon, au néant. Pour croire au diable, il suffit de regarder ce tableau.

— N'existe-t-il aucun salut ?

— Se connaître soi-même. C'est le seul moyen. Sinon, ce sourire pénètre tôt ou tard jusqu'à votre âme.

DEUXIÈME PARTIE

9

Venise, été 1510

UN FROTTEMENT ALERTA PHILIPPE DE COMMYNES, l'ambassadeur du roi de France. Il se leva en un éclair, empoigna son épée et ouvrit la porte d'un coup.

— Monsieur Cornaro… Excellence. Vous m'avez fait peur.

— Je suis venu vous présenter mes excuses, Commynes. J'ai manqué de courtoisie. Le cardinal Orsini m'a expliqué que vous étiez ici sur ordre de votre souverain. La chambre est-elle à votre convenance ?

— Bien sûr ! En matière d'hospitalité, les Cornaro sont inégalables.

Giorgio entra et ouvrit les volets. Après la pluie, une chape humide enveloppait le canal. Les palais éclairés par des flambeaux se reflétaient sur l'eau ridée par le vent.

— Drôle de nuit pour cette saison.

Commynes hocha la tête. Tous deux pensaient à la même chose : une nuit d'été identique à celle-là, le vent, une fête dans le jardin, une comédie, le chant des flûtes…

— Je donnerais n'importe quoi pour retourner à Altivole rien qu'une fois.

— Vous seriez déçu, Commynes. La ville que vous connaissiez n'existe plus. Ce monde-là a disparu.

— Que sont devenues toutes ces choses en lesquelles nous croyions ? Foi, courage et miséricorde. Je suis obligé d'obéir à un ordre qui me répugne.

Giorgio fixa en silence les lueurs sur le canal.

— Mon roi veut déposer Jules II pour faire élire le cardinal Orsini à sa place.

Giorgio fut pris d'un fou rire, comme lorsqu'il assistait aux comédies de Plaute à Altivole.

— Le cardinal, lui, n'a pas trouvé cette proposition si amusante. J'attendrai sa réponse jusqu'à l'aube, pas au-delà. Ensuite, je prendrai son silence comme un refus et je rentrerai en France.

— Ne partez pas, je vous en prie. Restez encore un peu, soyez mon invité. Quoi qu'il se passe, Commynes, nous sommes amis.

— Quoi qu'il se passe, répéta l'émissaire en souriant pour la première fois. Je vous en remercie.

« Peut-être l'amitié est-elle la seule consolation à l'existence », songea-t-il. Idéaux, passions, ambitions… Tout n'était que traîtrise. Même les objets et les personnes auxquels on s'attachait avec ténacité finissaient par nous abandonner. Il faillit demander à Giorgio des nouvelles de sa femme. Il se rappelait d'elle, cet été-là à Altivole, si belle et triste. Elle ne parlait jamais, au point que certains la croyaient faible d'esprit. Probablement était-elle juste malheureuse. Il la revit danser avec un homme dans le jardin, au milieu de la nuit, après que la comédie était terminée et les spectateurs partis. Qui était cet homme ? Et pourquoi Giovanna n'était-elle pas avec son mari, au palais ?

— J'espère que votre femme se porte bien, excellence, demanda-t-il prudemment.

— Pour être honnête, je n'en sais rien. Désormais, je ne la vois plus qu'en portrait, à travers la nymphe peinte au plafond de notre chambre matrimoniale. C'est mieux ainsi. Giovanna m'a quitté. Pour Antonio Venier.

— Aucune femme ne peut quitter Giorgio Cornaro ! Pour un traître, en plus ! s'indigna le Français.

— Ne vous apitoyez pas sur mon sort. J'aime une autre femme.

— Mais votre honneur...

— La passion et l'honneur sont inconciliables, Commynes. Seule la puissance divine peut les réunir. J'ai fait mon choix.

Venise, mars 1488

Il y avait quelque chose d'étrange dans l'air, se disait Marco Cornaro : le printemps était en avance, même s'il pleuvinait et qu'il soufflait un vent glacé. Il parcourut à pied le trajet jusqu'au palais ducal, s'arrêtant pour bavarder lorsqu'il croisait une connaissance. Tous lui posaient les mêmes questions sur Chypre, la reine, la jeune princesse Ciarla, hôte du couvent bénédictin. Marco ne se lassait jamais d'en parler ; or, ce matin-là, il était pressé. Il devait assister à la réunion du Conseil des Dix, auquel il appartenait. En entrant dans le palais, il tomba sur le capitaine Priuli. Le bruit courait qu'il serait bientôt nommé capitaine général dans le Levant en remplacement d'Antonio Loredan. C'était probablement vrai. Après la défaite des Turcs à Rhodes, Loredan avait fait beaucoup de jaloux, sans avoir derrière lui le pouvoir d'une famille comme les Mocenigo.

La salle du Conseil était plongée dans la grisaille d'une matinée pluvieuse. Les gouttes fouettaient les vitres en produisant un bruit sourd. Les Dix commencèrent par discuter de questions secondaires ; le doge Barbarigo, qui assistait à la réunion, bâillait ostensiblement.

Finalement, un homme se leva et demanda à prendre la parole : Antonio Pisani, le dernier représentant de la famille Pisani, qui possédait la plus grosse banque de Venise. « Riche et détestable, se dit Cornaro, mais très rusé » : il faisait affaire dans tous les ports du Levant, y compris avec les Turcs.

— Messieurs, j'ai des nouvelles inquiétantes. Mes correspondants à Constantinople m'écrivent que le sultan veut se venger de la défaite subie à Rhodes en montant l'armée la plus puissante que la chrétienté ait jamais affrontée. Les janissaires ratissent les villages à l'intérieur des terres à la recherche de jeunes recrues, tandis que les Sarrasins leur fournissent les esclaves pour ramer. Au printemps, tout sera prêt.

Pisani fit une pause.

— Je vous rappelle que Chypre, le principal avant-poste vénitien, est aux mains d'une femme.

Marco se leva brusquement.

— Je peux garantir au Conseil que les Cornaro financeront la défense de l'île. Comme ils l'ont toujours fait.

— Et vous croyez que ce sera suffisant ? riposta Pisani avec un sourire goguenard.

Le doge secoua imperceptiblement la tête, et Marco Cornaro comprit alors que tout n'était qu'une mise en scène où Antonio Pisani était simplement un porte-parole. Ils avaient déjà examiné la question et pris leur décision. Après dix ans, Venise se préparait à occuper Chypre. « Dix ans ! » aurait voulu crier Marco. Dix ans d'un règne exemplaire, même aux mains d'une femme. « Ma fille. » Cependant, il se tut. Pour la première fois, la situation lui échappait :

il n'avait rien senti dans l'air sinon l'arrivée prématurée du printemps.

« Quel gâchis ! » pensa Marco pendant qu'il rentrait chez lui, la tête basse. « Quel gâchis ! Je me
fais vieux. »

Chypre, été 1488

L'année avait commencé sur un mauvais présage : dans un village sur les collines était né un
enfant bicéphale. Le présage ne fit que se confirmer
lorsque les Turcs s'emparèrent d'Otrante en massacrant à tour de bras. Le roi Ferrante de Naples
accusa les Vénitiens d'avoir laissé les Turcs traverser la mer Égée sans leur opposer résistance. Les
Vénitiens répliquèrent qu'ils avaient signé un traité
de paix avec le sultan – un traité que celui-ci déchira
juste après, sous les yeux de l'ambassadeur Josaphat
Barbaro.

En mai, alors que le parfum des jardins embaumait l'air, la nouvelle de la mort de Marco Cornaro,
le père de la reine, arriva à Chypre. Il avait fait
jurer trois choses à ses fils : ne plus jamais prêter
d'argent à un roi, ne jamais s'opposer l'un à l'autre,
et rester à jamais fidèles à la République. Le message était clair. Lorsque le Sénat lui annonça que
Chypre allait passer sous gouvernance vénitienne
et que Catherine devrait abdiquer, Giorgio se mit
en route pour l'île, non sans avoir négocié au préalable une compensation : un autre royaume et un
riche apanage pour Catherine. On décida de lui
octroyer la petite ville d'Asolo et ses environs, ainsi
qu'une rente annuelle confortable.

— Vous avez conclu un accord avantageux, le
félicita le doge. Avec Chypre, les Cornaro se libèrent
d'une dette et acquièrent une rente. La ville d'Asolo
et huit mille ducats par an, c'est considérable.

271

Doutant que Catherine partagerait cet avis, Giorgio tenait à l'informer personnellement. Alors que son départ devait rester secret, il trouva à l'attendre sur le Lido Pietro Mocenigo. Toujours vêtu de son vieux manteau bleu terni par le passage des ans, le capitaine arpentait le quai comme si c'était le pont d'un navire.

— Ne partez pas, lui ordonna-t-il sans préambule.

Si la maladie l'avait réduit en fin de vie, elle n'avait pas adouci son caractère.

— Je dois obéir aux ordres du Sénat, capitaine.

— Ne comprenez-vous pas qu'ils se servent de vous ? Si vous échouez, la faute retombera sur vous ; si vous réussissez, Catherine ne vous le pardonnera jamais. Dans tous les cas, vous êtes perdant. Laissez le fait qu'un représentant du doge l'oblige à abdiquer. C'est une affaire politique.

— Non, capitaine, c'est une affaire de famille. Catherine ne cédera jamais son royaume à un émissaire, et si elle ne le cède pas, la ruine s'abattra sur les Cornaro. Vous savez bien comment vont les choses dans notre République.

Pietro s'arrêta sous le soleil de midi. « Je ne le sais que trop bien, se dit-il. Une affaire de famille… Pauvre Catherine. » Il déposa un objet dans la main de Giorgio.

— Donnez ceci à votre sœur de ma part.

— L'anneau des Lusignan ? fit Giorgio, stupéfait.

— Rizzo da Marino l'avait volé à Catherine. Après qu'un tribunal vénitien l'eut condamné à mort pour trahison, son dernier souhait a été de me transmettre cette bague.

— Un geste généreux…

— Détrompez-vous. Un geste pernicieux.

Giorgio considéra avec perplexité le rubis qui scintillait dans sa paume. Pourquoi Rizzo l'avait-il donné à son pire ennemi ? Des souvenirs d'enfance resurgirent soudain en lui : les bijoux royaux éparpillés par terre et Mistabel qui glissait la bague au doigt de Catherine. « Le rubis des Lusignan est un gage d'amour. »

Mocenigo lui tourna le dos.

— Je vous souhaite une bonne traversée, monsieur Cornaro. Même si c'est peu probable, vu vos bateaux et vos capitaines.

Chypre, septembre 1488

Giorgio Cornaro arriva à Famagouste par une splendide après-midi ensoleillée. Comme tous ceux qui découvraient l'île pour la première fois, il fut subjugué par les rochers qui s'enfonçaient dans la mer de saphir, les collines dorées par les genêts en fleur, le rouge ocre des murs, le rouge plus sombre des étendards… On aurait dit l'œuvre d'un peintre. Giorgio aimait les artistes.

Après la mort de leur père, il avait apporté, avec l'accord d'Alvise, de nombreuses modifications au palais familial. Les pièces étant trop étroites pour les fresques qu'il avait en tête, il avait fait abattre plusieurs parois et agrandir les fenêtres pour mieux éclairer les couleurs. Le salon de couture de sa mère avait été reconverti en bureau pour Giorgio. On avait remplacé les vieux meubles massifs des chambres à coucher par d'autres plus raffinés. Au rez-de-chaussée, Alvise s'était obstiné à créer une salle de danse avec des miroirs au plafond. On avait donc démoli d'autres cloisons. Au final, le palais de San Cassiano ne ressemblait plus guère à celui de leur enfance, mais Giorgio était fier du résultat. Tout Venise en parlait.

Le navire s'amarra enfin au quai. Giorgio observa la citadelle qui dominait le port : deux rangées de murailles, des canons puissants tournés vers le large, une armée de mercenaires qui surveillait la mer depuis les glacis. Bordée de falaises vertigineuses, la place forte semblait inexpugnable. Il avait à peine mis pied à terre que l'air de l'île l'enveloppa dans un parfum d'agrumes et d'épices qui se mélangeait à celui des gâteaux sur les étals du port.

Giorgio partit se promener au hasard des rues. Peut-être cherchait-il à repousser l'instant fatidique, peut-être était-il simplement victime de la magie de l'endroit. Sans s'en rendre compte, il dépassa les potagers en contrebas des murailles et s'enfonça parmi les orangers et les citronniers. Assis sous un arbre, il contempla le coucher de soleil. Il n'avait jamais vu une telle nuance de violet. Il ferma les yeux. Le capitaine Mocenigo avait raison : venir à Chypre avait été une erreur. La voir dans toute sa splendeur était une erreur. Bercé par le silence, il s'assoupit. Les aboiements d'un chien le réveillèrent. Il faisait nuit noire. Il se hâta de rentrer en ville, où il demanda son chemin jusqu'au palais royal. Les gardes à l'entrée tentèrent de le renvoyer : la reine ne recevait personne aussi tardivement. Giorgio dut s'énerver et proférer des menaces pour qu'un officier vînt enfin examiner ses documents et l'escortât à travers un jardin magnifique. Le palais était plongé dans l'obscurité, à l'exception d'une pièce d'où s'échappait une musique étouffée. L'officier l'accompagna jusqu'à la lumière : la porte de la chambre était entrouverte.

— Mille excuses, majesté. Cet homme prétend être votre frère.

Giorgio aperçut alors une femme magnifique aux cheveux blonds qui lui tombaient en cascade jusqu'à la taille, attachés dans une résille dorée. Assis à ses pieds, un petit page jouait du luth. « Une sirène et le dieu Pan », se dit Giorgio, admiratif. Il remarqua ensuite la naine, plus semblable à un monstre qu'à un être humain, occupée à broder sous le seul candélabre allumé.

— Giacinta !

Giorgio la souleva comme une enfant et tournoya sur lui-même au milieu de la pièce.

— Monsieur Giorgio, s'écria la naine en tambourinant sur sa poitrine. Pitié, reposez-moi par terre ! Vous savez que je déteste ce jeu.

L'officier assistait à la scène bouche bée. La sirène se leva. Grande et mince, elle portait une robe rose pâle et des perles autour du cou. Giorgio s'immobilisa, incapable de parler. Catherine, elle aussi, semblait muette. Les souvenirs ignoraient le passage du temps. Pendant toutes ces années, Giorgio était resté pour la reine un bambin grassouillet et agité qui savait se faire pardonner tout et ne pouvait pas s'endormir sans que sa sœur lui racontât une histoire. Le seul à pleurer lorsqu'il avait appris qu'elle partait épouser un roi.

À présent, elle se trouvait face à un jeune homme avenant, très élégant dans un brocart sombre à col blanc, avec une chaîne en or et un pli à la main. Si elle l'avait rencontré dans la rue, elle aurait pu le confondre avec l'un des nombreux gentilshommes en quête de négoce à Famagouste. Elle aurait pu, oui, sauf pour ses yeux. Le bleu pervenche des Cornaro. Seul le tic-tac du pendule dans la grande horloge dorée résonnait dans le silence. Catherine fut la première à se ressaisir.

— Giacinta, réveille le cuisinier. Qu'on apporte à manger et à boire pour mon frère.

Ils s'assirent sur les fauteuils de Jacques revêtus de soie bleue. Bien que troublé, Giorgio n'en remarqua pas moins l'élégance qui l'entourait. Tout était aux couleurs de l'île : blanc ou bleu, avec quelques touches rosées. Un unique tableau ornait les parois, une femme nue au visage voilé qui tenait un petit bouquet de roses rouges sur son ventre. Catherine suivit son regard.

— C'était le portrait préféré du roi.

Les serviteurs apportèrent de la nourriture, ainsi qu'une carafe remplie d'un vin ambré. Giorgio mangea avec appétit tout en buvant le vin puissant au goût épicé. Il eut l'impression que l'alcool le rendait plus lucide.

— Le vin de la Commanderie, un ancien vignoble des Templiers. D'après la croyance populaire, il insuffle la force et chasse la douleur. Pourquoi ne m'as-tu pas avertie de ton arrivée ?

— Je n'ai pas eu le temps, dit Giorgio en se penchant pour ramasser le pli qu'il avait laissé tomber, étant donné que je voulais te remettre ceci en personne.

Catherine déchira les sceaux. Giorgio se tourna vers la fenêtre, ne supportant pas de la regarder pendant qu'elle lisait. Le ciel s'éclaircissait. Les palefreniers conduisaient les chevaux à l'abreuvoir, une femme chantait, quelque part, dans une langue familière mais incompréhensible. Lorsque les premiers rayons du soleil embrasèrent le jardin, Giorgio resta ébahi devant l'étendue de roses rouges qui recouvrait chaque espace, chaque recoin tel un manteau de sang. Les mêmes roses rouges que sur le portrait.

Catherine posa la lettre sur la table. Giorgio se retourna vivement.

— Il n'y a rien à faire. D'une manière ou d'une autre, la République s'emparera de Chypre. Si tu acceptes d'abdiquer, tu auras la ville d'Asolo et huit mille ducats par an : tu seras riche et libre. Si tu refuses, le capitaine général Priuli occupera l'île par la force. Peut-être t'enfermeront-ils au couvent, peut-être te condamneront-ils pour trahison, ou autre chose encore. Quoi qu'il en soit, les Cornaro seront ruinés.

— Et Ciarla ? demanda Catherine, le visage inexpressif.

Giorgio hésita. Son nom n'avait même pas été prononcé pendant les négociations.

— Elle aura la protection du Sénat. Que décides-tu ?

— D'habitude, les condamnés ont droit à du temps pour réfléchir. L'aube se lève, il ne me reste pas beaucoup de temps.

Le capitaine des gardes accompagna Giorgio vers une autre chambre, meublée avec le même raffinement. Exténué, Giorgio s'effondra sur le lit. Revoir Catherine après tout ce temps, la froideur de leurs retrouvailles, ce message si brutal... Et cette île magique. Dans le jardin, la femme continuait à chanter dans cette langue étrange. Juste avant de s'endormir, Giorgio la reconnut : du provençal. La langue des troubadours.

Barbara Giblet termina de cueillir les roses et les déposa dans un panier. Tout en travaillant, elle chantait les couplets de la chanson que Fiammetta lui avait enseignée. Elle entendait presque sa voix : « Vous n'aurez pas mon cœur, ô chevalier... » Tout sauf cela. Et Fiammetta de rire à gorge déployée.

« Vous n'aurez pas mon cœur, ô chevalier, car après l'égarement intense et fugace, vous l'offrirez en pâture aux faucons et lévriers. »

Fiammetta était d'une beauté inouïe quand elle chantait : la femme la plus noble et désirable du royaume. Elle aurait facilement volé le cœur de Marco Venier, pour ensuite le jeter à ses chiens. Si l'exécution du cousin de la reine avait fait grand bruit à Chypre, elle n'avait suscité qu'indifférence chez Barbara. Elle n'éprouvait plus rien depuis le jour où, en épiant sa conversation avec Tristan, elle avait entendu Marco proférer ces horreurs. Elle se rappelait juste qu'il portait une robe de chambre jaune dont il s'était ensuite débarrassé, dévoilant un corps parfait de statue. Un corps qui ne lui appartiendrait jamais. En entendant ces paroles si blessantes, Barbara avait manqué de s'évanouir. Depuis, la vie glissait sur elle sans joie ni peine. Tous les matins, elle cueillait des roses en chantant la même chanson, les apportait à Catherine, après quoi elle attendait de la servir. Tous les matins. Or, ce jour-là, la chambre était vide. Elle fronça les sourcils : les changements, même les plus anodins, lui faisaient peur. Où étaient Giacinta et Demetrio ? Elle redescendit dans le jardin, errant sans but parmi les courtisans qui arrivaient peu à peu. Elle sentait la pitié dans leurs regards, mais cela ne la dérangeait aucunement. Soudain, un bel inconnu, grand et élégant, apparut en haut des escaliers. Les courtisans le saluèrent bien bas, il répondit par un hochement de tête gêné.

— Giorgio Cornaro. Le frère de la reine, chuchota Maria Bragadin, derrière Barbara.

À la cour, Maria était la seule qui la traitait en amie. Au grand désarroi de Barbara, l'inconnu se dirigea vers elle.

— On m'a dit que c'était vous qui chantiez ce matin, mademoiselle. Pourriez-vous me traduire les vers de la chanson ?

— Barbara ne parle pas, monseigneur. Je peux vous les traduire à sa place. Je suis Maria, la nièce de l'ambassadeur Antonio Bragadin.

Giorgio la salua. Côte à côte, les deux femmes semblaient aussi falotes que des moineaux tombés du nid. Cependant, à mesure que Maria lui expliquait le sens de la chanson, il oublia son aspect en faveur de sa voix et de l'intensité de son regard. « Les moineaux sont des créatures douces, songea-t-il, contrairement aux oiseaux exotiques éclatants si prompts à vous attaquer d'un coup de bec. »

Mistabel observait de loin leurs silhouettes découpées sur le rouge vif des roses ; demoiselle Bragadin portait une robe sombre austère, Giorgio un habit de satin marine au col immaculé. Deux mondes opposés. Et pourtant, il eut l'impression inexplicable que ces mondes se rencontraient. Le majordome Gabriel interrompit sa contemplation.

— Excellence, la reine vous attend dans la salle du Conseil.

Le Conseil ne comptait désormais plus que quelques membres : certains étaient morts, comme Rizzo et l'évêque Gonem, d'autres avaient été chassés, comme Quirini et Diedo, et d'autres encore étaient partis, comme Pietro Mocenigo et Francesco Giustinian. À présent, assis avec la reine autour de la table, il ne restait que Mistabel, Tafures, le commandant Contarini et Antonio Bragadin. Dépliée sous leurs yeux, la missive du Sénat.

— Quelle injustice ! tempêta Tafures en écrasant le poing. Le royaume de Chypre appartient à la princesse Ciarla !

— Mais les circonstances…, commença Contarini.

— Les circonstances sont désespérées, intervint Giorgio Cornaro en faisant irruption dans la pièce.

Personne ne l'avait convié à la réunion. « Voici le premier abus », pensa Mistabel. « C'est ici que débute le règne de Venise. »

— Les Turcs progressent. La République est en train de perdre une île après l'autre.

— Nous ne sommes pas responsables des défaites vénitiennes, répliqua sèchement Tafures.

— Et la population d'Otrante, les femmes, les enfants et les vieillards massacrés par l'envahisseur, étaient-ils responsables, peut-être ? Sans la République, Chypre connaîtra le même destin.

Personne ne répondit.

— J'ai le devoir de vous informer que le capitaine général Gerolamo Priuli occupera Chypre d'ici à l'automne. D'une manière ou d'une autre.

— D'une manière ou d'une autre ? tonna Tafures. Est-ce pour m'entendre dire cela que j'ai exterminé mamelouks, brigands et Catalans, et combattu contre les Aragonais ? Est-ce pour entendre cela que j'ai failli mourir de faim et de froid dans les montagnes avec mes hommes ? Pour m'incliner devant la trahison de Venise ? Et du frère de la reine ?

Il se leva en renversant la chaise et sortit sans se retourner.

Catherine fut la première à parler.

— Et vous, Mistabel ? Quel est votre avis ?

L'ambassadeur avait le regard perdu dans le ciel. Un faucon. Évidemment. Les signes étaient clairs depuis le début : la disparition soudaine de Jacques, la stérilité de Catherine, la mort de son fils...

— Je crois que c'est inévitable, majesté.

À nouveau, la voix de la reine.

— J'ai fait un rêve, cette nuit. Jacques marchait vers moi sur le glacis, vêtu de noir et blanc, un faucon sur le poing. « Où est mon fils ? m'a-t-il demandé. Qu'avez-vous fait de mon royaume ? »

Sa voix se brisa. Mistabel se leva et passa le bras autour de ses épaules. C'était la première fois qu'il s'autorisait à céder à l'émotion.

— Les Grecs disent que, lorsqu'une chose est inévitable, il est juste qu'elle se produise. Ne vous tourmentez pas, madame.

— Dieu soit loué, murmura Giorgio.

Il n'y avait rien à ajouter. Tous s'en allèrent, laissant la reine seule avec son frère. La longue table du Conseil, vide, ne se remplirait plus jamais. Une abeille bourdonnait autour des fresques murales. Giorgio sortit sur le balcon, d'où il contempla l'étendue de buissons rouges. Catherine le rejoignit.

— Les roses de Byzance, la couleur du sang : d'après la légende, elles tiennent leur couleur du sang versé par les Turcs. Elles poussent partout, les jardiniers n'arrivent pas à les extirper. Le mal est puissant, n'est-ce pas ?

Giorgio acquiesça. Vus de haut, les rosiers prenaient des formes étranges.

— J'ai quelque chose à te donner.

Il lui tendit l'anneau. Le visage de Catherine resta fermé, impassible.

— De la part du capitaine Mocenigo.

— Le rubis des Lusignan. Ma bague de fiançailles. C'est curieux qu'elle vienne de Pietro.

Catherine sourit, et ce fut comme si une flamme s'allumait en elle, l'éclairant de l'intérieur. Comme si ses yeux, sa bouche et ses cheveux retrouvaient tout à coup leur couleur.

— Pietro, répéta-t-elle à mi-voix.

Famagouste, février 1489

Tout était paré pour le départ. Le scribe avait terminé l'inventaire des meubles, statues et tableaux à transporter à Venise. Pour finir, les serviteurs décrochèrent la tapisserie de la *Dame à la licorne*.

— Quelle merveille, dit Giorgio. Je vais faire réparer cette déchirure.

Catherine fit non de la tête.

— Non, s'il te plaît. C'est le roi qui l'a déchirée, en jouant avec une épée quand il était enfant.

— Pourquoi n'a-t-on pas encore emporté le portrait ? demanda son frère en désignant la *Dame voilée*, posée par terre dans un coin.

Catherine hésita. Il aurait fallu le détruire, selon la volonté du roi. Mais la Dame était si belle avec ce visage tentateur derrière le voile, ce ventre couvert de roses, ce sourire étrange. Une invitation. Vers quoi ? Le néant, d'après Mistabel. La face obscure de l'âme. Giorgio s'accroupit devant la toile.

— Regarde, il y a quelque chose derrière elle. Un reflet… Oui, le reflet d'un miroir. L'image se répète à l'infini, telle une illusion. Une illusion superbe.

— Tu n'as qu'à le prendre, le coupa Catherine. Je n'en veux pas.

Les serviteurs l'emballèrent avec la tapisserie dans l'une des caisses à charger sur le port. Il ne manquait plus rien. Les trois galères qui devaient ramener la reine à Venise n'attendaient plus que l'ordre de lever l'ancre.

Le nouveau gouverneur vénitien avait demandé à Catherine de garder secrète la date de son départ, afin d'éviter les désordres. Pourtant, le jour venu, le peuple avait afflué sur la place. Aucun désordre, rien qu'un grand silence. Beaucoup avaient les larmes aux yeux, d'autres se tenaient tête baissée ou regardaient de travers la flotte du capitaine Priuli, qui encerclait le port. Un groupe d'enfants s'avança vers Catherine avec des bouquets de fleurs jaunes cueillies dans les champs. Le gouverneur les écarta de son chemin et, après une cérémonie expéditive, remit à la reine les clefs en or de Famagouste. Sans tarder, le capitaine Priuli accompagna Catherine et sa suite à bord. Le navire amiral largua les amarres et, emporté par un vent favorable, franchit les tours à l'entrée du port. Tout s'était déroulé en quelques minutes à peine. La foule se dispersa lentement. Seul le groupe d'enfants demeurait immobile sur l'embarcadère, avec les fleurs jaunes qu'ils n'avaient pas pu donner à la reine. Le plus jeune éclata en sanglots.

Ce ne fut qu'au dernier moment que Maria Bragadin trouva le courage de parler à son oncle.

— Je ne veux plus de prétendants, je ne veux pas me marier, ni avoir d'enfants avec un inconnu, je ne veux pas vivre sur cette île.

Le vieil ambassadeur en resta bouche bée : pendant toutes ces années, c'était le discours le plus long qu'il avait entendu dans la bouche de sa nièce.

— Alors que veux-tu, ma brave petite ?

— Suivre la reine à Venise.

— Tu n'y penses pas ! Pourquoi servir quand tu possèdes un fief ? Et puis, imagine les médisances si tu ne te maries pas.

— Quelle importance, mon cher oncle, du moment que je refuse de me marier ?

— Ici, tu as une maison, des serviteurs... Làbas, tu ne seras qu'une courtisane.

— Ce sera certainement plus amusant.

— Je me retrouverai tout seul ! tenta l'ambassadeur.

— Pas du tout. Je vous laisse en excellente compagnie.

Bragadin rougit : ainsi, Marietta avait entendu parler de la jeune harpiste qui égayait ses jours et ses nuits... Bien qu'elle fît partie des musiciens de la cour, il l'avait aisément persuadée, moyennant compensation, de le rejoindre à Piscopi. Il capitula.

— Promets-moi que tu m'écriras souvent et que tu ne vendras pas ces terres après ma mort.

Maria le serra dans ses bras.

Ainsi, par une matinée venteuse, elle se trouvait à bord du bateau qui emportait Catherine au large. Elle regarda les enfants qui agitaient leurs bouquets en l'air.

Une voix s'éleva derrière elle.

— Trop tard.

— Monsieur Cornaro.

Giorgio sourit joyeusement. Il était le seul passager de bonne humeur sur le navire. C'était d'ailleurs compréhensible : il avait mené à bien une mission difficile. Il s'assit à côté de Maria dans la brise tiède pour contempler l'île, ses rochers rouges et ses arbrisseaux de genêts dorés qui rétrécissaient à vue d'œil.

— Est-il vrai que le roi a demandé ma sœur en mariage après avoir vu son portrait ? interrogeat-il distraitement.

— Oui, c'est exact. Il disait qu'il la connaissait déjà.

— Alors, il devait être fou. Le portrait n'est pas ressemblant.

— Dans le Levant, excellence, il faut toujours se méfier des apparences.

Giorgio se tut pendant quelques instants. Il se sentait bien, là, sous le soleil, à côté de Maria Bragadin. Elle possédait quelque chose de spécial, d'attrayant : sa douceur modeste, ou la quiétude qui émanait d'elle, une sorte de paix intérieure à laquelle n'importe quel homme aurait aimé s'abandonner. Il avait entendu dire que beaucoup de prétendants avaient demandé sa main, et que tous avaient essuyé son refus. « Étrange », pensa Giorgio. Il n'avait jamais rencontré de femme qui refusât de se marier. Bientôt, Chypre n'était plus qu'un point minuscule sur le bleu sombre de la mer.

— Catherine était-elle heureuse, ici ?

— Le bonheur ne dépend pas des choses qui nous entourent, monseigneur.

— La plupart des gens sont convaincus du contraire. Marco Venier, par exemple. Il cherchait l'argent, la fortune, voire la gloire…

— Je crois surtout que votre cousin cherchait la mort.

— Ce n'est pas ce que raconte sa famille, à Venise.

— Il a pourtant refusé la grâce de la reine.

— J'ai du mal à le croire.

— N'importe qui à Chypre pourra en témoigner, monsieur.

Giorgio leva les yeux vers le soleil. C'était peut-être vrai : après une telle félonie, Marco se serait retrouvé au ban de la société. Plus personne, à Venise ou ailleurs, n'aurait voulu se voir associé avec lui. On l'aurait traité comme un lépreux. La mort, par contre, pouvait faire de lui un martyre, et permettre aux Venier de haïr les Cornaro à jamais. Une belle vengeance.

— Catherine aurait dû le laisser pourrir en prison.

— Cela n'aurait rien changé. Le mal est puissant, l'extirper est impossible.

— Pas même avec l'amour ?

Se surprenant lui-même, Giorgio prit la main de Maria. Il ne pensait plus à Marco, ni à l'île, ni à Catherine. Il ne pensait à rien. La jeune femme l'observait de ses yeux profonds et si doux.

— Attention, monseigneur. Il est facile de confondre l'amour avec la passion.

— Sont-ils donc si différents ?

Maria tourna le visage face au vent et retira gentiment sa main.

Venise, mai 1489

La traversée, qui avait débuté de manière si agréable, connut une fin tragique. Une tempête épouvantable fit sombrer les deux bateaux d'escorte ; le vaisseau amiral perdit le cap et ne réussit à atteindre Venise que trois mois plus tard. Bien des hommes étaient morts, et on disait Catherine souffrante. En effet, à peine descendue à terre, elle se retira dans la demeure familiale, où elle n'accepta de recevoir personne.

Pietro Mocenigo décida malgré tout de se présenter au palais Cornaro. Il ne supportait plus l'incertitude. Arrivé à la porte, il s'arrêta, la poitrine serrée. Il rit de lui-même : même face à la flotte turque, il n'avait pas éprouvé une telle anxiété. « Dix ans », songea-t-il. Catherine avait-elle changé ? Comment ? Et à quel point ? Se souvenait-elle seulement de lui ?

Giacinta vint l'accueillir et l'entraîna dans un jardin qui donnait sur le Canal Grande. La lumière du soleil déclinant s'attardait sur les eaux, accentuant de rose les façades des maisons ; le vent apportait l'odeur de la mer par bouffées. Un livre à la main, Catherine était assise parmi les rosiers. Elle se retourna et l'avait à peine reconnu qu'elle était déjà dans ses bras. « Étrange comme le temps s'arrête parfois », songea Pietro. Il avait l'impression de l'avoir quittée la veille, dans un autre jardin, au milieu d'une explosion de roses écloses.

— Mon amour, susurra-t-il.

En prononçant ces mots pour la première fois, il lui sembla que son âme se libérait de ses chaînes.

— Mon amour, répéta-t-il encore et encore tandis que le soleil disparaissait derrière les maisons.

Le vent fraîchit, mais ils ne bougèrent pas d'un pouce. Giacinta apporta une bouteille de vin de la Commanderie, réchappée de la tempête. Ils burent avidement sans se quitter des yeux. Pietro prit la main tremblante de Catherine. Ils montèrent dans la chambre aux murs ornés de nymphes, de satyres et de cupidons qui dansaient.

— Votre frère le cardinal Alvise approuve-t-il ces peintures ? demanda Pietro en souriant.

Catherine avait oublié combien son sourire le rendait séduisant.

— Bien sûr ! Alvise est passionné de mythologie.

— Dommage qu'il n'ait pu voir l'Aphrodite du roi.

— Il vous arrive encore de penser à cette statue ?

— Comment aurais-je pu l'oublier ? Elle vous ressemble.

Pietro attisa le feu dans la cheminée. Les flammes animèrent les splendides créatures dénudées sur le plafond. Il attira Catherine à lui. C'était la première fois qu'il sentait son corps contre le sien. Il l'avait imaginé mille et mille fois, mais sa surprise n'en fut pas moindre : il était souple et tendre comme celui d'une jeune fille. Il plongea les mains dans ses cheveux blonds, denses et soyeux.

— M'abandonnerez-vous à nouveau ? l'entendit-il murmurer.

— Non, je vous le jure. La dernière fois que je l'ai fait, j'en suis presque mort.

Il la caressa délicatement, refrénant son désir comme il l'aurait fait avec une vierge. Les choses redevenaient telles qu'elles auraient dû être depuis le début, telles qu'elles n'avaient jamais été. Les notes lointaines d'une flûte se glissaient par l'entrebâillement de la porte. Sur la table de chevet, un plateau d'oranges et de grenades formait une tache rouge sur un napperon tout aussi rouge ; on aurait dit l'œuvre d'un artiste. La musique et le ruissellement du canal s'épanchaient doucement dans le silence nocturne. Puis, tout disparut : les sons, les couleurs, la nuit.

La dogaresse Elisabetta Vendramin se redressa en frissonnant dans l'obscurité. Elle n'avait aucune notion du lieu, du jour ou des saisons. Cela lui arrivait occasionnellement depuis son enfance, mais là n'était pas la source de sa frayeur. Non,

287

c'était le cauchemar. Toujours le même. Elle se trouvait sur une place, mêlée à une foule déchaînée. On brûlait une sorcière. Les hurlements de la condamnée couvraient le crépitement des flammes : « Le feu vous dévorera tous ! Soyez maudits, vous et cette cité de malheur ! »

La dogaresse chercha à tâtons la chandelle à son chevet. La lumière jaillit enfin dans la pièce, éclairant le plafond de bois précieux, les rideaux cramoisis et les frises dorées. Une chambre aussi luxueuse que sinistre. Elisabetta aurait aimé faire peindre un grand ciel d'azur peuplé de nymphes, comme au palais Cornaro, mais le doge s'y était fermement opposé. Scandaleux. À présent, le bois noirci par le temps l'opprimait tel un sépulcre. Le sépulcre de sa nièce, Agnese Vendramin, morte au terme d'une longue agonie. Assez longue pour qu'elle lui parlât des prédictions de la Grecque et du miroir brisé. Et de Catherine. Elisabetta frémit : elle connaissait le démon qu'elles avaient invoqué, Dionysos, le plus puissant de tous. Elle se signa. Agnese et la Grecque ayant disparu, il ne restait que Catherine. Elle était destinée à une vie de solitude, pas à la mort. Elle avait Ciarla, mais celle-ci étudiait précisément dans le couvent maudit. Elisabetta se rendit compte qu'elle n'arrivait pas à prier. Bien que l'empreinte du mal fût nette, tous, y compris l'abbesse, refusaient de la voir. Pour défendre la réputation de son couvent, elle feignait l'ignorance. Serrant son rosaire, Elisabetta s'enveloppa dans une robe de chambre épaisse. Chaque fois qu'elle rêvait du bûcher, elle avait froid. Le jour commençait à poindre. Le vent qui soufflait sur le canal portait le bruit d'une cloche : on sonnait le glas. « Oui, le mal est puissant, songeait-elle, et nos efforts pour le combattre sont faibles et dérisoires. »

Un frottement de tissu réveilla Pietro Mocenigo. La mer l'avait entraîné à percevoir le moindre son. Giacinta était à la porte.

— Excellence, un messager du palais Giustinian vient d'apporter un message pour la reine. Monsieur Francesco souhaite la voir au plus tôt.

Pietro la congédia d'un signe de tête amène. Catherine dormait, étendue dans le grand lit à baldaquin avec une expression sereine d'enfant. Pietro écarta les rideaux.

— Il fait déjà jour ? dit Catherine en battant les paupières.

— Pas encore. Un message est arrivé du palais Giustinian. Francesco demande que vous lui rendiez visite.

À ce moment-là, Catherine comprit qu'il savait tout. Naturellement. Le capitaine général Mocenigo appartenait au Conseil des Dix, qui avait des espions partout. Elle le regarda pendant qu'il se rhabillait, une expression indéchiffrable sur le visage. Depuis combien de temps ? Peut-être depuis le début. Ses chevauchées avec Francesco, les dîners solitaires dans le jardin, les nuits à bord de la galère ou dans la chambre bleue et blanche... Les mots qu'ils se susurraient dans l'obscurité... Les espions avaient-ils répété cela aussi au Conseil ?

Le tintement d'une cloche labourait le silence. Catherine enfila rapidement une robe et s'empara d'une pèlerine, avant de descendre les escaliers. Le serviteur en livrée des Giustinian patientait, debout dans la pénombre du porche.

— Majesté, je vous prie de me suivre.

— Nous sommes en pleine nuit.

— Faites ce qu'il dit, Catherine.

Pietro endossa son manteau bleu et ouvrit la porte. Il pleuvait. La brume laiteuse qui flottait au-dessus du canal brouillait les contours des maisons. Pietro leva le bras et une barque apparut.

Après un court trajet, Catherine arriva à destination, où un autre laquais attendait sur les gradins, un flambeau à la main.

— Majesté, enfin.

L'homme la guida dans les escaliers, puis jusqu'à une porte entrouverte d'où sortait une odeur étrange. Agenouillée par terre à côté du lit défait, une femme était en train de prier. Catherine s'immobilisa sur le seuil, paralysée : elle revoyait une chambre tout aussi sombre, les prières, cette odeur... Et sur le lit, Jacques.

— Majesté. Merci infiniment d'être venue.

La femme se leva. Elle était très jeune et portait un châle rose sur les épaules. Enceinte, elle allait bientôt accoucher.

— Mon mari a entendu la barque arriver. Il répète depuis des heures qu'il veut vous voir... Il aimerait vous parler.

Catherine s'approcha du lit, où Francesco anhélait en balbutiant des paroles incohérentes. Il n'était plus conscient de ce qui se passait autour de lui. Elle saisit sa main. La jeune femme, un chapelet entre les doigts, ne la quittait pas des yeux.

— Allez vous reposer, madame. Je resterai aussi longtemps que nécessaire.

— Non. Je ne veux pas qu'il meure sans moi. Il ne peut pas mourir... Il ne doit pas !

Elle éclata en sanglots convulsifs. Catherine baissa la tête. À nouveau, cette autre chambre, la pluie, et sa propre voix : « Il ne doit pas mourir ! »

Et soudain, la respiration râpeuse de Francesco se tut. Un silence glacé s'abattit dans la pièce. Seule la pluie continuait de fouetter les vitres. La femme en rose se précipita vers le lit.

— Que vous a-t-il dit ? Quoi ? Je vous en conjure, dites-moi la vérité.

— Il n'a rien dit.

Catherine sortit doucement de la chambre. Comme celui de Catherine, le fils de Francesco allait naître peu après la mort de son père. L'évidence du destin, de la confluence du passé et du présent en une force unique et bouleversante la percuta d'un coup. Elle fut prise de vertiges. Pietro l'agrippa au moment où ses jambes se dérobèrent sous elle.

— Ne pleurez pas, Catherine. Je ne veux pas vous voir pleurer. Plus jamais.

La dogaresse arriva au palais Cornaro en fin d'après-midi. Elle portait une robe de brocart pourpre et une perruque rouge qui rehaussaient davantage encore la pâleur de son visage poudré. Elle entra en chancelant sur ses talons trop hauts, soutenue par un page noir. C'était une journée froide et venteuse ; Catherine invita Elisabetta Vendramin à s'asseoir devant la cheminée, qui produisait une chaleur agréable. Maria Bragadin lui proposa une boisson chaude.

— Donnez-moi plutôt un vin fruité et épicé. Celui des Templiers m'irait très bien, s'il vous en reste.

Elisabetta but quelques gorgées en silence tout en admirant les fresques. Elle indiqua les scènes de chasse sur le plafond : Diane avec les nymphes des bois, des chiens, des cerfs et une licorne.

— Ils sont dignes de leur réputation. Ah, une licorne : pureté et foi. Mais il y a également un singe… luxure et malice. Le peintre l'a dissimulé entre les branches. Très juste. Le mal est presque toujours caché.

— C'est juste un caprice de mon frère Giorgio. Enfant, lorsqu'il me rendait visite au couvent, il aimait jouer avec le singe de l'abbesse.

— La bestiole a disparu à l'improviste, le saviez-vous ? Le jour où l'on a brûlé l'une des domestiques

291

au bûcher. Une Grecque accusée de sorcellerie. Le doge a dû intervenir en personne auprès des inquisiteurs pour disculper les sœurs. Le couvent n'est peut-être pas l'endroit idéal pour la princesse Ciarla, conclut Elisabetta, l'air de rien.

— Aucun endroit ne l'est, madame. Ciarla est la dernière des Lusignan, le royaume de Chypre lui appartient de droit. Elle est toujours en danger. Le couvent, au moins, la protège.

— La protège de quoi ? Les malédictions lancées du bûcher sont très puissantes, dit la dogaresse, ses yeux tels de petits charbons noirs. Croyez-vous au démon, Catherine ?

— Je ne sais pas. Je crois probablement plus à la miséricorde du Seigneur. J'ai connu la Grecque : elle n'était qu'une pauvre femme ignorante.

— Cela ne change rien. Éloignez la princesse du couvent.

— Je ne peux pas. Ciarla est sous la tutelle du Conseil des Dix.

— Dans ce cas, il n'y a plus qu'à s'en remettre à la miséricorde du Seigneur.

Elisabetta haussa les épaules en signe de résignation.

Catherine, soudain transie de froid, ranima les flammes.

— Vous n'êtes pas venue pour admirer les fresques, dame Elisabetta.

— Non, en effet. Je suis venue m'acquitter d'une promesse que j'ai faite à Agnese sur son lit de mort. Je n'ai pas d'enfants et elle était ma nièce préférée. Certains disent même qu'elle me ressemblait. Elle voulait que je vous dise, si l'occasion se présentait, de garder vos distances avec l'abbesse et son couvent. Vous, et tous ceux qui vous sont chers.

La dogaresse se leva. Le vin lui avait redonné des couleurs.

— Je sais que vous allez bientôt partir pour Asolo, madame. Je vous souhaite d'être heureuse. Vous le méritez, vous avez le cœur pur.

S'appuyant sur son page, elle se dirigea vers la porte. Catherine l'accompagna jusqu'aux marches du palais ; elle suivit la barque du regard jusqu'à ce qu'elle disparût au loin sur le canal. Le parfum d'Elisabetta Vendramin flottait encore dans la pièce : trop doux, comme si elle voulait confondre ceux qui s'approchaient d'elle, ou cacher quelque chose.

Les ombres recouvraient presque entièrement Diane et ses nymphes, les chiens et la licorne ; seule la gueule ouverte du singe ressortait nettement, éclairée par le feu dans l'âtre.

Catherine se rendit compte que l'animal riait.

Venise, juin 1489

Le moment était enfin venu.

La reine de Chypre, habillée de blanc et d'argent, arriva sur un bucentaure et débarqua place Saint-Marc sur le coup de midi. Un cortège de barques somptueusement décorées se déroulait dans le Canal Grande. Dès que la reine mit pied à terre, le doge et les sénateurs vinrent à sa rencontre, l'escortant solennellement vers le palais ducal. La foule qui envahissait les abords de la place se prépara pour une longue attente, mais la cérémonie d'abdication fut étonnamment brève : Catherine lut à voix haute l'acte préparé à l'avance, après quoi elle reçut des mains du doge les clefs d'Asolo, son nouveau royaume. Lorsque les officiels ressortirent pour se rendre à la basilique, la foule avait grossi et le cordon de soldats peinait à la contenir. Au terme de la messe, en fin de journée, les gens n'avaient toujours pas bougé malgré la canicule.

— Exactement comme à Chypre, chuchota Giorgio, ravi, à l'oreille de sa sœur. On dirait qu'ils ne voient rien d'autre que la reine.

À bord du bucentaure royal, les gardes baissaient le pavillon rouge des Lusignan pour le remplacer par les lions de Saint-Marc. Le peuple, simplement curieux au début, se mit à acclamer Catherine. Contrarié, le doge leva la main, mais les acclamations continuèrent jusqu'à ce que la reine remontât sur son bateau, à destination du couvent Saint-Nicolas pour le banquet en son honneur.

La dogaresse Elisabetta l'attendait à côté du prieuré, dans le cloître où l'on avait dressé le couvert. Une soirée plaisante rafraîchie par la brise avait succédé à la chaleur diurne. Des chantres flamands envoyés par Maximilien de Habsbourg, roi des Romains, se tenaient derrière des petites colonnes de porphyre rose.

— Le couvent est très ancien, expliqua le prieur en conduisant Catherine à sa place. On raconte même qu'il fut érigé sur un temple païen.

Le dîner fut servi. La nourriture était succulente, la musique tout autant. Une composition de petites roses carmin décorait le centre de la table royale.

— C'est ce que nous avons de plus ressemblant aux roses de Byzance, dit le prieur. On n'en trouve pas à Venise, mais j'ai appris que les jardiniers du sultan en cultivent dans les jardins impériaux.

— Je vais immédiatement écrire à notre ambassadeur afin qu'il s'en procure pour la reine, s'immisça le doge.

— Si ce que l'on dit à propos de la flotte turque est exact, Josaphat Barbaro aura mieux à faire que s'occuper des roses.

Le doge fit un geste vague de la main.

— Avec les Turcs, on ne sait jamais, majesté. De toute façon, nous sommes prêts à livrer bataille.

Catherine se pencha vers lui.

— En ce qui concerne Ciarla, excellence... Quand pensez-vous qu'elle pourra retourner à Chypre ? Son éducation au couvent touche à sa fin.

— Pour l'instant, la princesse est bien plus en sécurité à Padoue qu'à Chypre. Par ailleurs, elle pourrait se marier, dit le doge en se levant, mettant fin au banquet.

Catherine et la dogaresse furent obligées de le suivre. Ils traversaient le cloître vers le bucentaure amarré devant le couvent lorsque le prieur les rattrapa.

— Prenez garde, le sol est glissant.

Désignant une rangée de pierres tombales érodées par les ans et couvertes de mousse, il ajouta :

— Autrefois, il était d'usage d'enterrer les moines dans le cloître. On pensait qu'ils éloignaient Satan.

— Vous y croyez ? demanda la dogaresse.

— Il faut garder la foi, madame. Le meilleur instrument de Satan, c'est le désespoir.

Lorsque Elisabetta Vendramin se plia en avant pour lui baiser la main, elle eut l'impression qu'une force l'entraînait vers le bas, vers la mousse putride et verdâtre qui recouvrait les tombes. Le clocher de la chapelle sonna minuit.

Elisabetta se releva, submergée par un sentiment de répulsion. Elle était seule. Catherine, le doge et sa suite étaient déjà à bord du bateau.

— Pardonnez-moi, monseigneur. Votre vin est trop fort pour moi.

— J'espère néanmoins que vous reviendrez bientôt le boire, dame Elisabetta.

Le prieur s'inclina à son tour.

— Priez pour le salut de mon âme, murmura la dogaresse.

Sans percevoir la note de désespoir dans sa voix, le brave homme hocha la tête.

— Bien sûr ! Naturellement.

Les carrosses arrivèrent à destination au beau milieu d'une averse. Le premier à venir à leur rencontre fut un petit garçon avec une tunique blanche et une couronne de lauriers. Après avoir salué, il commença à réciter un poème sous la pluie battante, mais une crise d'éternuements l'interrompit au bout de quelques vers. L'écartant de son chemin, un homme corpulent s'approcha de la voiture de Catherine.

— Bienvenue à Asolo, madame. Je suis Taddeo Bovolini, le podestat.

Il lui prêta le bras pour l'aider à descendre. Un groupe de curieux s'était rassemblé sur la place, observant les gentilshommes et les dames engourdis qui s'acheminaient vers l'église pour la messe de remerciement. La reine et son frère Giorgio menaient le cortège, suivis par leur cousin Filippo Cornaro et par Pietro Bembo, poète et écrivain renommé. Après eux venaient d'autres aristocrates originaires, pour la plupart, de l'arrière-pays. Une troupe d'artistes, reconnaissables à leurs chapeaux colorés et leurs tenues débraillées, fermait la marche. L'attention des badauds était surtout concentrée sur les trois splendides demoiselles qui soulevaient la traîne de Catherine : Lucrezia Zen, Lisa Priuli et Adriana Marcello. Cette dernière était l'une des nièces de la dogaresse : grande, brune et élancée, elle avait un profil légèrement aquilin qui la rendait encore plus séduisante ; elle portait un superbe manteau de velours vert ourlé de renard qui ondoyait à chacun de ses pas. Elle marchait le port altier, les yeux fixés droit devant, tenant avec désinvolture un pan de la robe. Lisa Priuli, quant à elle, était menue et délicate comme une poupée, et tout aussi ravissante dans le brocart rose qui flattait la blondeur de ses cheveux bouclés. Cependant, c'était la troisième demoiselle qui suscitait le plus de murmures : ses longs cheveux rouges, ni attachés, ni voilés, tombaient librement sur ses épaules. On n'avait jamais vu cela chez une dame.

Une jeune femme replète qui les attendait devant l'église, à côté du prêtre, exécuta une révérence maladroite en claquant des dents.

— Bienvenue à Asolo, majesté.

— Olimpia, ma fille unique, annonça le podestat Bovolini.

Adriana gloussa à part elle.

— Doux Jésus, regardez-moi cette robe. De la soie bleu clair par un temps pareil ! Et ce décolleté... Avec de telles épaules, elle ferait mieux de se couvrir.

— Silence, Adriana. Olimpia est considérée comme la plus belle fille à marier de toute la ville. On la compare à la déesse Junon.

Ladite Junon se mit à tousser et Lucrezia grimaça.

— Une déesse qui ne vivra pas longtemps si elle continue à porter de la soie en hiver.

Elle se tut brusquement. Olimpia s'était rapprochée, un grand sourire aux lèvres. Tout le monde entra dans l'église, où des hommes et des femmes vêtus de noir se tenaient de part et d'autre de l'autel.

— Ce sont des corbeaux ? demanda Lucrezia.

— Mais non ! répondit Olimpia avec étonnement. C'est notre chœur. Malgré le carême, le diacre les a autorisés à chanter pour faire une surprise à la reine.

— Et quelle surprise ! persifla Adriana après les premières notes, une moue sur son beau visage.

Cette fois, heureusement, Olimpia n'entendit rien.

La messe dura longtemps. Lorsque le podestat, visiblement ému, ressortit sur la place aux côtés de Catherine, la nuit était tombée et une brumaille froide avait remplacé la pluie. Le cortège s'engagea sur un sentier raide qui serpentait jusqu'au château, où l'on avait dressé des tables de banquet dans une grande salle dépouillée. Le repas, à l'image de la messe, semblait interminable. Le podestat glissait à l'oreille de Catherine les noms des notables et de leurs épouses qui, après s'être inclinés devant elle, se hâtaient de rejoindre leurs places et dévoraient un plat après l'autre.

— Gerolamo Cortebaldo, notre maître d'école et poète. C'est lui l'auteur du poème de bienvenue.

Catherine repoussa d'un geste le plateau de desserts qu'un domestique lui présenta. Elle promena le regard sur la peinture écaillée des murs, les chandelles malodorantes, les convives mal habillés, les enfants de chœur qui gambadaient bruyamment dans la pièce sous l'œil courroucé du prêtre échevelé.

— Goûtez au moins ces pâtisseries au gingembre, insista Bovolini. Une création de ma fille Olimpia.

Tête baissée, Catherine fit semblant d'apprécier le gâteau. Était-ce là son nouveau royaume ? Où étaient les musiciens et les troubadours, les saltimbanques et les danseuses, les nobles dames et les chevaliers de toutes origines qui animaient la cour de Jacques ? Le souvenir de Chypre lui fit monter les larmes aux yeux.

— Ces gâteaux sont un vrai délice ! s'exclama Giorgio Cornaro à l'autre bout de la table. Tout comme vous, d'ailleurs, mademoiselle Olimpia.

Il se pencha vers sa sœur.

— Pietro Mocenigo va demander au Conseil de permettre à Ciarla de venir à Asolo. Ils n'oseront pas le lui refuser.

Cris de joie et d'émerveillement de la part des notables. Catherine leva la tête. Si Ciarla venait vivre avec elle à Asolo, tout serait différent. Avec ses huit mille ducats de rente, elle pourrait restaurer le château, voire construire un petit théâtre... Ciarla adorait les comédies. Elle organiserait des fêtes, des bals avec des invités venus de toute l'Italie. Elle allait transformer ce bourg en une cour digne des Lusignan. Catherine sourit au podestat, qui reprit courage.

— Si vous n'êtes pas trop fatiguée, majesté, maître Cortebaldo aimerait vous réciter quelques-uns de ses vers.

Venise, mars 1490

Pietro Mocenigo se réveilla aux premières lueurs. Il avait rêvé de Famagouste : il se promenait sur les glacis avec Catherine, dont les cheveux gonflés de vent lui caressaient les joues. Ensuite, le roi apparaissait au loin, et Catherine partait vers lui en courant, abandonnant Pietro. Ce sentiment de solitude continua de le ronger tandis qu'il s'habillait, puis se dirigeait à pied vers le palais ducal dans la fraîcheur de l'air matinal. Avant de pénétrer dans la salle du Conseil, il s'arrêta un instant devant un miroir pour voir si son inquiétude se lisait sur son visage. Rien : son expression n'avait pas changé. Il fit son entrée. Le doge déclara aussitôt la réunion ouverte.

— Son excellence Giorgio Cornaro sollicite l'autorisation d'accompagner la princesse Ciarla à Asolo.

Le silence se fit. Pisani demanda la parole et le doge réprima un geste d'irritation : ce blanc-bec qui voulait toujours se mettre en valeur l'irritait profondément.

— Je dois attirer votre attention sur le fait que deux hommes venus de Chypre ont débarqué hier au Lido. Ils ont affirmé être marchands, alors qu'ils n'avaient aucune marchandise avec eux. Ils font route vers Asolo en ce moment même.

Le doge tressaillit. Les espions des Pisani surpassaient toujours ceux de la République en rapidité et en efficacité.

— Ils sont peut-être envoyés par des rebelles opposés au gouvernement des Vénitiens à Chypre. Il serait dangereux que la princesse Ciarla se trouve à Asolo à leur arrivée. Les rebelles aimeraient certainement voir la dernière des Lusignan sur le trône. Elle pourrait s'allier à eux.

— Pour les traîtres, il y a la Torresella.

Le murmure fit le tour de la pièce comme le sifflement d'un serpent. Tout aussi sinistre qu'une prison normale, la Torresella était réservée aux personnages importants. Pietro se leva.

— Je n'en crois pas un mot. Je connais la princesse Ciarla : fidèle à son père, le roi, elle ne trahirait jamais les Vénitiens. J'en suis convaincu au point de demander au Conseil de me la confier jusqu'au jour où elle passera sous la responsabilité de son époux.

— C'est fort généreux de votre part, excellence.

Les conseillers opinèrent du chef. Ils s'ôtaient un poids des épaules. Les Cornaro n'y verraient rien à redire, et la surveillance du capitaine Mocenigo serait nettement plus fiable que celle des sœurs du couvent.

— C'est décidé, conclut le doge.

Au fond de lui, il n'était pourtant pas rassuré : quelque chose ne tournait pas rond. Pourquoi un homme du rang de Pietro Mocenigo se souciait-il d'une jeune fille insignifiante ? Si elle s'enfuyait ou se mettait à comploter, Mocenigo se retrouverait sous procès. Puis, en un éclair, une scène du banquet de Saint-Nicolas lui traversa l'esprit : Catherine et le capitaine assis côte à côte, parlant et riant à voix basse comme s'ils partageaient un secret et que le reste du monde ne les intéressait pas. Tout devint clair : pourquoi Mocenigo, même après sa grave maladie, avait insisté pour repartir au Levant ; pourquoi il ne s'était jamais reposé ; pourquoi il voulait à présent s'occuper de Ciarla. Barbarigo poussa un soupir de soulagement. Il était agréable de voir que même les hommes les plus mystérieux avaient un point faible.

Asolo, automne 1490

Le cardinal Alvise Cornaro arriva de Rome, accompagné par une suite bariolée de serviteurs, nains, chevaux, fauconniers et acteurs. Ayant appris que les ouvriers venaient de terminer la construction du théâtre, il voulait monter une comédie de Plaute.

« Je ne supporte pas les tragédies à la mode, ici à Rome, avait-il écrit à sa sœur. Surtout les grecques, qui regorgent d'horribles péchés. En quoi sort-on purifié d'une représentation de la déchéance humaine ? Pour exorciser le mal, rien ne vaut le rire. »

Avec le cardinal vint également le prince Giulio Orsini, l'un des hommes les plus puissants de Rome. À son bras, une célèbre courtisane, Tullia Farnese. Celle-ci se vantait de nobles origines et possédait la silhouette et les proportions parfaites d'une statue classique. Elle ne se déplaçait jamais sans un petit Maure qui portait un écrin rempli de bijoux magnifiques. On racontait que les diamants lui avaient été offerts par le cardinal Rodrigo Borgia. Lorsque Tullia faisait le tour des boutiques d'Asolo avec son page maure, enveloppée dans un péplum rouge et avec un couvre-chef de plumes assorti, une petite foule se formait systématiquement autour d'elle comme autour d'une déesse.

Alvise avait également emmené avec lui son majordome, un Allemand nommé Burkhard, aussi grand et gros qu'un lansquenet, qui se mit aussitôt à terroriser les serviteurs en leur hurlant des ordres. Quelques jours plus tard, toutes les taches d'humidité avaient disparu des parois et les planchers du château brillaient tels des miroirs. D'autres invités arrivèrent peu à peu pour le début de la chasse au sanglier : parmi les premiers se trouvait Pandolfo Malatesta, marquis de Rimini, que Catherine accueillit à contrecœur. On l'avait en effet expulsé de la ville pour infamie ; certains disaient même qu'il avait lâchement assassiné l'un de ses amis. Malgré cela, la République l'avait engagé pour entraîner ses troupes. Malatesta habitait désormais à Cittadella, non loin d'Asolo. Giorgio Cornaro avait déconseillé à Catherine de lui refuser l'hospitalité. Pandolfo lui offrit en cadeau un bébé léopard avec d'immenses yeux ambrés, à peine plus grand qu'un chat et tenu par une laisse en or.

— Une fois adulte, il vous servira pour la chasse, majesté.

Giorgio se mit à rire, amusé.

— J'en doute fort. Ma sœur déteste la chasse. Mais votre animal servira peut-être à décourager ses prétendants.

Fin septembre, Asolo compta parmi ses invités François Gonzague de Mantoue. L'un des capitaines de fortune les plus célèbres de la péninsule, Gonzague était le commandant en chef de l'armée de la République. Bien qu'il détestât Malatesta, il le salua en s'inclinant respectueusement.

— À quoi servent les bonnes manières, sinon à masquer la haine ? commenta Giulio Orsini.

Le prince et la courtisane représentaient l'attraction principale pour la population d'Asolo. Orsini galopait parfois à bride abattue dans les rues, maniant une longue cravache au manche écarlate, suivi par des gardes armés qui ne se souciaient pas des passants et soulevaient derrière eux un nuage de poussière. À d'autres moments, il flânait paresseusement dans les collines en admirant le panorama, un perroquet jaune et bleu sur l'épaule, tandis qu'un peintre esquissait les différentes expressions de son visage. Il discutait plaisamment avec Tullia Farnese, sans accorder un seul regard aux braves épouses des notables locaux. Il montrait toutefois une grande générosité à l'égard des pauvres, et les habitants de la ville l'admiraient et le craignaient tout à la fois.

En octobre, Catherine commençait à perdre espoir quand une lettre de l'abbesse lui annonça la venue prochaine de Ciarla, accompagnée par le neveu de l'abbesse, Floriano Floriani, et sa jeune épouse Luisa.

La nouvelle mit tout le monde en émoi : sur les ordres du podestat Bovolini, on orna les portes d'arches fleuries, on nettoya les rues et on décora les fenêtres aux couleurs des Lusignan. Les femmes sortirent de leurs coffres leurs plus belles robes et parures ; le chœur se mit fébrilement au travail pour renouveler son répertoire. Comme Catherine, Ciarla fut accueillie par un garçon qui lui récita des vers, après quoi elle dut supporter, coincée entre Olimpia et son père, les fausses notes du chœur et l'interminable sermon du prêtre aux cheveux hérissés. À la sortie de l'église, elle charma les femmes et filles de notables en les appelant par leur prénom et en multipliant les compliments sur leur élégance. Bientôt, toute la ville ne parlait plus que d'elle, la fille du roi de Chypre, de sa grâce et de son affabilité. On débattait pour savoir si ses yeux étaient verts ou noisette, et si, étant de sang royal, elle avait le pouvoir de guérir par imposition des mains.

Le seul à ne pas être envoûté par Ciarla était Giorgio Cornaro. Lui n'avait d'yeux que pour une femme, Luisa Floriani, fraîchement mariée au neveu de l'abbesse.

10

Venise, été 1510

L E CARDINAL ORSINI ENTENDIT UN BRUIT de pas
résonner dans le silence du palais : Giorgio
Cornaro était manifestement inquiet – une
inquiétude telle une vague qui gonflait puis se
creusait dans la nuit, se calmait un instant pour
mieux déferler. Le cardinal s'écarta du lit de Catherine et ouvrit la porte qui communiquait avec le
bureau.

— Méfiez-vous du roi de France, mon prince,
dit aussitôt Giorgio. Il œuvre par la flatterie et le
mensonge.

Derrière lui, les ténèbres enveloppaient les
tableaux magnifiques achetés dans toute l'Europe
par les représentants des Cornaro : des paysages
flamands qui baignaient dans une poussière dorée,
le portrait d'une très belle femme avec un chien,
une courtisane devant un miroir, Marie-Madeleine
en pleurs, à demi nue. Les toiles occupaient tout
l'espace disponible sur les parois. Giulio Orsini
s'accorda quelques secondes pour les contempler,
comme si la lumière de ces peintures pouvait
chasser l'obscurité dans laquelle il se sentait suffoquer.

— Et d'après vous, à qui puis-je me fier ?

— À votre conscience, mon prince. Vous êtes un homme d'Église.

« Giorgio trouve toujours les mots justes », pensa le cardinal. Il maniait le vocabulaire comme d'autres l'épée : ce n'était pas un hasard s'il figurait parmi les hommes les plus puissants de Venise.

— Pourquoi continuez-vous à m'appeler prince ?

— Parce que c'est ce que vous êtes, Giulio. Inutile de le nier. On n'arrache pas les racines d'un arbre sans le tuer.

— Je ne suis pas ici pour le roi de France.

— Pour mon frère, alors, le cardinal Alvise Cornaro ? Peut-être cherchez-vous ses conseils ou son soutien. Si c'est le cas, vous devez être déçu. Alvise a quitté la ville, et je vous assure que j'ignore où il se trouve.

Giulio eut l'ombre d'un sourire.

— À mon tour d'être sceptique, excellence.

— Cela fait des années que nous ne nous parlons plus.

— Alors, renouez contact. Catherine demande sans cesse à le voir.

— Catherine demande aussi à voir ma femme Giovanna.

Giorgio arrêta ses allées et venues.

— Vous aviez raison, Giulio : je n'aurais jamais dû épouser une femme qui n'aimait pas la musique.

— Vous ai-je vraiment dit cela ? Je me trompais.

— J'aimerais la répudier, mais cela me coûterait l'affection de mes enfants et me couvrirait de ridicule.

— Dans ce cas, il est plus simple de lui pardonner.

La porte s'ouvrit. Delfina entra, une assiette de biscuits encore tièdes à la main, suivie par le lévrier de la reine. Giulio se rendit compte qu'il était affamé : il prit un biscuit et en jeta un autre au chien.

— Je me dis parfois que seuls les animaux sont capables d'être heureux. Je pense souvent à Bayard, le cheval du grand capitaine d'Aragon. À Fornoue, bien que mortellement blessé, il a sauvé la vie de son cavalier.

— Vous esquivez mes questions, Giulio. Que faites-vous ici ? Que voulez-vous ? Dites-moi la vérité, le temps presse.

Le cardinal caressa la tête du chien en soupirant. Le temps. L'impitoyable usure de tous les êtres jusqu'au trépas, le temps qui œuvrait contre les aspirations de l'âme. Son regard tomba de nouveau sur les tableaux : la poussière dorée qui baignait objets et visages, la lumière de l'art, la lumière de la révélation... Il eut soudain l'impression que le temps s'arrêtait dans cet état de beauté, accordant une trêve à son existence.

— La vérité, c'est que nous étions amis, tous les trois. Catherine, le grand capitaine et moi.

Delfina, qui se tenait à l'écart, souleva la tête.

— Trois : le chiffre parfait, monseigneur.

Voyant Giulio pâlir, Giorgio sentit que quelque chose lui échappait, quelque chose d'important.

— Je suis ici par amitié, rien d'autre, murmura Giulio.

Une demi-vérité bien différente de la vérité tout entière.

Delfina le dévisagea de ses yeux verdâtres.

— Le cardinal Alvise sera bientôt là. Il est en retard à cause d'un léger malaise.

— Où était-il ? En France ? À Tours, peut-être ? demanda Giulio anxieusement.

— Oh, non. À Ferrara. Hippolyte d'Este l'avait invité dans son domaine de Belfiore pour la battue au sanglier. Il a été pris de crampes qui ont d'abord fait penser à un empoisonnement. En fait, il aurait simplement mangé trop de crevettes.

Giulio se mit à rire. Un rire discret, ironique et aimable, digne d'un parfait courtisan.

— Alvise... Le pape veut l'envoyer en prison pour trahison, le roi de France veut qu'il participe au concile de Tours, et lui s'en va chasser le sanglier. Il risque l'excommunication, et que fait-il ? Une indigestion de crevettes.

— Ai-je bien entendu ? Mon frère vient ici ?

Delfina opina. Giorgio se laissa tomber sur une chaise. Après tant d'années de silence, ils allaient se retrouver face à face. Il se remémora les paroles de leur père à l'agonie : « Ne vous opposez jamais l'un à l'autre. » Tous deux avaient prêté serment. Que leur était-il arrivé ensuite ? Une femme... La passion, bien sûr. Quoi d'autre ? L'honneur. Giorgio regarda le magnifique portrait de Marie-Madeleine, son préféré, et sentit enfin ses émotions se dissoudre dans la gravité intérieure qui renfermait, pour lui, le secret de l'existence. La passion et l'honneur, les deux visages opposés de la tromperie.

Asolo, automne 1491

Le groupe de chasseurs s'arrêta au milieu d'une clairière. Filippo Cornaro lâcha le faucon, qui s'éleva dans les airs. Le ciel avait la transparence cristalline du petit jour, une odeur pénétrante émanait des sapins, chênes et marronniers. Percevant la présence du rapace, les autres oiseaux avaient arrêté de chanter. Plus rien ne bougeait dans les parages. Filippo libéra un deuxième autour. Un cri perçant déchira le silence. L'un des deux plongea à pic et agrippa un petit animal qui se débattit désespérément. Les yeux de Luisa Floriani scintillaient d'excitation. Cheveux détachés, elle montait un superbe cheval moreau, vêtue d'une tenue noire d'amazone qui lui collait au corps.

— Ne dirait-on pas une fée ? chuchota Giorgio à l'oreille de Catherine.

Luisa essuya son front moite d'une main gantée.

— Vos faucons sont magnifiques, monsieur Filippo ! C'est la première fois que j'en vois un attraper une proie aussi grosse.

— C'est un vautour bleu et gris femelle. Un spécimen rare. C'est ma préférée.

Filippo arracha la proie du bec de l'oiseau et la jeta au sol.

Catherine détourna le regard de l'animal secoué de convulsions. Que diable lui avait-il pris de prendre part à la chasse ? Chiens ou faucons, elle trouvait cela tout aussi répugnant. Filippo encapuchonna ses rapaces avant de leur donner quelques lambeaux de viande. Les limiers se mirent à aboyer furieusement.

— Ils ont peut-être flairé un cerf ! se réjouit Luisa en partant dans la forêt au galop.

Ciarla, Giorgio Cornaro et une poignée de courtisans la suivirent. Le prince Orsini bâilla. Le soleil dépassait désormais du sommet des arbres, les chevaux étaient couverts d'écume et même les chevaliers les plus aguerris commençaient à montrer des signes de fatigue. Le son du cor se répétait à l'infini.

Luisa revint bientôt dans la clairière et stoppa net la course du cheval, qui se cabra. Elle avait les joues en feu ; un filet de transpiration courait dans son cou jusqu'à l'échancrure des seins. La tête renversée en arrière, elle éclata de rire à quelque chose que lui disait Giorgio. Un instant plus tard, elle repartait au galop à la poursuite des chiens. À nouveau, l'appel du cor. Épuisée, Olimpia s'était arrêtée : elle n'aimait pas monter à cheval, il lui tardait de rentrer à la maison pour écouter les vers galants de Cortebaldo, dont elle était secrètement amoureuse. Adriana Marcello, quant à elle, s'ennuyait, mais elle se prétendait fascinée par les faucons pour plaire à Filippo. Lucrezia Zen et Lisa Priuli échangeaient des ragots à voix basse, pendant que Pietro Bembo, tourné vers le soleil, se désintéressait totalement du cerf.

— Il fait chaud pour cette saison...

Giulio Orsini fit claquer sa cravache : ses serviteurs s'empressèrent d'apporter de l'eau et du vin.

Soudain, un énorme sanglier surgit des buissons. La jument d'Olimpia se cabra et désarçonna sa cavalière, le sanglier chargea tandis que les serviteurs terrorisés s'enfuyaient. Vif comme l'éclair, le prince épaula son arquebuse et abattit la bête sauvage d'un seul coup.

— C'était la mère du petit, dit-il en aidant Olimpia à se relever.

Les autres, qui avaient entendu le coup de feu, émergèrent des bois.

— Un délicieux rôti pour le banquet de ce soir, déclara gaiement Luisa sans le moindre regard pour Olimpia, qui tremblait comme une feuille.

« Elle n'a pas de cœur », pensa Catherine. « Comment peut-on la comparer à une fée ? »

Une des traditions de la chasse voulait que les cavaliers pussent continuer ou se retirer à leur guise. Giorgio regarda Luisa et Ciarla s'enfoncer à nouveau entre les arbres avec le prince Orsini et un groupe de gentilshommes, mais il renonça à les suivre. Au lieu de cela, il s'approcha d'Olimpia et saisit la bride de la monture, qui semblait aussi terrifiée que la jeune fille. Catherine et ses dames avaient également décidé d'abandonner la chasse. La petite troupe s'achemina lentement vers Asolo, savourant la douceur de cette journée automnale. Devant les murs, ils tombèrent sur une longue file de charriots.

— Des gitans, majesté, expliqua l'un des gardes. Ils souhaitent entrer dans la ville.

— Nous sommes des acteurs, pas des gitans !

Un homme vêtu d'un drôle de costume moitié noir, moitié blanc, et d'un chapeau à clochettes se fraya un chemin au milieu de l'agitation et s'inclina devant Catherine.

— Une compagnie d'acteurs nomades, majesté, avec des danseuses et des saltimbanques. Nous demandons l'autorisation de jouer pour vous ce soir.

Le garde essaya de l'écarter, mais Catherine l'arrêta d'un geste.

— Des saltimbanques... Est-ce que vous avez un ours ?

— Bien entendu, majesté !

— Alors, je vous attends au château après le coucher du soleil.

« Voilà qui fera plaisir à Ciarla », songea Catherine. C'était sa dernière soirée à Asolo avant de retourner au couvent : il fallait qu'elle soit inoubliable.

Avant la tombée de la nuit, Catherine entra dans le salon du château pour s'assurer que tout était prêt pour le festin. Les fleurs – blanches en l'honneur de Ciarla – dégageaient un parfum agréable. Une bûche énorme crépitait dans l'âtre, des coupes en argent pleines de fruits confits étaient disposées un peu partout. Le blanc et l'argent dominaient : l'argent des assiettes, l'argent des couverts et, au centre de la table royale, un cygne aux plumes argentées qui nageait sur un miroir. Le cuisinier avait employé toute la journée à le préparer, toujours en l'honneur de la princesse.

Assis à côté du feu, Alvise lisait à haute voix une poésie de Pétrarque. Pietro Mocenigo l'écoutait, le regard perdu dans les nuages violets à l'extérieur. Il était arrivé à Asolo plus tôt dans la journée afin de raccompagner Ciarla au couvent, selon le marché conclu avec le Conseil.

— Vous êtes-vous amusée à la chasse ? demanda-t-il en allant à la rencontre de Catherine.

— Pas du tout : un sanglier a chargé Olimpia, les rabatteurs ont déguerpi et la pauvrette serait morte sans l'intervention du prince Orsini, qui a tué l'animal d'un coup d'arquebuse.

Alvise leva le nez de son livre.

— Olimpia ne courait aucun risque. Le prince est un tireur infaillible. Il ne rate jamais, surtout avec l'arquebuse.

— Y a-t-il à tes yeux une seule chose où Giulio Orsini ne soit pas le meilleur ?

— Tu es injuste, Catherine. Giulio est un homme de goût, intelligent et cultivé, sans oublier très riche. Il est naturel qu'il veuille ce qu'il y a de mieux, et qu'il l'obtienne.

Catherine s'assit sur l'un des fauteuils en damas rose de Jacques. Le rose des crépuscules de Chypre, le rose du corps de Vénus... Le ciel se voilait de brume. L'automne. La plus belle des saisons, à Chypre.

— Regardez, dit Alvise. Les gardes-chasse apportent le sanglier dans la cour. Il est vraiment énorme !

L'appel des cors... Catherine essaya de l'ignorer, mais c'était impossible : Jacques inerte, soutenu par Guillaume, son beau visage incliné vers les rayons rosés du soleil couchant, les gardes-chasse qui traînaient la carcasse du cerf, la longue trace de sang dans la poussière...

— Catherine.

La main de Pietro se posa sur son épaule. Sa force, sa volonté de la rappeler à la vie.

— Les acteurs sont arrivés. Avec l'ours et un cheval blanc aux ailes en carton. Ne voulez-vous pas le voir ?

La prenant par la main, Pietro l'entraîna dans le jardin, loin des cors et de l'odeur du sang.

Les yeux mi-clos devant la chaleur du feu, Alvise les regarda s'éloigner. Il n'aurait jamais imaginé le visage du capitaine capable d'exprimer une telle douceur lorsqu'il souriait. Il pensa à Tullia Farnese, la belle courtisane qui partageait ses nuits : désir, passion, colère, possession... La douceur, jamais. Quelqu'un s'approcha du fond de la salle, une silhouette rouge et or flotta qui tremblotait à travers les flammes. Était-ce Lucifer, venu réclamer son âme pour punir ses péchés ? Alvise sourit en reconnaissant le vieux majordome de Catherine.

— Excellence, deux hommes sont entrés dans la ville, cachés dans la caravane des acteurs. Ils disent venir de Chypre et demandent à parler de toute urgence à la reine.

— Qu'on les installe à l'auberge et les garde sous surveillance jusqu'à ce que la reine décide de les recevoir.

Le cardinal congédia le majordome d'un geste agacé, comme il aurait chassé un insecte fastidieux. Il faisait presque nuit et Alvise n'en pouvait plus d'attendre la représentation. Il adorait trop le théâtre pour permettre à quiconque de lui gâcher le spectacle.

Le maître de la compagnie avait le visage couvert de céruse et des pupilles noires comme le charbon. L'actrice principale était une blonde très jeune et ravissante qui jouait avec un simple voile pour tout costume. Elle tenait le rôle d'une nymphe aquatique dont Pan, le dieu des bois, s'était enamouré. Après moult malheurs, on célébra leurs noces sur le mont Olympe, avec saltimbanques, cupidons, ours, et le cheval blanc aux ailes en carton pour figurer Pégase, qui entrait en scène juste avant le rideau final. Le public éclata en un tonnerre d'applaudissements. La cour du château était bondée, au point que certains avaient escaladé les murs pour assister à la représentation. Ciarla monta sur les planches pour féliciter le chef de la troupe, après quoi elle offrit une bague en argent à la jeune actrice et distribua des pièces aux saltimbanques.

La nuit était bien avancée quand les spectateurs repartirent enfin, et que les courtisans prirent congé de la reine. Bientôt, il ne resta plus dans la salle du château que Demetrio avec son luth, ainsi que Giorgio et Luisa qui buvaient du vin devant la cheminée. Luisa était seule depuis que des affaires pressantes avaient rappelé son mari à Padoue. Giorgio la trouvait plus belle que jamais, avec sa robe en velours d'un noir d'encre, largement décolletée et fermée par une broche de perles. Il remplit une coupe et la porta aux lèvres de la jeune femme.

— Je crois que je vous aime, susurra-t-il.

Le corps dénudé de l'actrice avait enflammé ses sens.

— Puis-je espérer être aimé en retour ?

Luisa renversa la tête et éclata de rire.

— Comment pourrait-on ne pas vous aimer, monseigneur ?

— Alors, partons d'ici.

— Attendez, je veux d'abord que la gitane me tire les cartes.

— C'est une comédienne, pas une gitane.

— Aucune importance.

Le visage et la gorge de Luisa brillaient dans le rougeoiement des braises. Giorgio défit sa broche de perles, libérant ses seins de l'étreinte du corset – blancs et opulents, nettement plus généreux que ceux de l'actrice. Demetrio, le page de Catherine, s'était assoupi avec le bébé léopard dans les bras.

— Va chercher l'actrice principale, lui ordonna Giorgio. Demande-lui si elle sait lire les tarots. Elle sera généreusement récompensée.

Demetrio s'enfonça dans l'obscurité, se déplaçant avec la même grâce que le félin. La comédienne arriva peu après : elle était à peine sortie de l'enfance et avait de grands yeux ambrés, comme le léopard. Elle tenait un paquet de cartes à la main.

— Souhaitez-vous que je prédise votre futur, monseigneur ?

— Non. La divination ne m'intéresse pas : le futur est soit tragique, soit ennuyeux. Cette dame, en revanche, a une question à poser à vos cartes.

La fille et Luisa s'isolèrent dans un coin ; Demetrio entama sur sa flûte un air dont les notes langoureuses se fondaient avec le murmure des voix féminines. Son désir tempéré par la fatigue, Giorgio ferma les yeux. Puis, soudain, il sentit le parfum de Luisa. Debout face à lui, elle le fixait de ses yeux scintillants. Elle n'avait pas pris la peine de rattacher son corset et le désir de Giorgio s'embrasa, plus fort que jamais. Il ne pensait plus à rien, sinon au fait qu'il ne pouvait attendre une seconde de plus : saisissant Luisa, il l'attira contre lui, lui mordilla le cou et les tétons. Sans se soustraire à ses caresses, elle éclata à nouveau de rire, la tête renversée en arrière dans un mouvement irrésistible.

— La gitane a dit que j'aurai un enfant. De vous, monseigneur.

Padoue, la nuit de la Toussaint, 1491

La servante de l'abbesse vint lui annoncer que le capitaine Mocenigo venait de ramener Ciarla au couvent.

315

— Dites-lui que j'aimerais lui parler immédiatement, dit la supérieure d'un ton sévère.

En réalité, elle était surtout impatiente de la revoir. Elle s'était efforcée de le cacher, mais Ciarla lui avait terriblement manqué. Tel un soleil, la princesse dégageait force et chaleur. On ne pouvait pas enfermer le soleil : Ciarla ne ferait jamais une bonne religieuse. L'abbesse balaya du regard sa chambre élégante et bien rangée, trop bien rangée, comme toujours chez les personnes âgées. Par chance, le capitaine Mocenigo avait pris la princesse sous sa protection : entre ces murs, elle aurait dépéri peu à peu jusqu'à s'éteindre. Si l'abbesse avait vu d'autres jeunes filles subir ce sort-là, elle n'aurait pas supporté que Ciarla suive la même route.

Le chat persan qui avait remplacé le singe, disparu quelque temps auparavant, lui sauta sur les genoux. Son pelage avait la même couleur gris argenté que les cheveux de l'abbesse, serrés sous sa coiffe. La servante glissa la tête par la porte.

— La princesse ne va pas tarder, madame.

C'était une paysanne courtaude aux yeux éteints, à l'opposé des pupilles ardentes de la Grecque. Chaque fois qu'elle pensait à son ancienne servante, l'abbesse éprouvait un serrement au cœur. Ciarla entra dans la pièce, essoufflée. Elle courait toujours dans les escaliers, bien que ce fût interdit. La supérieure ne songea pas à la réprimander tant elle était adorable dans la nouvelle robe jaune bordée de dentelle que Catherine lui avait offerte. Ciarla alla s'asseoir à sa place habituelle, par terre devant la nonne. Contrairement aux autres novices, elle n'était pas intimidée. Au contraire, Ciarla considérait la vieille femme comme une grand-mère, et elle savait que celle-ci s'en accommodait très bien.

— Le capitaine m'écrit qu'il reviendra te chercher pour le Nouvel An. Tu resteras avec lui à Venise jusqu'au carnaval.

— Le carnaval ! Je mettrai un masque, personne ne me reconnaîtra ! Ainsi, je pourrai danser même la pavane.

Ciarla se mit à sautiller dans la chambre, puis s'arrêta pour embrasser la bonne sœur, qui lui caressa la tête.

— Prudence, mon enfant. La République a des espions partout. Un faux pas et tu finiras à la Torresella...

— Je vous promets que ma voix ne s'élèvera jamais plus haut que le murmure du vent, mais la pavane... Toutes les dames la dansent.

— Être une dame ne s'apprend pas, soupira l'abbesse.

Après un bref silence, elle demanda :

— Pourquoi as-tu envoyé des lettres à Chypre ?

— Je n'allais pas oublier mes amis ! Et puis, Tafures n'est plus qu'un vieux soldat qui vit dans la campagne. Mistabel est quasiment aveugle, il se fait lire des poésies pour passer le temps. Quant au comte français Guillaume d'Orgeval, il est trop malade pour représenter une menace pour qui que ce soit.

— On ne sait jamais. À Chypre, le mécontentement grandit contre le gouverneur vénitien. Il suffirait d'une petite étincelle pour mettre le feu aux poudres.

Ciarla opina du chef, étonnée de voir à quel point l'abbesse, qui ne sortait quasiment jamais de sa chambre, était au courant des affaires du monde.

Peu après, la vieille femme la congédia avec un baiser sur le front. Parler la fatiguait, demeurer plus longtemps avec Ciarla aurait épuisé le peu d'énergie qui lui restait.

— N'oublie pas : il suffit d'une étincelle.

La paysanne entra pour attiser le feu. Dans sa maladresse, elle fit tomber de la braise sur le plancher. L'abbesse eut un geste d'agacement.

— Ne fais pas monter les flammes aussi haut, c'est dangereux.

La servante soupira : les riches... Dans le taudis où elle avait grandi, elle souhaitait avoir un beau feu comme celui-là.

Asolo, novembre 1491

Catherine avait encore rêvé du singe : il courait dans un labyrinthe de buis en agitant une torche. Son cri strident résonnait dans l'obscurité verte. Elle se réveilla en sursaut. Il faisait jour, le lit était vide. Pietro se levait toujours aux aurores et s'en allait pour éviter les ragots des demoiselles.

— Ici, nous ne sommes pas à Chypre, madame, disait-il en souriant.

Le cauchemar avait assailli Catherine dès qu'elle s'était rendormie après le départ de Pietro, épuisée par leur nuit d'amour. Elle se tira du lit et ouvrit la fenêtre sur une journée claire et venteuse. Les gardes faisaient la ronde dans la cour du château. Deux hommes à dos de mule avançaient sur le pont-levis.

— Les Chypriotes, majesté, dit Giacinta dans son dos. Vous avez promis de les recevoir aujourd'hui.

Maria Bragadin entra la première, comme d'habitude, suivie par Lisa, Olimpia et Adriana. Il manquait Luisa Floriani, qui avait dû rentrer en toute hâte à Padoue sur ordre de son mari. Peut-être l'austère neveu de l'abbesse avait-il eu vent des attentions que Giorgio Cornaro prodiguait à sa jeune épouse. Après avoir aidé Catherine à endosser un habit de gala pourpre à larges manches en dentelle, ses dames de compagnie lui mirent le rang de perles autour du cou et arrangèrent ses cheveux sous la couronne. Catherine se

318

regarda dans le miroir. « Ah, les vêtements, les couleurs… » songea-t-elle. « Ils cachent si bien notre nature profonde ! » Habillée, elle n'était plus une frêle femme effrayée par un cauchemar, mais une reine.

Les courtisans patientaient dans la salle d'audience. Giorgio et le podestat Bovolini bavardaient entre eux à voix basse. Pietro Mocenigo se tenait à l'écart. Les deux Chypriotes s'approchèrent du trône. C'était celui du palais royal de Famagouste, qui avait appartenu à Jacques et à ces ancêtres. Giorgio se plaça derrière Catherine.

— Ma sœur ne peut recevoir personne en provenance de Chypre sans l'autorisation préalable du Conseil. Je vous invite donc à vous en aller sans tarder, messieurs, qui que vous soyez.

— Qui nous sommes n'a aucune importance.

En s'inclinant, le plus âgé des deux sortit une lettre de sa veste. Catherine frémit en reconnaissant le sceau de Tafures. Giorgio s'en saisit ; à mesure qu'il lisait, son expression changeait.

— Majesté, dit l'homme, les habitants de l'île crient famine. Un hiver particulièrement rude a ruiné les récoltes. Pas de blé, pas d'agrumes, pas d'épices – et donc, pas d'argent. En période de disette, vous avez distribué de la nourriture aux pauvres et suspendu les tributs. Le gouverneur, lui, continue à les lever. La colère gronde, et la situation empire de jour en jour depuis que les morts de faim se sont ajoutés aux victimes de la peste.

Le Chypriote ôta son chapeau, révélant une tonsure.

— Seuls les moines hospitaliers sont autorisés à quitter Famagouste.

Dans la salle, tout le monde retenait son souffle. On n'entendait que les étendards du château qui claquaient dans le vent.

— Nous sommes ici pour demander votre aide, majesté.

Le podestat s'éclaircit la gorge.

— Cette année, la récolte a été bonne dans nos campagnes. Asolo pourrait donner une partie de ses récoltes aux pauvres de Chypre.

— Non, l'arrêta Catherine, imposant le silence autour d'elle. Un bateau des Cornaro partira bientôt pour le Levant. Il sera chargé de blé, à mes frais.

— Mais…, commença Giorgio.

Cela représentait une somme considérable. Et les réparations dans le château ? Le train de vie de la cour ? Les artistes ? Il réfléchit rapidement : il était dans l'intérêt de la République de maintenir l'ordre à Chypre. Avec un chargement de blé, les Cornaro s'attireraient la gratitude du Sénat, sans compter les retombées positives sur leurs affaires dans l'île.

— Nous paierons une moitié chacun, Catherine, déclara-t-il à voix haute.

« En espérant que les pirates n'enverront pas le navire par le fond après s'être emparés de la cargaison », aurait-il aimé ajouter.

— Que Dieu vous bénisse.

Les deux moines saluèrent jusqu'à terre.

— Pourrons-nous exprimer notre reconnaissance à la princesse Ciarla ?

— Non, répondit Giorgio durement, les lèvres pincées. Et si vous tentez de la contacter, vous compromettrez la princesse, votre mission et vous-mêmes.

L'audience était terminée. Les deux hommes se dirigeaient vers la porte quand le majordome Gabriel fit irruption dans la pièce.

— C'est terrible, majesté ! Terrible !

Les courtisans, les dames, le podestat et les moines s'immobilisèrent telles des statues de sel.

— Padoue est en flammes ! Les églises, les palais, les maisons, le marché… Tout a été réduit en cendres ! Même le couvent…

Pendant un bref instant, avant qu'un sentiment de terreur la submergeât, Catherine eut la curieuse impression que le temps s'était arrêté, dans un silence traversé seulement par le souffle du vent.

— Qui vous l'a dit ? demanda Pietro Mocenigo d'une voix calme.

— Les acteurs, excellence. Ils ont fait demi-tour. Ils disent que l'éclat des flammes illumine la campagne à plusieurs lieues de Padoue.

Derrière son expression maîtrisée, Pietro contemplait la vérité dans toute son horreur : Ciarla se trouvait au couvent. Une pointe de douleur lui traversa la poitrine comme une lame. En un éclair, juste avant que les ténèbres l'engloutissent, il revit Ciarla le soir du spectacle, vêtue de jaune, si belle et souriante, il revit Ciarla enfant, qui courait entre les rosiers du jardin de Famagouste, un grand chapeau de paille sur la tête, il revit Ciarla qui pleurait dans ses bras à l'enterrement du roi. Et dans le même instant, Pietro se rendit compte qu'il aimait Ciarla autant que sa propre fille morte des années auparavant. À présent, il la perdait elle aussi, pour toujours. La lame s'enfonçait toujours plus profondément dans son cœur, mais il ne sentait plus rien.

Adriana Marcello profita de la confusion pour s'éclipser de la salle. Située dans l'aile nord, sa chambre avait beau être froide, exiguë et pleine de courants d'air, elle n'en restait pas moins une chambre à la cour, le lieu idéal pour une jeune femme noble mais sans dot. Adriana se regarda dans le miroir monté sur la table qui lui servait à la fois de coiffeuse et d'écritoire. Se regarder la remettait toujours de bonne humeur. Ses traits ne correspondaient pas aux canons de beauté classique célébrés par les artistes : le teint trop foncé, le nez trop prononcé, la bouche trop large, le cou trop long, et pourtant… Et pourtant, Filippo Cornaro, le cousin de la reine, l'homme le plus séduisant de la cour après Giorgio, n'avait d'yeux que pour elle. Adriana était persuadée que, si elle avait eu une dot, il l'aurait déjà demandée en mariage. Or, il était pauvre et ne pouvait pas se permettre d'épouser une femme aussi pauvre que lui. Elle prit la plume et se mit à rédiger une lettre pour la seule personne capable de l'aider : sa tante, la dogaresse. C'était grâce à elle qu'Adriana faisait partie de la suite de Catherine ; elle lui avait promis de l'argent si elle lui rapportait des informations satisfaisantes.

« *Très excellente dame, chère tante,*
Aujourd'hui, la reine a reçu deux Chypriotes en audience. Ils n'étaient pas des marchands, mais des moines hospitaliers ayant fui l'épidémie de peste qui sévit dans l'île. Ils ont remis à la reine un message du général Tafures : il demande du blé pour sauver le peuple de la famine. »

Un bruit de pas dans le couloir. Adriana s'empressa de cacher la lettre. Lisa Priuli entra sans frapper.

— Que fais-tu ici ? La reine a besoin d'aide. Le capitaine Mocenigo a fait un malaise !

— Vraiment ? Il faut que j'ajoute cela à ma lettre. Cela fera au moins quelque chose dont ma tante n'est pas déjà au courant.

— Comment peux-tu être aussi impitoyable ?

— Et toi, comment peux-tu être aussi naïve ? Si je n'écris rien d'intéressant à la dogaresse, elle ne m'enverra plus d'argent et tu devras renoncer au manteau neuf que je t'ai promis.

— En renard, je te le rappelle. Ah, que c'est laid d'être pauvre !...

Adriana haussa les épaules. Pauvre Lisa, si belle mais si stupide. Risquer sa position pour un manteau... Elle cacheta la lettre.

— Je me demandais une chose, Lisa. N'est-ce pas toi qui es chargée de tenir en ordre le salon de la reine ? Tu pourrais me laisser lire les lettres qu'elle reçoit. Cela ne prendrait que quelques minutes.

— Impossible. Demetrio et la naine ne me laissent jamais seule.

— Ne t'inquiète pas, je me charge de ces deux-là.

En voyant Adriana sourire, Lisa éprouva brusquement une sensation désagréable : parfois, son amie lui faisait peur.

— Le manteau, finalement, je peux m'en passer, bougonna-t-elle.

— Si tu m'apportes les lettres, tu y gagneras beaucoup plus qu'un manteau. Réfléchis, Lisa. En attendant, allons consoler la reine. Elle doit être bouleversée.

Avant de sortir, Adriana jeta un coup d'œil par la fenêtre : Filippo Cornaro rentrait de la chasse avec chiens et autours. Il sortait tous les jours, par tous les temps, afin de s'entraîner. Il portait un pardessus bordé de renard, argenté comme les plumes du grand faucon femelle perché sur son poing. Apercevant un groupe de demoiselles accourant vers Filippo, Adriana claqua la fenêtre. Après les noces, elle s'assurerait qu'il reste fidèle. Son avenir dépendait entièrement de la dogaresse. Cette sorcière.

La nuit tombait lorsque Giorgio Cornaro arriva enfin à Padoue au terme d'un voyage long et exténuant. Il avait traversé plusieurs villages sans croiser âme qui vive, à croire que tout le monde s'était enfui devant l'incendie. Aux portes de la ville, une odeur nauséabonde attaqua ses narines : hommes, femmes et enfants sans toit erraient sans but dans les rues, désespérés, dans le froid, l'air dément. Le carrosse de Giorgio se fraya difficilement un chemin jusqu'au centre de Padoue, où se dressait autrefois le couvent. Rien, juste un amas de décombres fumants. L'université, l'église, les maisons, le palais de justice… Ruines et fumée. Le spectacle lui donna le tournis. Où se trouvait la maison de Luisa ? Quelqu'un qui reconnut son carrosse le guida vers l'un des rares édifices encore intacts. Il y avait foule à l'intérieur, où les chambres étaient bien éclairées et où les serviteurs circulaient avec des plateaux de nourriture. Au milieu de la désolation qui l'entourait, la scène parut tellement irréelle à Giorgio qu'il n'en garderait plus tard qu'un souvenir confus. Des gens qu'il connaissait vinrent à sa rencontre, mais ils semblaient flotter comme des fantômes. Et parmi eux, soudain, apparut Luisa. Était-ce un rêve ou la réalité ? Tout autour, les autres parlaient et mangeaient – autant de silhouettes floues, exactement comme dans un rêve. Luisa portait une robe trop large qui tombait de ses épaules comme la tunique d'un ange ou d'une fée ; ses cheveux blonds ébouriffés lui descendaient jusqu'à la taille. Giorgio ne l'avait jamais vue aussi belle. Il la prit dans ses bras, éperdu. Luisa se dégagea.

— Non. Prudence.

— Qui pourrait bien faire attention à nous, avec tous ces morts ?

— Les vivants ont des yeux et des oreilles.

Giorgio promena son regard dans la pièce, soudain conscient des murmures et coups d'œil furtifs. Luisa éclata en sanglots.

— Au couvent, personne n'a survécu.

— Et Ciarla ?

Les pleurs de Luisa redoublèrent d'intensité. Giorgio l'entraîna à l'extérieur, dans l'air glacé de la nuit. L'odeur de brûlé était âcre, mais la neige qui tombait drue recouvrait peu à peu la saleté et les cendres. Un silence presque irréel enveloppait tout.

— Seigneur... Ma sœur espérait que Ciarla ne serait pas encore arrivée au moment de l'incendie. Comment vais-je lui annoncer la nouvelle ?

— Je peux m'en occuper. Je rentre à Asolo. Je ne peux pas rester un instant de plus dans cette ville.

— Et votre mari ?

— Je me moque de ce qu'il pense, j'ai pris ma décision. De toute façon, il m'a toujours détestée.

Les flocons de neige formaient un voile éthéré sur ses cheveux. Giorgio était hypnotisé. La détester ? Comment pouvait-on détester une fée ?

Venise, février 1492

C'était la première journée ensoleillée après un hiver très rigoureux. Debout sur le quai, Pietro Mocenigo suivait du regard le bateau des Cornaro chargé de blé qui franchissait les tours du Lido et prenait le large. Il aurait donné n'importe quoi pour se trouver à la place de ce capitaine, mais à quoi bon se bercer d'illusions ? Il devait affronter la réalité : Sigismond lui avait dit que son cœur s'était consumé. Consumé ? Qu'est-ce que cela voulait dire ? Il semblait si proche le jour où, jeune officier, il avait entrepris sa première traversée. « Le temps, songea Pietro, l'inexorable usure du corps qui épargne l'âme. » Lentement, il s'éloigna du quai. Il avait bien d'autres préoccupations. Le Conseil des Dix avait appris qu'après avoir touché les ports de Dalmatie, la peste venue des îles se répandait à présent sur les terres de la République. À Padoue, Trévise, Vicence et Brescia, les responsables sanitaires avaient reçu l'ordre de désinfecter les marchandises, soumettre les lettres à la fumigation et placer en quarantaine les personnes originaires des zones de contagion. Étant donné que la désinfection ruinait les textiles et objets précieux, il fallait s'attendre à ce que les marchands fissent tout pour y échapper. Pietro le savait pertinemment, tout comme il savait, après ses années à la capitainerie générale, que la bataille contre la pestilence était perdue d'avance.

La cloche sonna midi. Le vent s'était levé, l'eau renvoyait le reflet aveuglant du soleil. Soudain, une inquiétude profonde s'empara de lui : cela faisait plusieurs semaines qu'il ne recevait pas de nouvelles d'Asolo. Était-ce une conséquence de la quarantaine qui ralentissait le transport des dépêches, ou bien le chagrin de Catherine après la mort de Ciarla lui ôtait-il jusqu'à la force d'écrire ? Et si la peste était arrivée à Asolo ? En réfléchissant rapidement, Pietro ne voyait qu'une personne capable de lui répondre : la dogaresse.

Elisabetta Vendramin déchira la lettre d'Adriana en petits morceaux qu'elle jeta dans la cheminée : rien qu'elle ne sût déjà. Le navire des Cornaro avait appareillé pour Chypre le matin même. Plus que quelques semaines et le gouverneur pourrait soulager les souffrances du peuple. Pauvre gouverneur : si la Sérénissime exigeait trop de taxes, ce n'était pas sa faute, mais celle des Turcs. Le sultan avait congédié l'ambassadeur vénitien Barbaro – signe qu'il comptait repartir en guerre. Elisabetta rapprocha sa chaise du feu : elle grelottait, et pourtant la sueur perlait sur son front. Du bout des doigts, elle effleura l'amulette qu'elle portait au cou et qui appartenait jadis à sa douce nièce, Agnese. Elle était si différente de son autre nièce, Adriana, si forte et opiniâtre, pleine de volonté et de passion. Et maintenant, Adriana voulait Filippo Cornaro. Le blond Filippo, aussi fat que séduisant, avec ses faucons, ses chiens de race et une légion de demoiselles à ses pieds. Un homme tellement ingénu qu'il avait perdu toute sa fortune. « Les choses que nous désirons et celles dont nous avons besoin ne coïncident pas toujours », se dit la dogaresse. Quelqu'un s'était avancé vers la cheminée. Elisabetta n'eut pas besoin de se retourner.

— Capitaine Mocenigo. Enfin.

— Je suis étonné de vous trouver ici, madame. Je m'attendais à ce que le doge vous ait fait partir. Le Conseil a beau entretenir le secret, la peste se propage.

La dogaresse désigna les cendres de la lettre.

— Ma nièce écrit que les moines chypriotes ont apporté la contagion à Asolo.

Le sang se mit à battre aux tempes de Pietro.

— Et Catherine ?

— Elle est en bonne santé et, si Dieu le veut, elle le restera. Il n'y a rien que vous puissiez faire, capitaine.

— Vous vous trompez, dit Pietro, les yeux brillants. J'ai l'intention d'aller à Asolo demander à Catherine de m'épouser.

— Ce serait inutile.

— Une prédiction de votre sorcier, dame Elisabetta ?

— Ne comprenez-vous donc pas ? C'est pourtant évident. On a brûlé la sorcière à la Toussaint, et c'est à la Toussaint que les flammes ont dévoré le couvent, le palais de justice où s'est déroulé son procès, et la place du bûcher. Tous ceux qui ont eu affaire à la Grecque sont morts. Tous, sauf Catherine.

La dogaresse avait une lueur étrange dans le regard. Avait-elle perdu la raison ? Elle se versa un verre d'eau qu'elle vida d'un trait.

— Je ne comprends toujours pas, madame.

— Le destin de Catherine Cornaro n'est pas la mort, capitaine. C'est la solitude. Et vous n'y pourrez rien changer.

Pietro secoua la tête ; une chaleur insupportable régnait dans la pièce. Bien qu'elle transpirât profusément, la dogaresse frissonnait. « C'est la fièvre », se dit-il.

— Vous délirez, dame Elisabetta. Laissez-moi vous aider.

Il l'aida à se lever, mais, à peine debout, elle s'évanouit. Pietro discerna une tache noirâtre dans son cou.

Asolo, mars 1492

Le cocher arrêta les chevaux devant le portail d'une villa ocre. Catherine et le podestat descendirent du carrosse. Ils se trouvaient en rase campagne, sous un ciel serein, respirant un air où l'on pressentait déjà la douceur du printemps.

— Voici Altivole, majesté. Elle doit son nom au cours d'eau que vous pouvez apercevoir en contrebas. Un simple ruisseau, pour être franc. Les champs donnent des récoltes abondantes et la forêt sur la colline fournit un bois de qualité. Tout cela appartient à la propriété. En tant que notaire, c'est moi qui suis chargé de la vendre pour les héritiers.

Ils entrèrent dans le jardin. La première chose que Catherine remarqua fut la pergola de glycines, dont les branches à la grâce robuste qui s'entortillaient vers le haut protégeaient la terrasse du soleil.

Plus loin, un gazon qui avait grand besoin d'être coupé arborait en son centre une fontaine, une nymphe avec une corne d'abondance d'où l'eau jaillissait. Le podestat ouvrit la porte de la maison, révélant des pièces spacieuses inondées de lumière. Il y flottait un léger parfum de lavande, comme si les propriétaires venaient seulement de la quitter ; on se serait presque attendu à ce que de la musique et des voix d'enfants retentissent d'un instant à l'autre.

— Qui habitait ici ?

— Une famille nombreuse, majesté. Après la mort des parents, les frères ont été envoyés à la cour de France et les sœurs se sont mariées ou ont pris le voile. D'ailleurs, le produit de la vente sera reversé à un couvent pour l'éducation des jeunes filles miséreuses.

Ils se promenèrent à l'intérieur de la demeure.

— Au palais royal de Famagouste, il y avait une salle comme celle-ci, aux murs couverts de fresques ; elle s'ouvrait sur des petites colonnes de marbre rose – le même marbre que vous voyez là.

Catherine sourit.

« Elle est tellement belle quand elle sourit », pensa le podestat, qui ne l'avait pas vue rire depuis la mort de Ciarla. À certains moments, il se soupçonnait d'être amoureux de la reine, amoureux de la grâce qui animait ses mouvements, de sa voix, de ces magnifiques cheveux blonds qu'elle portait, telle une jeune fille, sous une simple résille dorée. Et surtout, de ses splendides yeux aigue-marine. Les moines chypriotes lui avaient confié que, dans le Levant, on la surnommait la Sirène. Quoi de plus approprié ? Bovolini la suivait d'une pièce à l'autre. Lorsque les héritiers avaient mis le domaine en vente, il avait aussitôt pensé à Catherine. Altivole était un endroit magnifique et éloigné de la peste.

Ils ressortirent dans le jardin.

— Il n'y a pas de roses. Dommage.

Bovolini soupira. Les moines lui avaient également parlé de la passion déraisonnable avec laquelle Catherine cultivait des petites roses rouges. La même passion déraisonnable qu'elle avait nourrie pour son mari.

— Les roses rouges ne sont pas difficiles à trouver, majesté.

— Détrompez-vous, la couleur du sang n'est pas une couleur quelconque. Marché conclu, j'achète la propriété.

— Une excellente affaire, majesté. Les héritiers ont hâte de vendre pour aider le couvent au plus vite. Je peux négocier le prix.

— Non, ce ne sera pas nécessaire. Vous l'avez dit, c'est une œuvre de bienfaisance.

Ils remontèrent en carrosse et repartirent vers Asolo sans se presser. Une longue file de chariots était immobilisée devant les portes de la ville.

— Ils attendent d'être inspectés par les officiers sanitaires, expliqua Bovolini.

Reconnaissant l'équipage de la reine, un médecin s'en approcha : il portait un masque, à la fois pour se protéger de la contagion et pour se prémunir contre la rancune des marchands, auxquels il devait parfois ordonner de brûler leurs stocks.

— Vous devez vous en aller immédiatement, majesté. Nous n'arrivons plus à contrôler l'épidémie, c'est une cause perdue.

Catherine chercha ses yeux derrière le masque. L'espace d'un instant, la voix de Francesco Giustinian résonna dans sa tête : « La quarantaine n'a servi à rien. Vous devez partir. Tout de suite. »

Pourquoi ne l'avait-elle pas écouté ? Son fils aurait survécu. Son fils si petit, fragile, vulnérable... Le jardin plein de roses du palais royal n'avait pas suffi à le protéger. Contre la peste, rien ne suffisait jamais.

Bovolini se pencha vers elle.

— Allez à Altivole, madame. Et, s'il vous plaît, emmenez Olimpia avec vous.

Rome, mars 1492

— Deux cents homicides. Et la peste. La situation est devenue complètement incontrôlable.

Tullia Farnese soupira langoureusement et tira les courtines du lit. Alvise Cornaro eut l'impression de glisser dans une pénombre azurine, à l'abri du monde, dans les profondeurs de cet abîme où étaient ensevelies les statues des déesses qu'il aimait tant. Les déesses dont Tullia faisait partie.

— Comment voulez-vous contrôler en même temps la peste, les Orsini et les Colonna ?

Un plat bombé de cerises, un délice hors saison que son majordome Burkhard avait réussi à se procurer, était posé sur les draps. Tullia en choisit une, puis jeta un coup d'œil par l'entrebâillement à la statue de Léda en pleine étreinte avec le cygne. La lumière tombait sur le corps blanc et voluptueux, enveloppé autour du cou du cygne avec le désir ultime d'être possédé.

— Elle n'a pas l'air très ancien, dit Tullia en mordant la cerise.

— Je l'ai achetée parce qu'elle vous ressemble. Je vous en fais cadeau.

— Vous êtes trop gentil, Alvise, comme toujours.

Sous le masque parfait de Tullia, une étincelle s'alluma au fond de ses yeux.

— Laissez-moi vous donner un conseil : gardez vos distances avec le prince Orsini.

— C'est l'un des hommes les plus puissants de Rome. Et nous sommes amis.

— De nos jours, les malheurs n'épargnent pas les amis, surtout s'ils sont riches et puissants. À moins que...

Alvise attendit la suite.

— À moins que Giulio Orsini accepte de vendre son fief de Cerveteri aux Borgia. Avoir Rodrigo pour allié servirait ses intérêts. L'avoir pour ennemi serait dangereux. Rodrigo sera probablement notre prochain pape : il a le soutien du roi d'Espagne et assez d'argent pour acheter le conclave.

« C'est donc cela », pensa amèrement Alvise. « Tullia est encore l'amante du cardinal Borgia. » Du reste, il ne s'était jamais soucié de le lui demander : la passion n'avait rien à voir avec l'intimité, la passion était une étrangère.

— Qu'espérez-vous de moi, Tullia ?

— Que vous écriviez au prince pour tenter de le convaincre. Le cardinal Borgia vous en saura extrêmement gré.

— Peut-être que votre ami Rodrigo peut acheter le conclave, mais pas un Cornaro, ne l'oubliez pas.

— Prenez garde. Les Catalans n'oublient ni les offenses ni les services rendus. Ce sont des bêtes déguisées en hommes, tout le monde le sait. Bon, ça suffit, assez parlé pour l'instant.

Lorsque Tullia défit les boutons de perle de son corset, Alvise comprit qu'il n'avait pas le choix. Beauté, sensualité, intelligence. Trois choses qui, réunies en une même femme, la rendaient invincible. L'imaginant entre les bras de Rodrigo Borgia, il s'enflamma de désir et de rage mêlés.

— Jurez-moi de ne plus voir Rodrigo. L'aimez-vous vraiment ?

— Si je l'aime ? Je le déteste.

Tullia ondoyante se glissa hors du lit et alla s'allonger sous le marbre de Léda embrassant le cygne. Le jus des cerises rougissait ses dents et ses lèvres. Elle lui tendit les bras.

Altivole, avril 1492

— La dogaresse a la peste, annonça Adriana.

Elle se promenait dans le jardin avec Olimpia, observant les jardiniers qui plantaient une nouvelle roseraie.

— Elle a la peste, mais le doge veut que cela reste un secret.

— Pourquoi ? demanda Olimpia.

— La loi exige qu'on l'isole dans le lazaret. Si cela se produisait, les gens suspecteraient le doge d'être malade, lui aussi. Et avec les Turcs aux portes du Frioul...

— Oh, mon Dieu, fit Olimpia en se signant.

— Calmez-vous, il n'arrivera rien : la peste a déjà décimé un tiers de leurs troupes, et les survivants n'ont pas de quoi se nourrir.

— Comment faites-vous pour savoir tout cela ?

— Je lis la correspondance de la reine. Enfin, c'est elle qui me prie de la lui lire, s'empressa-t-elle de préciser.

Olimpia était assez naïve pour la croire.

— J'ai même une information qui vous fera plaisir. Pietro Mocenigo l'a demandée en mariage.

— Ah, aucun homme n'arrive à la cheville du capitaine ! soupira Olimpia. À part Gerolamo Cortebaldo, évidemment. Mais mon père est opposé à notre union. Trop pauvre.

Adriana secoua ses cheveux dans le vent et hocha la tête avec compassion. Amour et argent, l'éternel tourment. Si la dogaresse mourait, il ne lui resterait ni l'un ni l'autre. Son destin tenait à un fil aussi ténu que la vie d'une pestiférée.

Il faisait presque nuit quand Pietro Mocenigo se présenta au palais du doge. La double porte était barrée. Il frappa et, après un long moment, une servante se montra à la grille.

— Excellence ! Allez-vous-en, pour votre salut.

— Je viens voir la dogaresse.

— Dame Elisabetta est partie.

— Arrêtez de mentir et conduisez-moi à votre maîtresse.

La femme ouvrit la porte.

En traversant le vestibule, Pietro fut frappé d'emblée par l'odeur qui y régnait, une odeur qu'il connaissait parfaitement : saleté, maladie et abandon. Elisabetta gisait sous les draps tel un fagot inerte. Les rideaux tirés ne laissaient entrer ni air ni lumière dans la chambre. Pietro ouvrit grand les volets. La brise marine balaya l'odeur de renfermé. La dogaresse remua faiblement.

— J'ai soif.

Pietro prit la cruche sur la table. Il jeta par la fenêtre l'eau croupissante qu'elle contenait, avant de sortir dans le couloir désert.

— Montrez-vous, je sais que vous êtes là.

La domestique, les yeux écarquillés de peur, émergea à l'angle du couloir.

— Le médecin ne va pas tarder. Apportez-moi de l'eau fraîche du puits, des draps et des vêtements propres, une éponge et du savon.

— Madame Elisabetta a la peste ! Si vous approchez d'elle, vous mourrez.

Pietro pivota sur ses talons sans répondre. La femme disparut, pour réapparaître quelques instants plus tard avec le linge et l'eau, qu'elle déposa à une distance respectueuse.

— Vous êtes sûr que le docteur va venir ? Cela fait des jours que le doge le cherche, mais il est introuvable.

— C'est mon médecin personnel, pas celui du doge. Il s'appelle Sigismond.

La serveuse l'observa de loin tandis qu'il donnait à boire à Elisabetta, puis disparut à nouveau. Sigismond arriva peu après. Il ausculta la patiente, la lava et changea les draps, lui enfila une chemise propre et la fit boire encore un peu. Il travaillait avec des gestes précis, sans prononcer un mot. La servante se tenait prudemment sur le seuil.

— Il lui reste combien de temps à vivre ?

— De longues années. Elle est guérie.

— Ça ne m'en a pas du tout l'air, marmotta la femme. Elle est toute pâle, incapable d'ouvrir les yeux, et elle respire comme un animal à l'agonie.

Sigismond secoua la tête : l'ignorance tuait plus de gens que les maladies.

— La peste est fatale en moins d'une semaine, n'est-ce pas ? Cela fait combien de temps qu'elle est dans cet état ?

— Beaucoup plus.

— Et à quand remonte la dernière fois que vous lui avez donné à manger ?

La servante s'esquiva en silence. Une minute plus tard, elle revenait avec du pain, du lait et de la confiture. Soutenant le buste de la dogaresse, Sigismond et Pietro lui firent ingurgiter un peu de lait. Les heures s'écoulèrent, Sigismond se penchait régulièrement sur le lit pour la faire boire et la rafraîchir avec un chiffon humide. À l'aube, Elisabetta réussit à avaler un morceau de pain avec de la confiture. Elle battit les paupières.

— Qui êtes-vous ?

— Sigismond, le médecin du capitaine général.

— Comment puis-je vous remercier ? Vous m'avez sauvé la vie.

— Non, madame. Vous vous êtes sauvée toute seule.

Sigismond lui caressa le front, comme il le faisait avec tous ses patients.

Au soir, le doge vint s'informer de l'état de sa femme, s'attendant à la trouver morte. La servante lui dit qu'elle était en train de dîner en compagnie du capitaine Mocenigo et de son médecin. Le doge en fut tellement soulagé qu'il en oublia complètement les Turcs.

Château de Cerveteri, mai 1492

Le prince Giulio Orsini essayait en vain de s'endormir : les hurlements des loups l'en empêchaient. Peut-être n'étaient-ce même pas des loups, mais des chiens sauvages à la recherche de nourriture qui franchissaient les murailles par quelque crevasse. Les paysans croyaient que le château était construit sur les ruines d'un cimetière romain et qu'un dédale de tunnels courait sous les fondations. Superstitions. Renonçant au sommeil, Giulio ouvrit son écritoire pour y prendre les lettres reçues ce matin-là. La première venait du chef de ses gardes : homicides, rapines, pillages et peste. On racontait que les semeurs de peste avaient empoisonné le pape, qu'un chirurgien hébreu avait persuadé de se faire injecter le sang de deux jeunes hommes. L'état de Sixte IV ayant empiré, le juif s'était enfui. Giulio parcourut plus attentivement la deuxième lettre, qui portait les sceaux de Rodrigo Borgia : c'était une offre d'achat pour le fief de Cerveteri. Une somme exorbitante. Giulio ne se laissa pas distraire par les loups. Ces terres ne valaient pas autant. Elles étaient peu fertiles, infestées par les maladies. Le bétail dépérissait, les paysans mouraient facilement. Leur rendement était médiocre. Pourquoi vouloir l'acheter ? Giulio ouvrit enfin la troisième lettre, qui venait d'Alvise Cornaro. Il y trouva la réponse à sa question.

« Rodrigo Borgia s'attend à être élu pape. Il veut avoir sous son contrôle la route vers la Toscane, qui passe par Cerveteri. En acceptant de vendre, vous gagnerez l'amitié de tous les Catalans, qui sont aujourd'hui plus nombreux à Rome que les chiens errants », concluait Alvise sans cacher son dégoût.

Le prince réfléchit longuement. Il avait peut-être intérêt à profiter de cette offre et vendre, puisqu'il possédait de meilleures terres ailleurs. Cependant, il n'avait pas besoin d'argent ; pourquoi un Orsini aurait-il dû se plier aux requêtes d'un Catalan ? Mais il y avait une autre raison qui l'incitait à s'accrocher à Cerveteri, une raison qui n'avait rien à voir avec le pouvoir ou l'orgueil d'un prince. Il sourit en secouant la tête. Les secrets... Le sel de l'existence. En rangeant les lettres dans le tiroir, il reconnut le parfum de Tullia. « Ah, Tullia ! » Toute magnifique qu'elle était, elle n'en restait pas moins une courtisane.

Altivole, été 1492

Giorgio Cornaro serra le parchemin dans son poing, comme s'il craignait qu'il se volatilisât. Il n'arrivait toujours pas à croire qu'on l'avait nommé podestat de Brescia. C'était la récompense du Sénat pour sa mission à Chypre, suffisamment tardive pour ne pas sembler suspecte. Giorgio exhala : il était désormais riche et puissant... Que pouvait-il désirer d'autre ? Son regard se posa sur les fresques du charmant salon de sa sœur, puis sur le jardin et les champs de blé qui entouraient la propriété. Catherine aussi était riche et puissante ; renoncer à Chypre avait été une sage décision, d'autant qu'elle avait conservé son titre de reine. Grâce à lui. Giorgio soupira de nouveau tandis que le clocher battait midi. Il était temps de grimper en selle s'il voulait rejoindre Luisa pour déjeuner. Il louait pour elle une maison dans les environs, minuscule comme l'habitat d'une fée, située au milieu d'un pré de marguerites et coquelicots. Il faisait encore une chaleur écrasante et l'odeur du foin qui venait des champs lui montait à la tête. Giorgio sortit prestement. Son cheval, déjà prêt, l'attendait dehors ; c'était un jeune étalon moreau de grande race, à peine arrivé du haras du marquis de Padoue. Une autre raison de se réjouir. Il lança le cheval à bride abattue, en direction de la maison de la fée.

Sa monture était si rapide qu'il arriva plus tôt que prévu. Une servante qui cueillait des légumes dans le potager écarquilla les yeux de terreur lorsque l'animal se cabra à quelques mètres d'elle. Giorgio sourit pour la rassurer : les chevaux du marquis de Padoue effrayaient souvent les gens. Au fond, les chevaux de guerre étaient faits pour cela. Giorgio monta d'un pas impatient dans la chambre de Luisa. Elle était absente ; il se mit à attendre devant la fenêtre ouverte. Il s'assoupit dans la chaleur du soleil, mais fut bientôt réveillé par un hennissement. Son étalon, qu'il avait laissé paître en liberté, galopait furieusement. Luisa marchait vers la maison. Elle avançait légèrement courbée, un peu gauchement, d'une manière qui ne lui ressemblait pas. Giorgio l'observait depuis l'étage quand la vérité le frappa de plein fouet, le laissant légèrement étourdi. Dans ses oreilles, les battements de son cœur vinrent se mêler aux hennissements et au souffle du vent qui pliait l'herbe.

La porte s'ouvrit et Luisa, plus belle que jamais avec ses joues rouges d'excitation et ses cheveux défaits, se jeta dans ses bras.

— Je suis allée voir l'accoucheuse. C'est ce que je croyais : je suis enceinte.

« Que j'ai été aveugle, pensa Giorgio. Il y a peu, je croyais tout avoir. Quelle erreur ! Un enfant, quelle merveille… »

— Marions-nous, Luisa.

Elle éclata de rire.

— C'est impossible, je suis déjà mariée.

— Pour un Cornaro, rien n'est impossible.

Venise, hiver 1492

Enveloppée dans un manteau de laine, la dogaresse descendit se promener dans le jardin. Elle reprenait tout doucement des forces. Lorsqu'elle se regardait dans un miroir, elle peinait encore à se reconnaître : cette vieille femme livide, aux joues creuses, aux cheveux clairsemés et aux dents jaunies, c'était elle, Elisabetta Vendramin ; ces épaules osseuses, ces bras décharnés et ces doigts crochus étaient tout ce qui restait de son joli corps autrefois opulent. Mais elle était vivante. Grâce au capitaine général et à son médecin. Elle surveilla d'un œil expert la domestique qui, sur ordre de Sigismond, cueillait les herbes médicinales plantées dans une longue rangée de vases. Elle aussi méritait sa gratitude : elle était la seule à ne pas l'avoir abandonnée. Le vent devenant trop froid, Elisabetta regagna ses appartements : une pile de lettres l'attendait sur le bureau. Les requêtes habituelles. Pétitions, demandes de recommandations ou d'argent… Elle reconnut l'écriture particulière d'Adriana, nette et précise à en paraître masculine.

« *Très excellente dame, chère tante,*
J'ai enfin une nouvelle importante à vous commu-
niquer. Hier, en remarquant le sceau des Dix sur
l'une des lettres reçues par la reine, je me suis
débrouillée pour y jeter un coup d'œil. Une accu-
sation d'immoralité est parvenue au Conseil : un
page nommé Demetrio, que Catherine a emmené
avec elle de Chypre, passerait ses nuits avec elle ;
la naine Giacinta lui prépare un grabat une fois
que tout le monde est parti. »

La dogaresse interrompit sa lecture et contempla
pendant un instant les branches nues qui pliaient
sous la force du vent. Si l'accusation se révélait
fondée, la République aurait pu révoquer les
concessions généreuses dont jouissait Catherine :
une ville, une rente considérable et son titre de
reine. Pouvoir, argent et réputation : ils pouvaient
tout lui reprendre, y compris sa liberté. Son cœur
se serra lorsqu'elle pensa au capitaine Mocenigo, lui
qui avait encore plus à perdre que sa liberté. Le vent
battait furieusement contre les vitres, agitant les
pensées de la dogaresse. Se défendre contre la
calomnie était toujours difficile, à moins d'en
connaître la source et la motivation. Elisabetta
secoua une clochette en argent. La servante entra
immédiatement.

— Prépare mes rubis et la robe de brocart cramoisi. Je dois parler à mon seigneur, le doge.

Elle se laissa parfumer, maquiller et coiffer
d'une perruque rose qui cachait sa calvitie par-
tielle. Un collier autour du cou, elle endossa la robe
somptueuse avant de se regarder dans le miroir.
Les rubis, le vêtement et la perruque n'avaient servi
à rien. Une vieille femme, voilà ce qu'elle était, ce
qu'Adriana deviendrait bientôt. Sa nièce lui ressemblait, il ne lui restait que quelques années de
jeunesse.

— Voulez-vous que je fasse entrer l'astrologue, madame ?

— Non, ce n'est plus nécessaire.

Altivole, hiver 1492

Catherine s'assit à l'écritoire de son bureau et décacheta nerveusement la lettre du capitaine Mocenigo. C'était la première qu'elle recevait depuis la fin de l'épidémie.

> « *Très chère Catherine,*
> *Le lazaret se vide enfin. La quarantaine est levée. Je compte profiter de la réouverture des routes pour venir à Asolo le plus vite possible. Je veux passer ce qu'il reste de ma vie à vos côtés. Si vous me croyez digne de votre amour, acceptez de devenir ma femme.* »

Quelques lignes écrites rapidement, avec la brusquerie habituelle du capitaine. Cependant, cette calligraphie hésitante n'était pas habituelle – à croire que Pietro tremblait en écrivant. « Ce qu'il reste de ma vie. » Catherine se leva d'un bond et écarta les rideaux pour laisser entrer la faible lumière hivernale. C'était donc vrai. Pietro était gravement malade.

— Mauvaises nouvelles ? s'enquit Maria Bragadin, qui entrait à ce moment-là.

— Au contraire, c'est une demande en mariage.

Maria sentit qu'il y avait autre chose. Elle attendit calmement la suite.

— Vous souvenez-vous quand le capitaine a eu un malaise, à la Toussaint ? D'après Sigismond, son cœur est consumé ; ni lui ni personne d'autre ne connaît de remède. Je dois rejoindre Venise avant qu'il soit trop tard.

— Puis-je vous accompagner, madame ? fit Adriana Marcello en entrant à son tour, un panier de primevères à la main.

— Non, je vous remercie, mais c'est inutile. Le voyage sera épuisant. Le gel rend les routes quasiment impraticables.

Malgré son évidente contrariété, Adriana n'insista pas et commença à arranger les primevères dans des vases à plusieurs endroits de la pièce. Maria reposa la lettre du capitaine sur l'écritoire avec les autres. Elle fronça les sourcils.

— Il manque le pli du Conseil des Dix, majesté.

— Rien d'important, dit Catherine avec un geste de la main. Le Conseil m'informe avoir reçu une délation : on m'accuse d'avoir un page pour amant. Une dénonciation anonyme, naturellement.

— Quelle infamie ! s'indigna Adriana, en se demandant comment la reine pouvait rester aussi stoïque. Qui serait cet amant ?

— Demetrio.

— Demetrio ?

Maria fut prise d'un fou rire incoercible qui contamina bientôt Catherine et la naine Giacinta. Adriana en demeura pantoise.

— Qu'y a-t-il de si drôle, majesté ?

— Demetrio ne s'intéresse pas aux femmes. Tout le monde le sait.

Adriana laissa tomber son panier. Tout le monde sauf elle, évidemment.

Venise, hiver 1492

Pietro Mocenigo fit un cauchemar où il se promenait dans le jardin du palais de Famagouste, entouré d'un océan de roses rouges. Leurs pétales recouvraient le sentier tel un linceul de sang, leur parfum lui martelait le crâne. La douleur le réveilla.

Il frissonnait et transpirait. « Encore la fièvre », se dit-il. Où allait-il trouver la force de voyager ? D'une manière ou d'une autre, il irait à Asolo, même si c'était la dernière chose qu'il faisait dans sa vie. Une aube laiteuse se levait : « Samedi, se rappela-t-il, jour de réunion du Conseil. » Il but une goulée d'eau, convaincu, comme tous les hommes de mer, que rien ne valait une bonne eau de source. Ce matin-là, pourtant, elle ne lui apporta aucun réconfort. On frappa à la porte. Le prêtre. Samedi était également son jour de confession. Pietro n'aimait pas ce rituel, car il estimait qu'aucun homme ne pouvait comprendre l'âme d'un autre. Mais le prêtre était un Vendramin, un neveu de la dogaresse. Cultivé, affable, toujours bien informé et d'agréable compagnie. C'était pour cela que Pietro l'avait choisi.

— Avez-vous bien dormi, capitaine général ?

— Pas du tout.

— Moi non plus, malheureusement. Ma tante m'a convoqué de toute urgence : elle a fait un cauchemar et voulait se confesser. Avec tous les magiciens et astrologues qu'elle fréquente, il ne faut pas s'étonner qu'elle fasse de mauvais rêves.

Il secoua la tête de dépit.

— Vous êtes pâle, capitaine. Je vous conseille de rester au lit, aujourd'hui. Il fait très froid.

— Impossible. Je dois assister à la réunion du Conseil des Dix.

— Ah, bien sûr ! La reine de Chypre est à l'ordre du jour. Il paraît qu'on l'a accusée d'immoralité avec un page. Une dénonciation anonyme…

Le religieux hésita avant de poursuivre :

— Mais Antonio Pisani prétend avoir la preuve qu'elle est fondée.

— Qu'en savez-vous ?

L'autre haussa les épaules et Pietro comprit que la dogaresse le lui avait révélé en prenant la confession pour prétexte. Il se leva d'un bond et commença à s'habiller. Les murs tournaient autour de lui.

— Vous ne devez pas sortir, excellence ! Vous avez la fièvre. Cela pourrait vous coûter la vie. Sigismond vous l'a interdit, ne l'oubliez pas.

Mocenigo, pris de tremblements, s'obstinait dans son silence. Sous son visage de marbre, la stupeur, la jalousie et la colère se mêlaient au délire de la fièvre. Un page… Des preuves… Le prêtre soupira.

— Rassurez-vous : la dogaresse est persuadée que Pisani ne dira rien devant le Conseil. Il ne défiera pas Cornaro, sa banque a besoin de lui en ce moment.

Pietro se laissa retomber sur le lit. « Et la vérité ? » se demanda-t-il. La puissance des Cornaro et les intérêts de Pisani n'avaient rien à voir avec la vérité. « Je ne peux pas mourir dans le doute », songea-t-il. « Je refuse… » Il ferma les paupières, s'abandonnant à une torpeur confortable. Après un instant qui aurait pu durer des heures, le prêtre le secoua gentiment.

— Un messager en provenance d'Asolo, capitaine général. La reine va bientôt arriver au palais Mocenigo.

Brescia, palais du podestat, hiver 1492

Giorgio Cornaro écrasa rageusement la lettre sur la table. Il suffoquait de dégoût. Catherine, accusée d'indécence avec le page Demetrio… Une calomnie anonyme. Et Antonio Pisani avait l'impudence d'affirmer qu'il en détenait la preuve ; plus répugnant encore, il promettait de ne pas la produire devant le Conseil – à une condition. Les Cornaro devaient souscrire à une quote-part du crédit accordé par la banque Pisani au roi d'Angleterre. Antonio savait parfaitement que les Cornaro avaient juré de ne plus prêter de l'argent aux rois, après Jacques de Lusignan. « C'est du chantage », se dit Giorgio. Le petit banquier avec son museau de rongeur se croyait malin. Giorgio s'efforça d'envisager la question avec sang-froid. Au début, l'affaire semblerait excellente : les intérêts très élevés feraient grimper les actions de la banque. Les Cornaro n'auraient qu'à revendre les leurs au moment opportun, sans préavis, pour que les Pisani fassent faillite. Tous les autres investisseurs en pâtiraient, mais c'était inévitable.

Giorgio sentit sa colère se transformer en nausée face à sa propre absence de scrupules. Il regarda autour de lui : il détestait cette maison, le palais pompeux du podestat de Brescia. Tout y était étouffant, glacé, austère. Il pensa avec nostalgie aux nymphes dénudées qui dansaient sur le plafond de sa chambre à coucher, à Venise. Le désir le tenaillait de faire reproduire ces fresques dans la salle de danse, mais les notables locaux lui avaient fait comprendre que cela aurait été moralement inacceptable. Giorgio poussa un long soupir. Il avait même dû cacher la *Dame voilée* derrière un rideau, ainsi que le portrait de Luisa telle qu'il l'avait vue la nuit de l'incendie, légèrement vêtue et les cheveux en désordre. Il avait fait croire aux notables et aux demoiselles de Brescia qu'il s'agissait de Marie-Madeleine. Ils ne se doutaient de rien, évidemment, eux qui ignoraient tout de la façon de se vêtir – ou se dévêtir – des femmes. Repenser à ces demoiselles lui arracha un sourire.

Le dernier soir d'été, il avait organisé un bal en espérant que les jeunes femmes s'y présenteraient parées de leurs plus beaux atours. Grossière erreur. Elles étaient tristes comme des corbeaux dans un palais de grisaille. Il avait remarqué une femme qui, en admettant que ce fût possible, était encore plus mal habillée que les autres : un bonnet et une robe en laine – en plein été !

Assise dans un coin avec une dame âgée, elle regardait les autres danser. Elle souriait vaillamment, bien qu'elle semblât s'ennuyer terriblement.

— Qui est-ce ? avait demandé Giorgio à son secrétaire. Elle porte le deuil ?

— Oh, non, excellence. C'est Giovanna Morosini. Les Morosini sont très frugaux… Ils n'en sont pas moins l'une des familles les plus influentes de la République, je ne pouvais pas faire moins qu'inviter mademoiselle Giovanna et sa tante. Elle est orpheline de mère et vit dans une maison de campagne non loin d'ici.

Le secrétaire ajouta en chuchotant :

— On raconte qu'elle porte un cilice sous ses robes. Et que son père est tellement pauvre et bigot qu'il ne lui a jamais donné la moindre éducation. Elle sait à peine lire et écrire. Elle n'entend rien à la poésie ni à la musique, à part quelques prières apprises par cœur.

— Pourquoi ne danse-t-elle pas ?

— La danse est l'instrument de Satan, excellence… Quelle cruauté ! Un jour, j'ai vu demoiselle Giovanna sans bonnet.

Sa voix baissa encore d'un ton.

— Elle est superbe… Des cheveux dorés comme les feuilles en automne, les yeux noisette, et sa bouche… Ah, un bouton de rose !

Giorgio s'esclaffa joyeusement.

— Je lui ordonnerai de se procurer une nouvelle robe. Elle sera bien obligée d'obéir au podestat.

À ce moment précis, Giovanna se retourna. Elle rougit et baissa la tête en voyant Giorgio qui venait vers elle.

— M'accorderez-vous cette danse, madame ?

— Une pavane ! Pas question, excellence, répondit la tante à sa place.

Sans se laisser démonter, Giorgio s'inclina et saisit la main de la vieille femme, qu'il entraîna au milieu de la salle. Elle était tellement étonnée qu'elle ne résista pas ; au contraire, elle dansa même avec une agilité surprenante.

— Me permettez-vous d'envoyer un maître de bal à votre nièce ? demanda Giorgio en la soulevant de terre.

La tante acquiesça tout en exécutant une pirouette. La délicieuse jeune fille au bonnet les fixait d'un air éberlué.

En se rappelant la scène, Giorgio sourit à nouveau. Muni de sa plume, il rédigea quelques lignes à l'attention de Pisani, accédant à toutes ses requêtes et souscrivant pour une somme exorbitante au prêt du roi d'Angleterre. Antonio allait regretter sa victoire. Entre les Cornaro et la banque Pisani, les hostilités ne faisaient que commencer.

11

Venise, été 1510

GIULIO ORSINI SE LEVA EN BOITANT : après une nuit sans sommeil, ses jambes l'élançaient terriblement. À l'extérieur, l'éclat d'un flambeau illumina provisoirement le ciel. Le cardinal se mit à la fenêtre. Les serviteurs aidaient Alvise Cornaro à débarquer sur les marches glissantes du palais. Il portait une cape chatoyante en soie rouge qui brillait dans la nuit, gonflée par le vent. Giulio ne put s'empêcher de sourire. De la soie rouge... Grand amateur de théâtre, Alvise avait appris auprès des acteurs à s'habiller pour impressionner. Giorgio ne vint pas l'accueillir. Sa colère ne s'était donc pas estompée avec le temps. Les mots... Ils étaient parfois plus blessants qu'un coup de poignard. Giulio s'écarta de la vitre. Le miroir accroché au mur lui renvoya l'image d'un visage cireux et poli comme le marbre. Dans ces yeux brûlait une lueur intense, une lueur qu'ils n'avaient pas à l'époque où le prince Orsini était l'une des figures dominantes de Rome, un homme qui traitait d'égal à égal avec les papes et les rois. Un homme respecté de tous, aimé de personne. Ou peut-être que si ?

Le visage dans le miroir était entouré de ténèbres. On disait que l'heure la plus sombre de la nuit était celle qui précédait l'aube. Giulio se replongea dans la nuit d'Altivole, quand le voile était tombé de son âme, quand Catherine en costume d'actrice jouait sur scène, dans le jardin, vêtue d'un simple voile et d'une robe transparente. Et Diego d'Aragon, le grand capitaine, qui ne la quittait pas du regard, impassible... Le cardinal avait parfois l'impression que Diego était encore vivant, et lui, mort. Tout ce qui existait jadis était mort. À l'instant où il se baissait pour déposer un baiser sur les cheveux de Catherine, la porte s'ouvrit et la cape de soie rouge glissa sur le plancher.

— Suis-je arrivé à temps ? demanda d'emblée Alvise Cornaro.

— Oui, juste à temps.

— Est-ce que mon frère Giorgio est ici ?

— Bien sûr !

Alvise caressa le front de sa sœur.

— Que dit le médecin ? Les douleurs à l'estomac pourraient-elles venir d'un poison ?

Giulio secoua la tête. Le pragmatisme des Cornaro faisait l'effet d'une bouffée d'air pur dans l'obscurité opprimante.

— Vous êtes un expert en matière de poison, Giulio, quelle est votre opinion ? Vous en savez certainement plus que le médecin.

— La reine n'a pas été empoisonnée.

— Cela n'aurait pas été la première fois. Il y a fort longtemps, à Chypre...

Alvise s'interrompit en voyant que le cardinal avait les joues baignées de larmes.

— Pardonnez-moi, mon ami. Je connais votre grande affection pour Catherine, je vous suis reconnaissant d'être venu. Vous êtes la personne idéale pour recueillir sa confession. Seulement, je n'arrive pas à accepter qu'elle soit en train de mourir.

Il caressa le visage et le cou de Catherine.

— Ses perles ? Je croyais que le grand capitaine les avait vendues à un usurier.

— Pourquoi aurait-il fait une chose pareille ?

— Les hommes d'armes ont toujours besoin d'argent. C'est l'argent qui remporte les guerres.

— C'est ce que pensent ceux qui n'ont jamais combattu.

Alvise se redressa comme si on l'avait giflé.

— Pourquoi êtes-vous venu, cardinal Orsini ? Pour ma sœur, pour l'émissaire français, ou pour autre chose encore ?

Toujours la même question. Giulio regarda les larmes qui striaient la soie écarlate de sa tunique. Alvise fut surpris de le voir sourire.

— Je suis là pour tenter la seconde navigation.

L'expression d'Alvise changea. On pouvait reprocher beaucoup de choses au cardinal Cornaro, mais certainement pas d'être inculte. Il connaissait presque par cœur les *Dialogues* de Platon.

Altivole, printemps 1493

— La seconde navigation est celle qui ne suit pas les vagues, le vent et le courant. Elle est âpre, difficile, souvent douloureuse. C'est un voyage à l'intérieur de soi-même.

Pietro Bembo posa le livre et regarda l'assistance. C'était l'une des premières journées assez douces de l'année ; les courtisans étaient assis sous la pergola de glycines de la villa d'Altivole. Les fenêtres grandes ouvertes laissaient entrer le soleil dans la maison, où un peintre venu de Venise travaillait avec ses assistants. Plus loin, au-delà du mur d'enceinte, les paysans labouraient les champs. L'odeur de terre fraîche remontait par moments jusqu'à la pergola.

— Un voyage à l'intérieur de soi-même ? Je ne comprends pas, monsieur Bembo.

Lisa Priuli, perplexe, balaya une mèche sur son front.

— C'est pourtant clair : la vérité est enfouie dans notre âme. Il nous faut juste aller la chercher.

— La vérité nous a été révélée par le Seigneur, répondit Lisa en jetant un coup d'œil soupçonneux au livre. Marsilio Ficino ? Cela ne m'étonne pas, c'est un hérétique.

— Marsilio est un grand philosophe, pas un hérétique. Sinon, Laurent de Médicis n'aurait pas eu tant d'estime pour lui. N'ai-je pas raison, majesté ?

Catherine leva distraitement les yeux de la broderie qu'elle n'avait même pas entamée. Elle trouvait étrange d'être là, à Altivole, comme si rien n'avait changé, alors que tout était si différent. Pour elle, en tout cas. Depuis la mort de Pietro, le monde devenu opaque tournait autour d'elle comme un carrousel sans joie ni tracas. Vide de sens.

Le léopard qui somnolait sous les glycines, attaché à une chaîne dorée, bondit brusquement à l'approche d'un inconnu. C'était l'un des artistes qui travaillaient dans la villa.

— J'ai terminé les esquisses pour le salon de musique, majesté.

Le peintre posa un regard inquiet sur le léopard avant de dérouler ses croquis ; tout le monde se pencha dessus pour voir Vénus et Mars enlacés sur un enchevêtrement de fresques, entre abeilles, papillons et guirlandes de roses. Caché derrière des branches, un satyre les épiait.

— Cela vous convient-il, madame ? Je pense que cela correspond à ce que vous m'aviez décrit.

— Des roses dans une forêt ? observa Giulio Orsini, un sourcil arqué. Ce n'est guère crédible.

— C'est le symbole des Lusignan, excellence. Des roses rouge sang. Pour le corps de Vénus, j'ai pris comme modèle la statue que la reine a ramenée de Chypre.

Giulio hocha la tête : Catherine voulait donc une copie exacte des fresques du palais royal de Famagouste.

— La forêt enchantée du roi, murmura-t-il.

— J'aimerais y ajouter quelque créature allégorique : une licorne, ou peut-être un serpent. Altivole est un vrai paradis terrestre.

Le peintre fit un geste circulaire qui embrassait le jardin, mais s'interrompit d'un coup. Au loin, un cavalier galopait sur les champs qui venaient d'être labourés. Le cheval traversa le ruisseau dans une grande gerbe d'eau et en ressortit en sautant sur la berge, franchit l'entrée du parc sans ralentir et s'arrêta en se cabrant devant la pergola.

— Seigneur Cornaro ! s'écria Adriana. Quel superbe cavalier vous faites !

Giorgio descendit de sa monture, confia les rênes à un palefrenier et s'assit pour reprendre son souffle. Le prince Orsini alla examiner le cheval, caressa le cou blanc d'écume.

— Est-ce qu'il vous plaît, prince ? Je l'ai payé trop cher, mais j'en suis tombé amoureux, et le marquis de Mantoue m'a assuré qu'il possède un excellent pedigree.

Giorgio ressemblait à un bambin excité par un jouet tout neuf. Giulio sourit.

— Le marquis n'est pas homme à mentir à propos de ses chevaux. Cependant…

— Cependant ? dit Giorgio en fronçant les sourcils.

— Il est trop jeune pour supporter un mors aussi lourd. En outre, vous ne devriez pas l'arrêter aussi brusquement, sous peine d'endurcir sa bouche ; vous ne devriez pas non plus le laisser galoper à bride abattue, car il n'apprendra jamais à répondre à votre main. Pour finir…

— Quoi d'autre ?

— Votre garçon d'écurie ne s'en occupe pas bien. Il a le poil trop long. Faites-le promener et essuyez-le avec un chiffon, sinon il tombera malade.

Giorgio rappela le palefrenier d'un signe de tête. Depuis sa nomination au podestat de Brescia, il était plus habitué à l'adulation qu'aux critiques, mais il n'était pas stupide. Aucun Cornaro ne l'était.

— J'appliquerai vos conseils avec soin, prince. Le fait est que je me sens euphorique, aujourd'hui.

— Les actions de la banque Pisani ont encore grimpé ?

Giorgio hésita. Il préférait garder secrète la véritable raison de son bonheur. Il venait de quitter la maison de Luisa Floriani, où il avait passé la matinée à jouer avec leur fils Marco. Un parfait petit Cornaro aux cheveux blonds. Mieux valait ne pas en parler devant les courtisans : après tout, Luisa était une femme mariée.

— Les actions des Pisani montent, c'est vrai, admit-il en s'asseyant à côté du peintre, sous les glycines, un verre de vin blanc à la main.

À Altivole, les artistes étaient toujours conviés à se joindre aux invités. Cela n'arrivait nulle part ailleurs. Giorgio ferma les yeux à moitié : quel plaisir que de baigner dans la lumière du soleil, savourant sa joie. Les voix des demoiselles chantaient comme l'eau du ruisseau. Olimpia, Lisa et Adriana, une blonde, une rousse et une brune. Les trois Grâces. Il était bien tenté de les faire peindre sur le plafond de sa chambre à coucher, à Brescia, quoi qu'en dissent les notables. Il regarda Catherine penchée sur sa broderie. La plus ravissante parmi toutes, même si son visage était tel un livre clos. Il soupira.

— J'ai besoin de te parler.

Aussitôt, les courtisans se levèrent et se dispersèrent dans le jardin. Le peintre roula ses croquis.

— Dès que vous aurez terminé à Altivole, lui dit Giorgio, pensez à venir à Brescia. Je souhaite vous confier un travail. Les trois Grâces. Nues, évidemment.

L'artiste s'inclina, rouge d'émotion : le palais du podestat de Brescia ! Cela dépassait ses rêves les plus fous ! Et les Cornaro savaient se montrer généreux... Avant de partir, il observa un instant le visage de Giorgio, beau et radieux comme un Apollon triomphant. Il l'ajouterait aux côtés des Grâces.

— Des espions ! Il faut découvrir qui ils sont, et vite, s'écria Giorgio après que tout le monde fut parti.

Catherine secoua la tête avec lassitude.

— Les preuves d'immoralité qu'Antonio Pisani prétend détenir ne sont que les vers d'une chanson de Demetrio.

— Des vers qu'un page ne devrait pas oser écrire à sa reine.

— Demetrio est un trouvère. Et tu sais pertinemment qu'il ne s'intéresse pas aux femmes.

— Je sais également que la sodomie est punie par la mort. Là n'est pas la question. L'important, c'est qu'il y a des espions dans ta cour. N'ai-je pas raison, prince ?

Les yeux mi-clos, Giulio hocha la tête. Son sang-froid avait quelque chose d'inquiétant – d'aussi inquiétant que le léopard couché à ses pieds.

— Je m'en occuperai dès mon retour à Rome.

Giorgio poussa un soupir de satisfaction et porta son attention sur le palefrenier qui promenait son cheval sur le pré.

— Oh, vous partez alors que la chasse au sanglier est sur le point de commencer ? dit Catherine distraitement. C'est votre gibier préféré.

— Je me méfie des Borgia, madame. Surtout avec l'un d'entre eux comme pontife.

— Les Catalans... À Chypre, ils avaient la réputation d'être des fauves déguisés en hommes.

— Peut-être, mais les fauves n'attaquent pas tant qu'on ne les provoque pas, répondit Giulio en caressant la tête du léopard. Je n'ai nulle intention de les provoquer. Si je rentre à Rome, c'est d'ailleurs pour obéir au pape.

— Et pour engager des soldats supplémentaires.

— Aussi. Quoi qu'il en soit, je vous promets de revenir dès que j'aurai garni mes châteaux. Et je vous rapporterai les noms des espions.

Sous le soleil déclinant, des ombres s'allongeaient sur la roseraie et les champs. Les paysans continuaient de labourer et ne s'arrêteraient qu'à la tombée de la nuit. Catherine les regardait d'un air absent. Giulio lui prit la main.

— Oubliez Pietro Mocenigo, madame. Ou alors, priez pour lui. Il n'y a rien d'autre que vous puissiez faire.

— « Faire » n'est pas le mot juste ; « attendre », plutôt. La mort m'a tout pris. Il ne me reste qu'à attendre qu'elle me prenne, moi.

— Sottises ! protesta Giorgio.

Il aimait tellement la vie qu'il trouvait inconcevable que l'on pût souhaiter mourir.

Le soleil avait disparu derrière les collines, l'obscurité s'emparait peu à peu de la pergola. L'heure du dîner approchant, les courtisans s'acheminaient vers la villa. La main abandonnée de Catherine reposait dans celle de Giulio.

— Une minute avec Pietro me suffirait. Juste une minute. Je vois son image partout, comme dans les éclats d'un miroir brisé.

— Oublie cette prophétie absurde, l'interrompit Giorgio. Regarde autour de toi, c'est une soirée merveilleuse.

— Inutile de regarder le monde quand on est incapable de le voir, monseigneur, répondit Orsini.

Il prit Catherine par le bras pour l'aider à se lever, puis tira sur la chaîne du léopard qui bondit sur ses pattes avec un rugissement étouffé. « Les fauves », songea le prince. « Pourquoi les gens les craignent-ils autant ? Ils sont certainement moins sournois que les hommes. »

Rome, été 1493

— Du poison ! s'écria, horrifié, le cardinal Alvise Cornaro.

Dans la chaleur torride, les miasmes du fleuve Tibre remontaient jusqu'aux palais sur les collines.

— Ne pourrait-il pas s'agir de fièvre tierce ?

— Poison, répéta le médecin.

Il parlait à voix basse pour ne pas être entendu par Burkhard, l'imposant majordome allemand qui montait la garde tel un lansquenet.

— Toujours le même poison, en plus. Ces gens n'ont aucune fantaisie.

Il se permit de sourire, Alvise le foudroya du regard.

— Heureusement que vous n'en avez pas ingéré beaucoup, éminence. Sinon, vous auriez connu le sort du cardinal de Castellesi.

— Que voulez-vous dire par là ?

— Le pauvre homme a rendu l'âme ce matin, à l'aube, après d'intenses douleurs à l'estomac. Le coupable serait prétendument un malvoisie avarié, mais je n'ai jamais vu un vin provoquer une mort pareille.

Après une pause, il ajouta :

— Le cardinal était l'un des prélats les plus riches de Rome.

— Insinuez-vous que…

— Oui, éminence. Ces derniers temps, il y a eu trop de décès suspects.

— Mais… Je n'ai pas d'ennemis.

Le médecin haussa les épaules et prit la bourse pleine d'argent que le majordome lui tendait.

— Je repasserai vous examiner demain. Restez à jeun jusque-là.

Il s'inclina et sortit. L'instant d'après, Tullia Farnese fit irruption dans la pièce comme une furie. Elle portait une robe de soie cramoisie et un collier de perles dont Lucrèce, la fille du pape elle-même, était supposément jalouse. Tullia avait également des plumes rouges dans les cheveux et un châle pourpre sur les épaules. Son petit page maure la suivait.

— Ah, Tullia !… articula le cardinal. Comment faites-vous pour devenir plus belle de jour en jour ? Moi, j'ai l'impression d'être à l'article de la mort.

— Ne vous plaignez pas, Alvise, vous pourriez l'être réellement. À Rome, on meurt facilement ces jours-ci – surtout les cardinaux, dont les biens reviennent ensuite à l'Église. C'est-à-dire au pape.

Burkhard sursauta et Alvise blêmit encore plus.

— Le poison vient d'Espagne, poursuivit Tullia. Il ne laisse aucune trace ; appliqué sur un gant ou une lettre, dissous dans du liquide, il infecte rapidement le sang.

— Fadaises. Il n'existe rien de tel.

— Si, ils l'ont même proposé au roi d'Angleterre, qui l'a refusé. Trop dangereux.

Alvise tourna de l'œil. Son majordome prit peur.

— Monseigneur a besoin de repos, madame. Il vaut peut-être mieux le laisser dormir.

— Dormir ? L'heure est grave ! Les Borgia sont en train d'éliminer les hommes les plus puissants de Rome. Chaque matin, de nouveaux cadavres affleurent dans le Tibre. À ce rythme, même moi, je me retrouverai à leur merci.

— Alexandre VI a toujours été l'un de vos admirateurs les plus dévoués, madame.

— Dévoué ? Tout sauf cela.

En regardant Tullia attentivement, le majordome égaré se rendit compte que, sous la robe, les plumes et les perles, se cachait une femme terrorisée.

— L'autre soir, des sicaires ont pénétré dans le palais de Cerveteri, continua Tullia d'une voix à peine audible. Ils ont capturé le prince Orsini. Il est à présent enfermé au château Saint-Ange. Sous la torture.

Alvise se redressa avec une vigueur surprenante.

— Comment le savez-vous ?

— Mon page nègre connaît le bourreau. Il se laisse aller aux confidences, persuadé que mon page ne comprend rien. Le pauvre homme a besoin de soulager sa conscience.

Brescia, été 1493

Face au miroir, Giovanna Morosini ôta sa coiffe et démêla ses cheveux. Ils tombaient jusqu'à terre en une masse dense et ondulée de couleur acajou, qui arracha des cris admiratifs aux couturières venues lui apporter sa nouvelle robe de bal. Elles avaient immédiatement compris que la jeune femme n'aurait pas besoin de leurs conseils : sans une seconde d'hésitation, elle avait choisi le modèle, la couleur et les accessoires assortis, des perles et des plumes à la dernière mode. Giovanna étudia son reflet dans la glace et hocha la tête, satisfaite. Le velours couleur mousse donnait une teinte verte à ses yeux noisette, tandis que la dentelle crème du décolleté rehaussait la candeur parfaite de sa poitrine. Giovanna retint son souffle pendant que les tailleuses serraient les lacets du corset. Pourquoi diable avait-elle supporté pendant des années le cilice, les habits grisâtres, le bonnet, et le rosaire pour unique bijou ? « Parce que je n'avais pas d'autre choix », se dit-elle. La rencontre avec le podestat avait bouleversé sa vie. Seul Giorgio Cornaro aurait osé demander au père de Giovanna d'offrir à sa fille une robe pour le bal d'été ! Et son père s'était empressé d'obéir. Elle sourit à part elle. Peut-être le vieux radin espérait-il la marier au podestat. Une Morosini avec un Cornaro, la perspective était séduisante ; Giorgio était un homme incroyable, et ses fêtes, ses bals, les chevaux, la chasse, le palais à Venise… Tout était incroyable.

— Les brillants, ordonna-t-elle à la femme de chambre.

Le collier appartenait à sa mère, qui l'arborait le jour de son mariage. Il ne lui avait pas porté bonheur, puisqu'elle était morte jeune. Giovanna n'était pas superstitieuse en matière de bijoux, et les pierres blanches allaient parfaitement avec la robe verte. Les hommes accordaient une telle importance aux apparences. Elle regarda la couleur du ciel : il était temps de se rendre au palais du podestat. Soudain, un coup de tonnerre fit trembler les vitres.

— De la pluie au bal de l'été, maugréa l'une des couturières. C'est mauvais signe.

Une violente averse éclata, martelant les fenêtres. Un bruit lourd, assourdissant.

— Il grêle. Adieu récoltes.

« Ces pécores ont vraiment décidé de me ruiner la soirée », pensa Giovanna, excédée. Elle posa le miroir d'un geste abrupt. Elle mourait de faim.

— Prévenez ma tante que je suis prête.

En descendant les escaliers, Giovanna entendait les couturières chuchoter dans son dos.

— Son excellence le podestat est furieux. Une lettre anonyme au Conseil… La reine aurait un page comme amant.

— Ça n'aboutira nulle part, ricana une autre. Les Cornaro sont puissants. Et puis, son excellence a de quoi se réjouir, avec le fils que lui a donné madame Luisa Floriani. On raconte qu'il est follement amoureux d'elle.

— Ah, si la pauvre abbesse était encore vivante !… La femme de son neveu, l'une des familles les plus illustres de Padoue…

— Le podestat ne s'intéresse pas aux autres femmes. C'est pour cela qu'il n'est pas encore marié.

Affectant l'indifférence, Giovanna continuait de descendre les marches, mais ses pensées bouillonnaient. Un fils ! Giorgio Cornaro avait un fils, aimait une autre femme et ne voulait pas se marier. Elle devait trouver le moyen de lui faire changer d'avis.

Il y avait toujours un moyen.

Malgré la pluie battante, Adriana Marcello se présenta au bal de l'été avec une robe de mousseline blanche presque transparente. Les demoiselles de Brescia en restèrent bouche bée : elles n'avaient jamais vu une femme aussi belle habillée de manière aussi scandaleuse. Pourtant, l'homme qui l'accompagnait, le séduisant Filippo Cornaro, cousin de la reine, ne paraissait absolument pas choqué, au contraire. Les autres courtisans qui formaient la suite de Catherine entrèrent peu à peu. Lorsque la reine de Chypre elle-même apparut enfin, les chuchotements redoublèrent : elle portait une robe rose pâle et une résille de perles sur sa chevelure ondoyante, épaisse et très blonde. Pas de diadème. Pas de plumes. Grande, souple et élancée. Dans sa simplicité, elle ressemblait à une jouvencelle.

— Dans le Levant, on l'appelait la Sirène, susurra l'une des invitées.

— C'est la première fois que je vois une femme marcher avec une telle grâce... On dirait vraiment une sirène.

— Les sirènes ne marchent pas, voyons ! C'est l'abbesse de Padoue qui lui a appris à se déplacer ainsi. C'est à cela qu'on reconnaît ses novices.

— Oh, voilà le page...

Les regards des demoiselles glissèrent furtivement sur Demetrio, qui entrait à ce moment-là avec le lévrier de Catherine au bout d'une laisse. Les convives se promenaient dans le salon tout en commentant les fresques à peine esquissées par le peintre venu d'Asolo. Puis, soudain, toutes les têtes se tournèrent vers la porte. Adriana Marcello écarta le visage de l'épaule de Filippo et fronça les sourcils. Une jeune femme se tenait immobile sur le pas de la porte, l'air intimidé ; son ample décolleté à peine couvert de dentelle émergeait d'un nuage de velours vert mousse. Un collier de diamants et une voilette brodée tenue par deux peignes en ivoire rehaussaient la délicatesse de ses traits.

— Quelle perfection, murmura Adriana. Même moi, je ne saurais pas mieux faire.

Giorgio Cornaro se détacha du groupe auquel il était en train de montrer les fresques pour aller accueillir la nouvelle arrivante.

— Mademoiselle Giovanna, s'exclama-t-il.

Puis il se tut, comme si les mots lui manquaient. Il l'accompagna à travers le salon jusqu'à la table, où il lui avait réservé une place à côté de lui.

— Où est passé son bonnet ? persifla Lisa Priuli. Je devrais peut-être en porter un, moi aussi, vu le résultat.

Le podestat fit signe aux musiciens. Le soleil couché, l'heure était venue d'ouvrir le bal. Une pavane. Filippo invita Adriana à danser. Elle tressaillit en sentant ses mains glisser dans son dos : le plaisir se fondait dans l'humidité oppressante de la nuit.

— À quand les noces ? demanda quelqu'un.

Adriana se contenta de sourire. « Quand ma tante, la dogaresse, voudra bien se décider », pensa-t-elle. La vieille sorcière ne devait surtout pas apprendre que la dot n'était plus un problème : l'argent de Pisani serait amplement suffisant. Au moins pour démarrer. La main de Filippo lui caressa la nuque. Lui non plus ne devait se douter de rien. Malheur s'il venait à découvrir l'origine de l'argent qui lui permettrait de maintenir ses serviteurs, ses chevaux et ses faucons ! Adriana ne cessa de sourire. Ah, les secrets !... Le sel de l'existence. Le dos arqué, elle s'abandonna au rythme de la danse.

À l'autre bout de la salle, Giorgio glissa quelques mots à l'oreille de Giovanna, qui baissa modestement la tête et le suivit vers les musiciens. Adriana ne put s'empêcher de les observer pendant qu'ils dansaient. Giovanna ne commettait aucun faux pas, alors que Giorgio, d'habitude un excellent danseur, perdait parfois le rythme.

— Bizarre, dit Adriana à Filippo. Je croyais que les Morosini n'aimaient pas la musique.

— En effet. Je suis étonné de voir mademoiselle Giovanna danser aussi bien.

— Elle a dû apprendre, si elle espère épouser un Cornaro.

Filippo ouvrit de grands yeux.

— Giorgio en aime une autre ! Ils ont même un fils.

Adriana réprima un geste d'impatience. Comment pouvait-on être aussi naïf ? L'espace d'une seconde, elle éprouva une sensation d'agacement qui s'évanouit aussitôt. Elle se reposa langoureusement contre son épaule.

Une villa au bord du lac de Bolsena, septembre 1493

Alvise Cornaro était bouleversé. Il n'avait pas touché au dîner que le Catalan Lopez de Haro avait, lui, dévoré, malgré la chaleur exténuante. L'ambassadeur de la cour vaticane était arrivé en carrosse dans l'après-midi, soulevant un épais nuage de poussière avec son escorte de hallebardiers armés jusqu'aux dents. Comme tous les Catalans, il portait des vêtements luxueux, mais le voyage les avait salis. Dès sa descente de voiture, Burkhard lui avait proposé de se rafraîchir ; au grand effarement du cardinal et du majordome, Lopez avait demandé de passer immédiatement à table, après s'être à peine rincé les mains dans une bassine. À présent, assis devant les reliefs du repas, Alvise attendait nerveusement de connaître le motif de sa visite. Il avait tenté de garder secret le lieu de sa retraite – sans y réussir, de toute évidence. L'inquiétude qui le tenaillait ne transparaissait pas sur son visage : ses années passées au service de l'Église n'avaient pas été vaines. Lopez allait bientôt abattre ses cartes. Que faisait-il à Bolsena ? Comment et par qui avait-il découvert cet endroit ? Était-il venu pour le traîner dans une cellule au château Saint-Ange, avec le prince Orsini ? On racontait que le Tibre charriait quotidiennement de nouveaux cadavres anonymes que la torture avait rendus impossibles à identifier.

Les ennemis des Borgia. Alvise faisait partie de ceux qui n'avaient pas voté pour Rodrigo à l'élection pontificale, et qui avaient conseillé à Giulio Orsini de ne pas lui vendre Cerveteri. En outre, il était riche... Lopez gardait le silence, écoutant le ruissellement de la fontaine et le roucoulement des colombes au crépuscule.

— Quelle villa magnifique, cardinal Cornaro. Pensez-vous y rester encore longtemps ?

— Jusqu'à la fin de l'épidémie à Rome. Il paraît qu'on ne compte plus les morts.

« Et pas seulement à cause de la peste », ajouta-t-il intérieurement.

— Le pape m'envoie vous dire qu'il regrette votre absence, cardinal Cornaro.

— C'est me faire trop d'honneur.

— Vous êtes parti dans une telle précipitation, sans l'avertir, qu'il en a été profondément troublé. Alexandre VI vous considère comme un ami : les Catalans accordent une importance considérable à l'amitié, à tel point que le pape a pardonné sa trahison au prince Orsini.

Alvise tressaillit.

— En échange, le prince lui a cédé son fief de Cerveteri, y compris sa fameuse bibliothèque.

La bibliothèque ! Les manuscrits, les miniatures, les traités de Marsilio Ficino... L'inquiétude d'Alvise grandit tellement qu'il craignait de ne plus pouvoir se contrôler. Prenant son calice de malvoisie, il se leva et fit quelques pas vers la fontaine. Lopez le suivit.

— Entre nous, cardinal Cornaro, j'ajouterai que Tullia Farnese a joué un rôle considérable dans leur réconciliation : elle a offert son célèbre collier à Lucrèce Borgia pour ses noces, en implorant le pardon pour Orsini. Son geste a ému Alexandre VI. Quel père aurait pu y rester insensible ?

Les perles de Tullia, celles qu'Alvise lui avait données ! Son calice heurta la fontaine et se brisa en morceaux.

— Qu'est-ce que le pape attend de moi ?

— Oh, juste quelques conseils. Il a entendu parler de votre palais à Venise et il souhaite restaurer ses appartements au Vatican. Votre goût esthétique ainsi qu'un modeste prêt lui seraient d'une aide précieuse.

Alvise soupira.

— Avec plaisir.

— Vous n'imaginez pas mon soulagement de pouvoir apporter cette nouvelle au pape. Considérez-moi toujours votre dévoué serviteur, éminence.

— Je vous demanderai simplement une chose. Recommandez la santé du prince Orsini à Alexandre VI. Elle me tient à cœur.

Il espéra que le message était suffisamment clair : la réfection des appartements papaux en échange de la vie de Giulio.

Lopez comprit parfaitement.

— Rassurez-vous, cardinal Cornaro. J'enverrai mon médecin personnel auprès du prince. Les Catalans ne trahissent jamais leurs amis.

« Oh, bien sûr », se dit Alvise. « Tout comme les fauves. »

Rome, hiver 1493

La lumière était aveuglante pour un homme habitué au noir. Giulio se serait effondré si les gardes suisses ne l'avaient pas soutenu jusqu'au carrosse arrêté devant le pont-levis du château Saint-Ange. Les rideaux étaient tirés : la personne qui l'attendait ne voulait pas être reconnue. L'un des Suisses dut soulever le prince pour le faire monter, car ses jambes étaient inertes.

— Giulio, enfin. Vous m'avez manqué.

Orsini tressauta. Cette voix… Impossible. La joie était trop forte pour un homme aussi faible.

— Capitaine d'Aragon. Que faites-vous ici ? Vous êtes au service du pape, à présent. Voulez-vous vous mettre à dos toute cette ville de chiens ?

— Je croyais que vous aimiez les chiens, Giulio. Je me rappelle qu'à Cerveteri, vous nourrissiez même les loups.

Diego d'Aragon, l'homme que l'on surnommait « grand capitaine » car il n'avait jamais connu la défaite, se mit à rire doucement.

— J'ai changé. J'ai passé beaucoup de temps dans cette geôle. Combien, exactement ?

— Trois mois.

— Je ne pensais pas en sortir vivant. Vous prenez trop de risques en restant avec moi, capitaine. Partez avant qu'il soit trop tard.

Diego ne se départissait pas de son sourire.

— Vous n'avez pas d'ordres à me donner, prince.

Le carrosse remonta lentement la rive du Tibre, dans le tohu-bohu de la foule, jusqu'au palais Orsini. Le prince fronça les sourcils : où étaient passés les gardes ? Le cocher ouvrit la porte de la demeure. À l'intérieur, les salles étaient vides et les fenêtres claquaient au vent avec un bruit sourd.

— Vos hommes se sont enfuis, le palais a été saccagé. Je suis navré, prince.

— Mes tableaux, les manuscrits, les statues antiques...

Diego ne dit rien.

— Les Borgia n'avaient qu'à me les demander. Dans ma situation, je n'aurais certainement pas refusé.

— Ce ne sont pas les Borgia, mais les Français qui ont pillé votre maison. Charles VIII est entré à Rome avec ses troupes. Il souhaitait obtenir l'aval du pape avant d'envahir le royaume de Naples, mais Alexandre VI s'est barricadé dans le château Saint-Ange et a refusé de le recevoir. C'est alors que les pillages ont commencé. Ensuite, Charles s'est lancé à la conquête de Naples sans la permission du pape.

— Et vous, capitaine d'Aragon ? Comment se fait-il que vous ne vous soyez pas précipité pour défendre Naples, le royaume de votre père ? Alphonse est votre frère, après tout.

— Demi-frère, corrigea Diego. Il me déteste. Je suis un enfant illégitime, mais la véritable raison est ailleurs. Alphonse me hait parce que le vieux roi Ferrante m'aimait plus que lui, de même qu'il aimait ma mère plus que la sienne. Et aussi parce que je n'ai jamais perdu la moindre bataille. Je crois qu'il me craint plus que les Français. Quoi qu'il en soit, il s'est enfui à Ischia, en sécurité.

— Les Aragon risquent d'être anéantis !

— Ce ne sont pas toujours les victoires qui déterminent l'issue de la guerre, Giulio.

— Quoi d'autre ?

— Le temps, les ravitaillements, les maladies.

Un bruit de pas retentit dans les pièces vides.

— Enfin ! s'exclama le grand capitaine. Vous êtes en retard. Le prince commence à être fatigué.

— Je vous demande pardon, excellence. Traverser la ville est devenu une épreuve, surtout quand on transporte du bois et de la nourriture. Les gardes du cardinal Cornaro ont dû se frayer un chemin à l'épée.

Quelques serviteurs apportèrent une table et des chaises, une nappe en lin, des candélabres et, pour terminer, un lit. Ils arrangèrent le tout avant d'allumer un feu dans la cheminée. Giulio plissa les yeux : il y voyait flou. Était-ce un rêve ? Qui était ce géant en livrée écarlate ?

— Je peux vous garantir que vous dînerez dignement, prince. J'ai personnellement supervisé le cuisinier. Le cardinal Alvise viendra vous voir demain.

— Burkhard ! fit Giulio en se levant si brusquement qu'il faillit tomber. Je ne pensais pas vous revoir un jour.

— Moi non plus, excellence, répondit le majordome en posant un genou à terre.

Les serviteurs mirent le couvert avec une attention méticuleuse : argenterie, assiettes blanches et calices de Murano rose pâle.

— Fragiles et transparents comme les larmes d'une femme, balbutia le prince, les yeux humides.

Ces saveurs, ces couleurs, toute cette beauté le remplissaient d'une telle joie qu'il faillit se sentir mal.

— Où est Tullia ? Pourquoi ne dîne-t-elle pas avec nous ? Je lui dois la vie. Moi, le prince Orsini, je dois la vie à une courtisane...

Il éclata d'un rire sans allégresse.

— Mangez, Giulio. Que préférez-vous ? Poulet, jambon, ou gélatine de cerf ?

Le grand capitaine lui remplit l'assiette. Ses yeux, noirs et profonds comme le ciel, possédaient une intensité étrange. Presque une promesse muette.

Le prince se perdit un instant dans son regard, puis se força à avaler quelques bouchées de nourriture.

— Désolé. Je n'ai plus l'habitude. Peut-être que, demain, j'aurai retrouvé l'appétit.

Il s'abandonna contre le dossier de sa chaise. Les silhouettes qui l'entouraient redevinrent floues. Il avait l'impression d'être un pantin contrôlé par un marionnettiste. Il sentit les mains fortes de Diego d'Aragon qui l'allongeaient sur les draps, puis le métal froid de sa bague tandis qu'il lui enlevait sa chemise. La soie de l'oreiller. Et, dominant tout le reste, ce parfum qui lui enserrait les tempes, grisant et poignant comme le bonheur perdu.

— Vous vous rappelez, Diego ? Notre première rencontre, en été. Les champs jaunes, un jaune aveuglant… La chaleur torride… La nuit, l'odeur du thym remplissait les chambres du château de Cerveteri. Vous vous rappelez ?

Une main posée sur les draps, le grand capitaine hocha la tête. Jaune et vert, ses couleurs préférées, les couleurs de ses armoiries. À son doigt, l'émeraude sertie dans le blason de la maison d'Aragon scintillait sur la blancheur immaculée du lin. « Je déteste le blanc », pensa Diego. Le blanc lui évoquait la force inéluctable du destin, à laquelle personne ne pouvait se soustraire. Lentement, il s'allongea à côté du prince et ferma les yeux.

Cerveteri, cinq ans plus tôt

Un été caniculaire écrasait la campagne romaine. Une compagnie de mercenaires sans solde, des gardes suisses du pape, écumait l'arrière-pays. Lorsqu'ils s'approchèrent des terres du prince Orsini, celui-ci demanda de l'aide à son ami, le roi Ferrante de Naples. Par une après-midi suffocante, tandis que les Suisses, ivres, bivouaquaient près d'un cours d'eau, une poignée de soldats à cheval apparut à l'improviste. Leur capitaine brandissait l'étendard de la maison d'Aragon. Rapides et redoutables, ils attaquèrent par surprise, sans laisser à l'ennemi le temps de charger ses arquebuses. À pied, engourdis par la chaleur et l'alcool, ils furent une proie facile pour les massues des cavaliers. Les rescapés s'éparpillèrent dans les blés et les hautes herbes, où les chevaux peinaient à avancer. Le prince Giulio Orsini sortit du château pour remercier personnellement le capitaine inconnu. Il remarqua que l'homme portait une écharpe jaune, et son étalon un caparaçon vert frappé des armoiries royales. Ce ne pouvait être que

Diego d'Aragon, le fils illégitime du roi de Naples, son préféré.

— Quel honneur vous me faites, *señor*. Veuillez accepter mon hospitalité.

Le capitaine opina avant d'ôter son heaume ; l'écharpe jaune offrait un contraste marqué avec son visage : cheveux noirs, yeux marron, ou bleu foncé comme un ciel d'automne. « Peut-être que la rumeur dit vrai », pensa Orsini. « Sa mère, une dame de Valence, aurait eu du sang mauresque. » Le profil aquilin, cependant, appartenait indéniablement à son père Ferrante. Diego ne parlait toujours pas. « Drôle d'individu », songea encore Giulio, « drôle de style au combat, et drôle de façon de monter à cheval, comme s'il dansait. »

— Pourquoi le jaune et le vert ? lui demanda-t-il de retour au château.

— Le jaune pour la force, le vert pour libérer l'esprit.

Giulio sourit. Libérer l'esprit… Un ancien précepte ésotérique peu connu. Ils dînèrent en bavardant de tout et de rien – art, musique, courtisanes. À l'aube, ils descendirent dans les écuries. Le capitaine d'Aragon sella personnellement son étalon andalou, attacha le caparaçon et le poitrail tout en lui murmurant des paroles en catalan. Le prince l'observait, fasciné. Ils combattirent ensemble jusqu'au soir. Les Suisses étaient bien armés, courageux et aux abois. Ils savaient ce qui les attendait en cas de défaite : le gibet. Leur chef, un géant roux qui portait une amulette autour du cou, réussit à désarçonner le prince et allait le transpercer avec sa lance lorsque Diego abattit sa massue sur son bras. Le géant tomba à terre et s'agenouilla en signe de capitulation. Au même moment, l'étalon andalou s'écroula. L'épieu du lansquenet l'avait blessé à mort. Diego sauta de selle pour ne pas être écrasé. Ignorant l'homme à genoux, il regarda longuement sa monture agonisante. Les autres mercenaires déposèrent les armes. Le silence se fit. La bataille était terminée.

— Je vous demande pardon, *señor*. Je ne voulais pas frapper votre cheval.

Diego leva la tête.

— Quel est votre nom ?

— Ghul, monseigneur. J'implore votre grâce. Je serai à jamais votre serviteur, sans rien prétendre en échange. Juste ma vie et celle de mes hommes.

— Non, murmura le prince Orsini. Ce sont des mercenaires. Ils vous trahiront à la première occasion.

— Il m'a demandé pardon pour le cheval. Cet homme sait ce qu'est l'honneur.

Le capitaine enleva lentement son gant. L'accord était scellé.

Palais Orsini, janvier 1494

Diego sourit en pensant à Ghul. Ce dernier avait toujours respecté la parole donnée et, même s'il n'avait rien réclamé, il avait obtenu quelque chose en échange. Pendant ces cinq années, Diego n'avait pas perdu une seule bataille. Aux yeux de tous, il était désormais le grand capitaine d'Aragon, et le géant roux était devenu son lieutenant : en tant que tel, il touchait un tiers du butin, qu'il partageait équitablement avec ses hommes.

Diego veillait le prince qui dormait d'un sommeil agité. Il écarta les cheveux collés sur son front humide. « Quoi de plus précieux qu'un ami et un cheval de guerre ? » se demanda-t-il en sortant du lit. Du fond de la nuit noire, un chant solitaire s'éleva dans la rue – un ivrogne, ou peut-être un amoureux désespéré. Diego prit la plume et, assis sur le lit, se mit à écrire. La lettre était adressée à l'empereur Maximilien.

« *Monseigneur, je ne viendrai pas à Innsbruck, comme je le désirais. Je ne peux accepter votre offre. Je porte le deuil. Vous savez certainement que mon père, le roi Ferdinand de Naples, est décédé. Son royaume a été envahi. J'ai appris que vous portiez vous-même le deuil. La femme que vous aimiez est morte.* »

Il s'interrompit. « Ah, l'espagnol, songea-t-il, cette langue si douce et fluide, capable de masquer si facilement la cruauté ! »

« *Certains considèrent que la guerre et l'amour sont des folies. Ce qu'ils ne voient pas, c'est l'autre face de la folie.* »

Le regard de Diego se perdit dans la nuit opaque. Cette lettre prenait une tournure extravagante.

« *Je ne viendrai pas à Innsbruck, monseigneur, tant que vous n'aurez pas déclaré la guerre aux Français. Seulement alors abandonnerai-je le deuil.* »

La voix mélancolique résonnait toujours dans la rue. Une chanson provençale, d'amour et de mort. Pourquoi allaient-ils si souvent de pair ?

Altivole, janvier 1494

Debout dans le salon de Catherine, Filippo Cornaro caressa nerveusement la tête de son chien.

— Majesté, je vous demande la permission d'épouser Adriana Marcello.

« Adriana est belle, pleine d'esprit, cultivée et même riche, grâce à sa tante », pensa Catherine. L'épouse idéale pour un gentilhomme. Dans ce cas, pourquoi ce pressentiment funeste ? Les prémonitions… Dans le Levant, personne ne s'en serait étonné. « Un fil distendu dans la trame », aurait dit Mistabel. Mais Chypre était bien loin.

— Si tel est votre désir, cher cousin…

Une ombre traversa les yeux bleus de Filippo.

— Quelque chose vous gêne ? Vous savez combien votre avis est important pour moi.

Il ajouta à voix basse :

— J'aime Adriana.

Catherine eut de la peine pour lui : les amoureux lui faisaient toujours de la peine.

— Je vous souhaite tout le bonheur du monde : vous avez du cœur et du courage, deux choses que l'on voit rarement réunies.

Elle tendit la main et lui se pencha aussitôt pour la baiser.

— Avec votre autorisation, j'aimerais annoncer nos fiançailles pendant le bal de carnaval au palais Cornaro.

Alvise avait organisé un bal masqué après le tournoi qui clôturait les festivités du carnaval. Étaient attendus à Venise les plus célèbres cavaliers de la péninsule, ainsi que l'empereur Maximilien, Ludovic Sforza, les marquis de Ferrara et Mantoue, et même l'ambassadeur du pape, monseigneur Lopez de Haro. À en croire la rumeur, le tournoi n'était qu'un prétexte pour se liguer contre le roi de France, Charles VIII, qui occupait Naples.

— Avez-vous décidé ce que vous porterez au bal, madame ?

Le visage de Filippo avait retrouvé sa candeur habituelle. Il était redevenu le gentilhomme affable, amateur de fêtes et de chasse.

— Quelle couleur ?

— Vert broché d'argent. Une robe que m'offrit mon mari, le roi de Chypre, il y a fort longtemps.

Une soie tellement légère à en être presque transparente. « Ma robe de mariée », pensa-t-elle. Mais elle ne dit rien.

— Vous n'allez pas me la décrire, j'espère, dit Filippo. C'est une raison supplémentaire pour attendre ce bal avec impatience. Pardonnez-moi, je dois prendre congé. Le soleil se couche, c'est l'heure de la chasse. Je ne voudrais pas que mes faucons s'énervent.

Il sortit rapidement, suivi par son chien qui remuait la queue.

— Vous renoncez enfin au deuil, majesté, murmura la naine Giacinta, assise dans un coin en train de broder.

Elle suivait la reine comme une ombre, au point que plus personne ne faisait attention à elle. Catherine secoua la tête.

— Je fais un rêve récurrent : je me promène avec Pietro sur les glacis quand, au loin, le roi apparaît. « Qu'as-tu fait de mon royaume ? me demande-t-il. Où est mon fils ? »

— Assez de remords, madame. Vous n'avez rien à vous reprocher.

Catherine observa en silence les trois Grâces au plafond, qui tenaient des guirlandes de roses rouge sang à la main.

— Pourquoi cette robe, madame ?

— Le vert est une couleur vive, parfaite pour déguiser la vérité.

— Au contraire. D'après le roi, elle permet de libérer l'esprit.

— Vraiment ? Comment sais-tu cela, Giacinta ?

— Il me l'a dit lui-même, un jour.

Dans un nuage de parfum, Adriana entra dans le salon. Les joues rouges d'émotion, elle rayonnait.

374

— Oh, majesté ! Vous avez donné votre accord ! Je ne pourrai jamais vous remercier suffisamment.

Catherine sourit : Adriana aussi aimait Filippo à faire peine.

— Peut-être qu'avec le temps, vous ne m'en serez plus tellement reconnaissante, mon amie.

Adriana éclata d'un rire mélodieux carillonnant comme des clochettes en argent. « Peut-être qu'avec le temps, elle perdra également ce joli rire », pensa Catherine. « Tout le monde devient plus raisonnable, avec le temps. »

Venise, février 1494

C'était un hiver anormalement froid. Chose jamais vue de mémoire d'homme, la lagune avait gelé. Le doge avait décidé d'organiser le tournoi de carnaval sur la glace. C'est donc sur la glace que l'on avait érigé les pavillons pour le public et les participants, ainsi que les abris pour les chevaux. Le résultat était stupéfiant. Les étendards et les rideaux multicolores qui se découpaient sur la blancheur immaculée donnaient à la lagune vénitienne des airs de pays enchanté.

Pour le dernier jour du carnaval, les meilleurs cavaliers de la péninsule s'apprêtaient à descendre dans l'arène : Galeazzo Sanseverino, Jacques de Trivulce, François Gonzague de Mantoue, Pandolfo Malatesta, seigneur de Rimini dépossédé, à présent au service de la République, Gerolamo Bentivoglio, seigneur de Bologne, et beaucoup d'autres. Au dernier moment, un noble français, Philippe de Commynes, s'était joint à eux pour représenter Charles VIII. Tous les concurrents devaient porter un masque. À la fin, le public élirait le meilleur, qui remporterait alors une somme considérable.

Le prince Giulio Orsini ne pouvait pas chevaucher – à cause des tortures infligées par les Borgia, disait-il. Il se promenait dans les tribunes en boitant, soutenu par deux superbes servantes arméniennes. Un murmure salua l'arrivée de la reine de Chypre avec ses frères, le cardinal Alvise et le podestat Giorgio. Catherine portait un manteau de fourrure blanche et, sur la tête, un voile blanc. Derrière elle, un page tenait un léopard en laisse. L'ensemble produisait un effet ravissant, et tous les regards restèrent fixés sur Catherine même lorsque les trompettes annoncèrent l'arrivée du doge, de la dogaresse et de l'empereur Maximilien d'Autriche. Alors que tout était prêt, le cavalier le plus attendu du tournoi, Diego d'Aragon, n'avait toujours pas fait son apparition.

Giulio Orsini grimpa difficilement sur la tribune d'honneur, où il salua le doge et l'empereur. Cependant, ses jambes raides, engourdies par le froid, ne lui permirent pas de s'asseoir.

— Où est le grand capitaine ? Qu'attend-il pour se montrer ? lui demanda Maximilien, courroucé.

Diego d'Aragon avait été désigné pour être son champion.

— Oh, il est là depuis des heures, majesté, mais il est en train de dresser son cheval. Bayard est agité à cause de la neige.

L'empereur hocha la tête en souriant.

— Comment ? s'étrangla le doge. Il s'occupe d'un cheval au lieu de venir présenter ses hommages à l'empereur ?

Il avait entendu dire beaucoup de choses sur Diego d'Aragon, mais pas qu'il était fou. Maximilien sourit à nouveau.

— Bayard est le cheval de guerre du grand capitaine, excellence. Pour lui, il n'y a rien de plus important au monde.

Le doge haussa les épaules. Quelque chose détourna son attention : une dame essoufflée montait sur l'estrade à ce moment-là et prenait place à côté de Giorgio Cornaro.

— Luisa Floriani, lui glissa-t-on à l'oreille.

Le doge fronça les sourcils. Comment osait-elle ? L'amante du podestat de Brescia, dont elle avait même eu un fils, sur la tribune d'honneur ! Et son mari était un parent de la révérendissime abbesse de Padoue... Comment osait-elle ? Il ne put s'empêcher de se retourner pour l'observer : robe bleue, yeux bleus, coiffure de plumes bleues. Belle comme une fée. Séduit, le doge en oublia le scandale. Il fallait admettre que Giorgio Cornaro était un homme de goût.

Une sonnerie de clairon : les écuyers des concurrents entrèrent sur le terrain. Déguisés en sauvages avec des peaux d'ours, brandissant gourdins et massues, ils se donnèrent en spectacle pour la plus grande joie du public.

— Quelles sont vos couleurs, madame ? demanda Giulio Orsini en se penchant vers Catherine.

Ses jambes lui paraissaient plus lourdes que les massues des écuyers.

— Noir et blanc, mon prince.

— Qui va les défendre ?

— Le marquis Bentivoglio. Il affronte Pandolfo Malatesta, qui porte le jaune et le rouge de la dogaresse.

L'empereur congédia les sauvages d'un geste de la main. Au loin, sur la blancheur aveuglante de la glace, les deux premiers concurrents partirent au galop l'un vers l'autre.

Diego d'Aragon regarda les cavaliers s'élancer à bride abattue sur la lagune gelée.

— Trop de précipitation, marmonna-t-il.

Une seconde avant l'impact, en effet, l'un des chevaux dérapa de manière spectaculaire. Son maître tomba à terre mais se releva aussitôt, sabre à la main.

— Monseigneur de Commynes est courageux, mais il chevauche mal et son étalon n'est pas dressé pour la neige. Il va perdre.

Ghul ricana doucement sans cesser de brosser Bayard, ravi de voir le champion du roi de France s'écraser face contre terre. Charles VIII n'avait pas payé ses soldats suisses pendant plusieurs mois, en leur promettant un riche butin une fois arrivés à Naples. À la place de l'or, les Français leur avaient donné une terrible maladie jusque-là inconnue, qui les décimait rapidement.

Philippe de Commynes jeta son épée, concédant la victoire ; après s'être incliné devant le doge et l'empereur, il quitta le terrain. Ghul caressa les naseaux de Bayard et enfila délicatement le mors dans sa bouche. L'étalon ne se laissait toucher par personne d'autre que Ghul et le grand capitaine. Il piaffait d'impatience, comme chaque fois qu'il sentait le combat approcher.

— Quelles couleurs défendrez-vous aujourd'hui, capitaine ?

Diego hésita : en fait, il ne s'était même pas posé la question. À ce moment-là, Giulio arriva en boitillant, aidé par les servantes arméniennes. Diego éclata de rire.

— Vous ne devriez pas forcer votre jambe sur la glace, mon ami. Pas même pour l'amour de ces jolies femmes.

— Il fallait que je vous voie. Il m'est venu à l'esprit une farce irrésistible. J'en ai déjà parlé avec le marquis Bentivoglio : il serait d'accord pour que vous preniez sa place contre Pandolfo Malatesta. Pandolfo veut gagner coûte que coûte, afin d'empocher la récompense destinée au vainqueur. Il n'hésitera pas à se montrer déloyal. Sauf qu'au lieu de Benti-voglio et sa santé fragile, il affrontera le grand capi-taine d'Aragon. Vous porterez les couleurs de la reine de Chypre. Qu'en dites-vous ?

Diego plissa les yeux. Malatesta... Un assassin qui, par jalousie, avait envoyé des sicaires tuer l'un de ses amis. Il n'avait même pas eu le courage de s'en charger lui-même. Malatesta... Un traître qui avait juré fidélité à la maison d'Aragon, pour ensuite offrir ses services au roi de France et, à présent, à la Sérénissime.

Diego acquiesça.

— Ce sera amusant.

Ghul, qui avait suivi la conversation, lui apporta un heaume noir avec un masque de soie blanche. Il accrocha ensuite deux fanons à l'extrémité de la lance, l'un noir et l'autre blanc. Les couleurs de Catherine.

À l'autre bout des pavillons, Pandolfo Malatesta enfilait son armure. Son masque ressemblait à un visage de Maure : les pupilles noires comme du charbon, dilatées et menaçantes, la bouche grande ouverte en un hurlement sauvage, des dents poin-tues de bête sauvage... Le masque était conçu pour inspirer la peur ; dans le cas présent, il suffirait à distraire Bentivoglio juste assez longtemps pour que Pandolfo le désarçonnât. La masse cloutée de Pandolfo – une légère entorse aux règles du tournoi – saurait ensuite persuader le marquis de se rendre. Personne ne voulait mourir pour un jeu. Et Bentivoglio n'oserait jamais protester contre le champion du doge. Un roulement de tambours. Il se hissa sur la selle.

— Qui est ce chevalier ? demanda Catherine à Alvise. Ce n'est pas le marquis Bentivoglio.

— Qu'est-ce que tu en sais ? Il porte un masque.

— Sa façon de chevaucher… Je n'ai jamais vu personne chevaucher de cette manière.

« À part un homme, termina-t-elle intérieurement, mais cela remonte si loin. » Elle le regarda galoper vers le centre de la piste avec une puissance contrôlée, tel un danseur, sans jamais tirer sur le mors.

— Tout ce que je sais, Catherine, c'est qu'il porte tes couleurs.

Pandolfo Malatesta s'élança furieusement à l'attaque. Pointant la lance vers son adversaire, il envoya tout son poids en avant pour le renverser. Vif comme l'éclair, l'autre s'écarta une fraction de seconde avant l'impact. Déséquilibré par sa propre fougue, Malatesta chuta violemment. Il lâcha un juron et empoigna le sabre d'une main, la masse cloutée de l'autre, ce dont quasiment personne n'était capable. La récompense était encore à sa portée. Il se prépara pour la charge de l'étalon adverse, mais il ne se passa rien. Le cavalier au masque blanc s'arrêta et descendit de selle. « Il a peur que je blesse son cheval avec la masse », pensa Pandolfo. « Imbécile. » Ce fut sa dernière pensée cohérente. L'instant d'après, il pliait sous une pluie de coups foudroyants qui l'envoya mordre la surface gelée de la lagune. Le goût du sang remplit sa bouche, il n'arrivait plus à respirer. Un coup d'épée puissant fendit sa cuirasse et la tiédeur du sang éclaboussa sa poitrine.

— De grâce ! implora-t-il. De grâce ! Je paie l'amende !

C'était la formule de capitulation.

Les coups cessèrent aussitôt. Sans ôter son masque, l'adversaire de Malatesta lui tourna le dos et remonta sur l'étalon gris qui l'attendait paisiblement non loin de là.

Seulement alors Pandolfo le reconnut-il.

— Bayard, bredouilla-t-il.

Et il s'évanouit.

Le tonnerre d'applaudissements était assourdissant. L'empereur se leva d'un bond, le doge l'imita
à contrecœur. Son champion avait perdu. Depuis
les tribunes, les dames jetaient des fleurs, des mou-
choirs, et même les plumes de leurs chapeaux. Le
cheval du vainqueur galopait en cercle tandis que
son cavalier agitait le gant en signe de remerciement.

— Le masque ! criaient les dames. Bas le
masque !

Le galop dansant, le chevalier en noir et blanc
s'approcha de l'estrade de la reine de Chypre. Inclinant le buste, il lui tendit le bout de sa lance, qui
portait ses couleurs. Catherine se pencha pour le
voir de près. Derrière le masque, ses yeux semblaient sourire. Des yeux étranges, d'un bleu profond comme un ciel nocturne, mélancoliques et
passionnés.

— Qui êtes-vous, monsieur ?

La réponse fut couverte par le roulement des
tambours qui annonçait la parade d'honneur. La
ferveur du public avait désigné le chevalier de
Catherine grand vainqueur du tournoi.

Diego mit pied à terre et lança sa monture au
galop guerrier le long des tribunes. Pendant que
Bayard gambadait au rythme persistant des tambours et des acclamations, le capitaine pensait à
la femme dont il avait involontairement défendu
les couleurs. Noir et blanc. Les couleurs du deuil.
En Espagne, les couleurs de la passion : amour et
mort allaient si souvent de pair. D'un geste imperceptible, il rappela Bayard, qui baissa la tête et
obéit immédiatement. Ôtant ses gants, Diego
enfonça les doigts dans sa crinière couleur perle.
Il se rendit compte que la dame l'observait de loin
avec son regard pervenche – le regard d'une sirène.

Et cette voix… Il ne quitterait pas Venise avant de l'entendre à nouveau.

Pandolfo Malatesta se croyait à l'article de la mort. Son sang coulait goutte à goutte dans la bassine à côté de son grabat ; dans le silence qui l'entourait, il avait l'impression que ses dernières forces l'abandonnaient. Même le médecin était parti sans avoir réussi à refermer la blessure. Un éclat de lumière lui fit battre les paupières. Quelqu'un venait d'entrer sous la tente.

— Bienvenue, grand capitaine. Juste à temps.

Lorsque Diego s'avança, Pandolfo remarqua une autre présence qui lui avait précédemment échappé : une femme très jeune, à peine sortie de l'enfance. Elle avait de longs cheveux roux dorés attachés avec une pince de turquoises. Dans la pénombre brumeuse, elle paraissait belle comme une nymphe. Elle se pencha sur lui afin d'examiner la plaie.

— La lame a pénétré en profondeur, mais elle n'a heureusement touché aucun organe vital.

Pandolfo vit la nymphe prélever une pâte bleuâtre dans un étui, puis l'étaler sur la blessure. Il serra les dents pour ne pas hurler.

— C'est une herbe désinfectante, monsieur. Maintenant, avec cette poudre, nous allons arrêter l'hémorragie.

Même s'il avait voulu résister, Pandolfo en aurait été incapable. Il était hypnotisé par les cheveux et les turquoises de la nymphe. Soudain, le sang ne coulait plus.

— Buvez cette infusion, monsieur, elle vous redonnera de l'énergie.

Pandolfo lui saisit la main.

— Qui êtes-vous ? D'où venez-vous ? Où avez-vous appris à utiliser les herbes ?

— Vous pourrez manger plus tard. Adieu, monsieur.

— Pourquoi faites-vous cela pour moi ? cria Pandolfo.

— J'obéis aux ordres du grand capitaine.

Le nuage de cheveux roux s'écarta de la paillasse et disparut dans l'obscurité. Le médecin revint quelques instants plus tard.

— Incroyable... L'entaille s'est refermée.

Des serviteurs apportèrent de la nourriture et du vin. Pandolfo se redressa sur les coussins ; Diego était toujours là, pas la nymphe.

— Vous avez failli me tuer, capitaine d'Aragon. Dans un tournoi, on ne se bat pas à mort.

— Dans un tournoi, on ne se bat pas avec des masses cloutées.

— C'est vrai, admit Pandolfo en haussant les épaules. La récompense, vous savez... J'ai besoin d'argent.

Diego jeta une bourse sur le lit.

— Tenez.

— Non, c'est vous qui avez gagné.

— Considérez cela comme un cadeau.

Pandolfo regarda la bourse pleine d'or, sans la toucher.

— J'ai vu vos yeux pendant que vous me frappiez : vous étiez en train de rire.

— Je ris toujours quand je combats, il n'y a rien de personnel. Je suis content de voir que vous êtes rétabli. *Adiós, señor*.

— Attendez ! La femme qui m'a soigné... Quel est son nom ?

— Delfina.

— Je veux la revoir. Elle a dit qu'elle était à votre service.

— Est-ce vraiment ce qu'elle a dit ?

Diego sortit de la tente et Pandolfo jura la bouche pleine. Maudits Catalans : d'abord, ils essayaient de le tuer, puis, ils lui sauvaient la vie. Et Diego qui riait en lui plantant une épée dans la poitrine... Rien d'étonnant, tout bien considéré : son père, le roi Ferrante, était fou. « Maudits soient les Aragonais, eux aussi. » Il ferma les paupières. Et rêva de la nymphe aux cheveux roux et aux pierres turquoise.

« Qui êtes-vous ? » lui demandait-il à nouveau. Les yeux verts de la femme, pareils à ceux d'un chat dans la nuit, se posèrent sur lui. « Comment, ne comprenez-vous pas ? Je suis une sorcière. »

Venise, la dernière nuit de carnaval, 1494

Le bal allait bientôt commencer. Les invités masqués débarquaient sur les gradins du palais Cornaro. Regardant par la fenêtre, Lisa Priuli les décrivait au fur et à mesure à la reine de Chypre, assise devant un miroir.

— Un groupe d'anges avec des ailes en carton ! C'est l'escorte d'Antonio Pisani. Oh, une Guenièvre splendide... Mais je la reconnais, c'est Giovanna Morosini ! Guenièvre sans Arthur ? Ah, non, le voilà qui marche vers elle ! C'est votre frère Giorgio, madame. Quel costume superbe !

— Voilà qui ne plaira guère à dame Luisa, marmonna Olimpia. Elle a réservé une surprise à monseigneur Cornaro : elle s'est déguisée en fée Morgane, avec le petit Marco habillé en elfe.

— Il est trop jeune pour ce genre de fête, dit Catherine en attachant son collier.

Les demoiselles échangèrent un regard entendu : la reine était déjà très attachée à son neveu, qui portait le nom de son père. Elle adorait les enfants, et Luisa le savait : c'était pour cela qu'elle avait emmené son fils au bal. La reine allait caresser l'enfant, ce que tout le monde interpréterait comme un acte de reconnaissance. Très astucieux.

Maria Bragadin aida Catherine à enfiler sa robe. Les demoiselles de compagnie poussèrent des petits cris admiratifs : une soie exceptionnelle… si fine qu'on pouvait serrer la robe entière dans le poing… les couleurs, les broderies… C'était la première fois qu'elles voyaient une robe pareille. « Et la dernière », pensa Maria : l'étoffe avait été tissée à Byzance, Byzance était tombée. Le vêtement appartenait à Hélène, petite-fille du dernier empereur et belle-mère de Jacques.

Catherine se regarda dans le miroir. Elle aussi pensait à la soie, à la façon dont elle avait glissé au sol, sans un bruit, la nuit de ses noces. L'espace d'un instant, elle crut apercevoir le reflet de Jacques derrière elle : habillé en noir et blanc, il souriait. Ce sourire qu'elle avait tant aimé… Peut-être le temps n'était-il qu'une illusion. Elle posa brusquement le miroir.

Catherine descendit dans la salle de danse, avec Giacinta et Demetrio qui soulevaient la traîne.

Pour la nuit de carnaval, le majordome Burkhard avait transformé le palais : cent chandelles roses illuminaient les fresques et répandaient un parfum léger dans l'air, tandis qu'au plafond, de grandes sphères de cristal capturaient leur lumière. Les masques dansaient au centre de la pièce. La musique des flûtes et des harpes enveloppait tout.

— Un palais enchanté. Il ne manque plus que la fée et le petit elfe, dit Giorgio en riant.

Il prit sa sœur par le bras et la conduisit vers l'orchestre.

— Arthur aimerait danser avec la Sirène.

— Les sirènes ne dansent pas, tu devrais le savoir.

Elle s'écarta gentiment. Depuis la mort de Pietro, elle avait arrêté de danser.

Des nymphes aux masques bariolés entraînèrent Arthur avec elles.

— J'adore cette robe.

Un Neptune armé d'un trident la saisit par la taille. Sous le masque brillaient les yeux bleus d'Alvise.

— Je me souviens très bien de ces broderies en argent. Un hymne à Aphrodite. Très inconvenant pour une jeune mariée…

Une Diane éblouissante, parée de voiles blancs et d'un diamant sur le front, apparut en haut des escaliers.

— Tullia Farnese en déesse de la chasteté. Quelle délicieuse ironie…

— Ne vous moquez pas de Tullia, Alvise. Je lui dois la vie.

Le prince Orsini proposa à Catherine un verre de malvoisie. Sous son visage maquillé moitié blanc, moitié noir, il portait une chemise en soie blanche et une veste de velours noir, ainsi qu'un pendentif en onyx au cou. Malgré la maigreur qui creusait encore ses traits, il avait l'air à la fois excentrique et très élégant.

— J'arbore vos couleurs pour me faire pardonner, madame : c'est moi le responsable du tour de passe-passe pendant le tournoi.

— J'étais confuse, je l'avoue. Le grand capitaine a une façon particulière de chevaucher.

— C'est le style des Maures d'Espagne. Les chevaliers chrétiens le leur ont emprunté, du temps des paladins.

— Les paladins !

Avec un bruit de trompette, un groupe d'hommes sur des chevaux en carton entra dans la salle. Ils s'écartèrent devant la fée Morgane et son petit elfe.

— Dame Luisa n'aime pas passer inaperçue, murmura le prince.

386

Abandonnant Guenièvre avec qui il dansait, Arthur la rejoignit. L'elfe lui sauta au cou. Une forêt de masques observait la scène. Soudain, le léopard bondit vers la porte, arrachant la chaîne des mains de Demetrio. Tout le monde s'enfuit devant le fauve, tandis que le majordome Burkhard, imperturbable, ouvrait la porte et s'inclinait jusqu'à terre. Déguisé en Jupiter, avec un sceptre et une cape dorée, l'empereur Maximilien salua les invités d'un geste de la main, avant de se mêler à eux. Derrière lui, un homme déguisé en prince maure ramassa la chaîne du léopard et caressa nonchalamment l'animal.

Les musiciens se remirent à jouer. Dehors, la lagune gelée, éclairée par la lune et peuplée par les anges, dieux, nymphes et paladins qui se promenaient sur les gradins, semblait irréelle. À l'intérieur, à la lumière des chandelles roses, les serviteurs circulaient avec des plateaux d'argent scintillants. Bientôt, la lune se coucha, les chandelles se réduisirent à de pâles flammèches ; il était tard, mais la fête atteignait son apogée. À l'improviste, un courant d'air glacial balaya le salon. Burkhard se précipita de nouveau vers la porte, où des diables aux visages noirs de suie, enveloppés de capes sombres, essayèrent de le pousser sur le côté. Les invités ne firent pas attention à eux : ils avaient trop mangé, trop bu, trop dansé. Seule la fée Morgane recula, prit son elfe dans les bras et s'enfuit.

— Qui sont-ils ? Qui les a invités ? demanda Alvise à voix haute.

Personne ne répondit. Le majordome se planta devant les intrus de toute son imposante carrure. Finalement, les serviteurs vinrent lui prêter main-forte et l'on referma la porte. Le souffle d'air glacé retomba.

Burkhard se tourna vers le cardinal.

— Madame Luisa est partie en chaise à porteurs par l'arrière du palais, sans escorte. C'est dangereux, à cette heure-ci.

Alvise haussa les épaules : « Que Giorgio s'en occupe... » Il le vit d'ailleurs quitter précipitamment le salon. Il était tard et Tullia attendait dans la chambre. Alvise l'imagina sur le lit, sous le baldaquin rouge, parée des voiles blancs de Diane, ou peut-être nue, avec seule une lune de diamants sur le front. Un frisson de désir le traversa.

— Nous en reparlerons demain, Burkhard.

Il s'engagea dans les escaliers, flamboyant dans son costume de Neptune.

Les musiciens entamèrent une mélodie provençale que Catherine connaissait très bien : c'était l'une des préférées de Jacques. Elle repensa à Anna de Rocas qui dansait seule au milieu de la salle, en agitant ses tambourins. Chypre... Tout était perdu. Elle sentait la caresse de la soie sur ses hanches et ses seins, les perles froides autour de son cou, la douce pression de son corps contre les lacets du corset. Elle s'approcha d'une fenêtre, posa le front sur la vitre glacée. Sur la lagune, la neige tourbillonnait dans le vent. Catherine perçut soudain une présence derrière elle. Un reflet flottant sur la vitre, une ombre, un parfum... Elle se retourna. Le prince maure se tenait debout face à elle, les yeux fixés sur ses épaules découvertes. Les yeux derrière le heaume... Elle les reconnut.

— Capitaine d'Aragon.

— Vous ai-je effrayée ? Pardonnez-moi. Voilà toute la soirée que j'attends pour vous parler, madame, et maintenant que vous êtes là, j'ai oublié ce que je voulais vous dire.

Catherine se mit à rire, un rire profond et carillonnant. Depuis quand n'avait-elle plus ri ainsi ? Diego semblait muet. Il n'arrivait pas à décoller les yeux des lèvres de Catherine, des petites dents d'ivoire, du vert intense de la robe et de la cascade de cheveux blonds comme les blés qui tombait sur ses épaules d'albâtre. Vert et jaune. Toujours les mêmes couleurs. La musique lui parvenait étouffée. Une pavane. Une danse mauresque de séduction et d'amour. C'était à la femme de choisir son cavalier.

Catherine se rapprocha des musiciens, Diego la suivit. Il ne restait plus grand monde sur la piste, à peine quelques danseurs fatigués qui se balançaient au rythme plus lent de la musique. Catherine fut étonnée de constater qu'elle se rappelait parfaitement les pas. À quand remontait sa dernière pavane ? À Famagouste, au bal d'été. Avec le roi pour cavalier.

Les mains autour de ses hanches, Diego la souleva de terre et la fit virevolter avec grâce. Catherine arqua le dos, se laissant aller en arrière contre ses doigts. Le rythme accéléra à nouveau. Elle eut soudain l'illusion que la musique et son corps ne faisaient plus qu'un – plus vite, toujours plus vite… Et brusquement, la musique retomba. Catherine fut prise d'un léger vertige. Elle regarda autour d'elle : ils étaient seuls. Les derniers masques avaient quitté la salle. Les chandelles s'étant consumées, le visage de Diego était plongé dans la pénombre. Il ôta son manteau et le mit sur les épaules de Catherine. Sans un mot, ils sortirent ensemble dans la rue déserte. Un carrosse les attendait. Un lansquenet aux cheveux roussâtres, qui portait une amulette autour du cou, était appuyé contre les jambes des chevaux, endormi, insensible à la température glaciale. Cependant, il se réveilla au premier bruissement et se redressa aussitôt, le sabre au clair.

— Capitaine.

— Ghul.

La neige continuait de tourbillonner sur la lagune tandis que le carrosse roulait devant les tribunes du tournoi, jusqu'aux tentes des cavaliers. Celle du grand capitaine se trouvait à l'écart, près des abris des chevaux. Diego empoigna une torche : un hennissement brisa le silence.

— Chut, Bayard.

Un splendide étalon gris pommelé se leva de son lit de paille et tendit la tête vers le capitaine. Diego glissa les doigts dans sa crinière aussi délicatement que si c'était la chevelure d'une femme. Le cheval, docile, ne bougeait pas. Catherine nota qu'il avait les yeux bleus. Elle s'avança d'un pas.

— Bayard ne mord que les étrangers. C'est mon destrier, expliqua Diego en souriant, comme s'il venait de faire une déclaration d'amour.

Se souvenant alors de l'expression de Jacques lorsqu'il parlait à son cheval, Catherine éprouva la même jalousie. Elle tendit la main ; les yeux bleus suivaient chacun de ses mouvements. Elle effleura le museau d'une caresse. Diego se tenait aux aguets, prêt à la protéger d'une éventuelle morsure, mais ce ne fut pas nécessaire. Bayard allongea le cou et frotta la tête contre la main de Catherine.

— Il vous a reconnue. Les animaux reconnaissent toujours les amis.

La respiration du cheval était le seul bruit alentour. Catherine était consciente de la proximité du visage de Diego, un visage attrayant et unique. Ses yeux étranges, tantôt noirs, tantôt bleus, inquiétants comme un ciel orageux. L'odeur pénétrante de sa peau, semblable à nulle autre. Elle sentit alors ses mains qui la touchaient, elle les regarda glisser sur son corps en une caresse langoureuse. « Il faut que je m'en aille », pensa-t-elle. « Immédiatement. Dans une seconde, il sera trop tard. » Que faisait-elle là, avec cet homme ? Elle venait à peine de le rencontrer, ignorait tout de lui, savait seulement qu'elle le désirait au point d'en perdre totalement ses moyens.

Diego la prit par la main ; elle se laissa guider dehors, dans le froid et le vent, jusqu'à sa tente. À l'intérieur, Catherine découvrit des tapisseries et des coussins, des chandelles et des primevères jaunes. « D'où viennent ces fleurs, en cette saison ? » se demanda la reine. L'étrange parfum de Diego flottait dans l'air : il émanait de petites bûches en train de brûler. La robe de Catherine glissa à terre. Elle avait la tête qui tournait, tous ses sens paraissaient en suspens, dans l'attente. Diego l'attira contre lui et l'embrassa. Combien de temps avait-elle attendu ce moment ? Des mois, des années, toute la vie ? Le parfum entêtant brouillait son esprit. Ses pensées se turent. Ne restaient que les sensations : l'abandon, un plaisir qu'elle croyait ne plus jamais éprouver, puis à nouveau le désir. Elle s'assoupit, bercée par les battements du cœur de Diego. La lumière qui s'insinuait entre les rideaux jaunes la réveilla. Diego l'observait les yeux mi-clos, tel un chat dans l'obscurité. Il se leva, se lava le visage et le corps avec l'eau fraîche d'une bassine, puis ramassa la robe verte. Ses yeux souriants suivaient les mouvements de Catherine. Il se pencha sur le lit pour sentir une dernière fois l'odeur de sa peau, pour la serrer contre lui. Aucun d'entre eux ne parla.

La matinée était déjà bien entamée lorsqu'ils sortirent de la tente. Le soleil dardait ses rayons aveuglants sur la lagune. Ghul patientait à l'extérieur. Soudain, Catherine aperçut au loin une femme qui accourait vers eux, sa longue tresse rousse ondoyant dans le vent. Catherine crut à une apparition : Fiammetta d'Orgeval qui courait dans le jardin de la reine, ses cheveux roux gonflés par le vent... Lorsque l'apparition les eut rejoints, elle vit qu'il ne s'agissait que d'une très jeune fille.

— Delfina, fit Diego.

— Une tragédie, capitaine. Floriano Floriani a été assassiné, cette nuit, en sortant du palais Cornaro.

Le capitaine des gardes se tenait à une distance respectueuse du podestat de Brescia et de son frère, le cardinal Alvise.

— Un coup de poignard en plein cœur. Un seul. L'assassin s'est enfui avant que quiconque puisse le voir.

— Comment a-t-il fait pour reconnaître Floriani au milieu de son escorte ? s'étonna Alvise. Ils étaient tous déguisés en diables.

— Les sicaires sont payés pour cela, éminence. Le mobile... Si nous connaissions le mobile, trouver le coupable serait un jeu d'enfants.

Après un court silence, il reprit :

— Une chose est sûre : nous n'avons pas affaire à un vulgaire brigand. Il n'a rien volé, ni argent ni bijoux. Pas même cette lettre.

Il la posa sur la table.

— Elle est adressée à sa femme.

« Sait-il que l'épouse de Floriani est mon amante ? » se demanda Giorgio. Certainement. Il n'accorda pas même un regard à la lettre.

— Poursuivez l'enquête. Floriano Floriani était une figure importante, un parent de la révérende abbesse de Padoue. Son assassinat ne peut pas rester impuni.

Le soldat hocha la tête, tout en évitant son regard. Il salua et sortit. La porte à peine refermée, la façade imperturbable d'Alvise s'écroula.

— C'est le comble ! Un homme de haut rang se fait assassiner devant mon palais, et sa femme est la maîtresse de mon frère ! Que dira-t-on de moi à Venise ? Et à Rome ? Le pape exigera des explications... Il en profitera pour me mettre en difficulté.

Giorgio soupira. Alvise pensait-il jamais à autre chose qu'à lui-même ?

— Avec tous les cadavres que l'on repêche chaque jour dans le Tibre, observa Giorgio, Alexandre VI est bien mal placé pour donner des leçons.

— Mais bien sûr ! Je lui expliquerai que Floriani était un imbécile qui a eu l'impudence de vouloir récupérer sa femme. Un coquin qui a osé s'interposer entre l'excellentissime Giorgio Cornaro et sa favorite. Nul doute que le pape comprendra.

Il sourit. Giorgio le dévisagea.

— Laisse-moi te donner un conseil, ajouta Alvise. Prends tes distances avec cette femme. Luisa n'est pas celle que tu crois. Elle a reconnu son mari, hier soir. Elle a pris ses jambes à son cou en laissant son fils à Giacinta. Tu devrais peut-être lui demander où elle est partie, ou chez qui.

— Cela ne te regarde pas.

— Ah, non ? Qu'est-ce qui me regarde, alors ? Le fait que vous êtes désormais libres de vous marier, maintenant que son mari a fort opportunément tiré sa révérence ?

Giorgio resta bouche bée, le visage exsangue. Lorsqu'il parla, sa voix n'était guère plus qu'un murmure.

— Tu crois que je suis un meurtrier.

— N'exagérons rien. Se débarrasser des rivaux est un privilège des puissants. Mon ami, le cardinal Hippolyte d'Este, vient de faire crever les yeux à l'un de ses ennemis. Pandolfo Malatesta engage des sicaires pour égorger les siens, tandis que les Borgia font enlever et torturer leurs opposants. Quant aux Gonzague...

— Ça suffit.

Giorgio se tourna vers la fenêtre ; le capitaine des gardes et ses hommes étaient en train de charger une masse noire sur une barque : le cadavre de Floriano Floriani.

— Tu crois que je suis un meurtrier, répéta le frère cadet.

Alvise haussa les épaules. L'heure avançait, il était fatigué – fatigué de cette conversation, fatigué de Venise, fatigué du carnaval et de ses courtisanes déguisées en déesses de la virginité.

Il entendit Giorgio parler d'un filet de voix à peine audible au-dessus du clapotement des rames sur le canal.

— Apparences et pouvoir. Rien d'autre. Aujourd'hui, je comprends enfin qui tu es, Alvise Cornaro. C'est comme si je te voyais pour la première fois. Et j'espère que ce sera la dernière.

Alvise le regarda avec de grands yeux écarquillés de stupeur et d'humiliation. Serrant sa soutane pourpre, il quitta la pièce.

Giorgio resta longtemps immobile, puis son regard tomba sur la lettre. Il l'ouvrit et commença à lire lentement.

12

Venise, été 1510

L'ATTENTE DEVENAIT INSUPPORTABLE. Philippe de Commynes ouvrit la porte et sortit dans le couloir. Le palais était plongé dans l'obscurité ; seule la chambre de la reine était éclairée.

Des voix, des murmures. Giorgio Cornaro était en train de parler avec son frère, le cardinal Alvise. Pour la première fois depuis de longues années. L'éclat d'une torche balaya les fenêtres et, après un grincement de gonds, remonta dans les escaliers. Un homme grimpait les marches : grand, mince et élégant, avec les cheveux gris et les yeux bleus des Cornaro.

Le Français s'inclina respectueusement.

— Monseigneur Filippo. Quelle joie de vous revoir. Il en est passé, du temps, depuis Altivole.

— Beaucoup trop, cher Commynes. Je ne croyais pas vous revoir un jour. Comment allez-vous ? Êtes-vous à Venise pour longtemps ?

— Malheureusement, non. Seulement jusqu'à l'aube, quand le cardinal Orsini me remettra une lettre pour le roi de France.

Tous deux regardèrent la porte d'où venaient les murmures. « Filippo Cornaro », pensa Commynes. « Le cousin préféré de la reine. » Revenir en ces lieux après ce qui s'était passé devait lui en coûter terriblement.

La porte s'ouvrit d'un coup sur la silhouette de Giorgio, qui toisa froidement Filippo.

— Vous êtes en retard. Ma sœur vous attend.

C'était donc la reine qui l'avait invité. « Comment est-ce possible ? » se demanda Commynes. Même sur son lit de mort, Catherine continuait à le surprendre. Giorgio s'approcha.

— Ne demeurez pas ici dans le noir, Commynes. Suivez-moi. Delfina a apporté du vin et des biscuits dans le salon, à côté.

Le Français secoua la tête.

— Je n'ai pas peur du noir, excellence, au contraire : il m'aide à réfléchir. Il reste bien peu de chose qui me fasse encore peur.

— Vous présenter au roi de France les mains vides, par exemple.

Giorgio sourit et s'accouda à la balustrade qui donnait sur la salle de danse.

— Sans musique, ce palais est lugubre, ne trouvez-vous pas ? Si Demetrio était là, je lui demanderais de jouer un air. La flûte est le pire ennemi de la douleur.

Le Français acquiesça et se pencha en avant, comme s'il écoutait le silence. Les deux hommes se turent pendant un instant. Ils pensaient à la même chose : une soirée estivale dans le jardin d'Altivole, bercée par le son des flûtes.

— Cette mélodie provençale… Elle m'obsède comme un rêve récurrent. Vous en souvenez-vous, excellence ?

Giorgio fit non de la tête. Mais il mentait. Il se rappelait chaque accord par cœur. Car ce jour-là, alors que jouaient les flûtes, sa vie avait changé à tout jamais.

Giorgio Cornaro relut pour la énième fois la lettre qu'il avait sous les yeux.

> « *Ma chère épouse,*
> *Je suis parvenu à la conclusion que rien ne se produit dans la vie sans l'intervention de la volonté divine. La nuit de l'incendie, à Padoue, n'en est-elle par la preuve ? Nous avons miraculeusement survécu aux flammes et conçu un fils. Il ne nous reste qu'à nous incliner devant la volonté de Dieu, et honorer le serment que nous avons prêté devant l'autel. Je vous pardonne tout, Luisa – ce qui ne vous étonnera pas. Sachez que je ne peux étouffer mon amour pour vous, et que, même si je le pouvais, je ne le voudrais pas.*
> *Rentrez à la maison, je vous en prie, vous et notre fils.* »

Aberrants, les mots continuaient de danser sous les yeux de Giorgio. « *Notre fils* » ? Conçu la nuit de l'incendie ? Cet homme avait manifestement perdu la raison. Le petit Marco était un Cornaro !

Giorgio fouilla péniblement dans ses souvenirs : à son arrivée à Padoue, la pluie et la neige avaient déjà éteint l'incendie. Floriani parlait donc de la nuit précédente… Et il parlait d'amour. Luisa avait toujours prétendu que son mari la détestait.

Le reflet éblouissant du soleil contre les vitres lui donnait la migraine. Il agita impatiemment une clochette. Un majordome apparut aussitôt dans la pièce. Ce n'était pas Burkhard, déjà loin avec Alvise.

— Hier soir, est-ce que madame Luisa est partie sans escorte ? interrogea-t-il d'un ton péremptoire.

— Oh, non, excellence ! Deux hommes l'attendaient à la sortie du palais.

— Des gardes ?

— D'après ce qu'ils ont dit, oui, mais ils portaient des masques, comme tout le monde. Dame Luisa les avait certainement engagés pour l'accompagner au bal.

D'un geste, Giorgio congédia le domestique. La *Dame voilée* le dévisageait. Il avait choisi d'accrocher le portrait dans son bureau et n'arrivait pas à s'en séparer ; soudain, son visage voilé le mettait mal à l'aise. On aurait dit que la dame percevait la détresse dans son cœur et qu'elle en riait. « Qui est cette femme que tu croyais aimer ? semblait-elle lui demander. Imbécile. La réalité n'est jamais ce que l'on croit. »

La matière dorée des derniers rayons de soleil glissait sur le corps de la dame. Un corps nu derrière un voile, un paradis perdu invitant et inaccessible. Désir. Passion. Honneur. Les nœuds inextricables de l'existence. La *Dame voilée* le regardait d'un air amusé. Giorgio s'en détourna. Les gardes de Luisa étaient-ils en réalité des assassins ? Peut-être. Il ne voulait pas connaître la vérité. Luisa était comme un crépuscule aveuglant qui précédait les ténèbres et que Giorgio n'avait pas la force de contempler. Il décida de ne plus la revoir afin de conserver ses dernières illusions intactes. Le soleil disparut, plongeant la pièce dans l'obscurité. Giorgio eut brièvement l'impression d'être dans la caverne de Platon. Le bonheur dans toute sa splendeur était passé devant lui, avant de s'effacer et de l'abandonner, seul, enchaîné dans le noir. Il déchira la lettre en menus fragments qu'il jeta dans le canal, les observant se disperser au vent du soir. « La femme que j'aime et mon frère », songea-t-il, assailli par une vague de douleur insurmontable.

Pour la première fois de sa vie, Giorgio Cornaro baissa la tête et pleura.

— J'ai peur, dit Giovanna, en arrangeant une rose dans ses cheveux.

Assise devant le miroir, elle portait une robe de chambre de brocart rouge. Sur ses genoux, un chiot grignotait les restes de son petit déjeuner. La tante, qui brodait dans un coin, ne répondit pas. « Elle devient complètement sourde », pensa Giovanna avec un soupir d'impatience.

— J'ai peur, répéta-t-elle plus fort. Une ligue contre les Français... Il y aura une guerre.

— Il y a toujours une guerre quelque part.

La tante rapprocha le tambour de la fenêtre de manière à profiter de la pâle lumière hivernale.

— Qu'est-ce qui ne va pas, ma chérie ?

— Giorgio Cornaro a été nommé provéditeur de la République, ce qui veut dire qu'il devra suivre l'armée. Il sera absent pendant longtemps.

— Que crains-tu ? Qu'il meure, ou qu'il ne demande pas ta main ?

— Les deux, mais j'ai surtout peur de la peste. On dirait que, partout où les Français passent, la peste les accompagne.

— Ce n'est pas la peste. C'est une maladie inconnue : le corps se couvre de plaies jusqu'à ce que la tête soit atteinte. Après quoi on meurt fou. C'est le châtiment de Dieu contre la luxure.

Giovanna se leva si brusquement que le chiot tomba par terre avec un glapissement.

— Monseigneur Cornaro fera partie des invités de sa sœur à Asolo, pour l'ouverture de la chasse au sanglier. Débrouillez-vous pour que la reine nous invite aussi.

— Ce ne sera pas difficile, elle est tellement aimable... Comme tous les Cornaro, du reste.

Depuis qu'elle avait dansé la pavane avec lui, la vieille bigote avait un faible pour Giorgio. « Tant mieux », se dit Giovanna.

— Oh, ma tante, vous êtes tellement bonne avec moi. Écrivez à Catherine tout de suite, je vous en prie, avant que cette jolie clarté s'en aille.

Elle lui tendit une feuille et une plume, avant d'approcher l'écritoire de la fenêtre. La tante commença lentement à écrire ; après que la plume eut glissé pour la troisième fois, Giovanna s'éloigna, exaspérée. Elle en aurait pour toute la matinée ; peut-être qu'elle devenait également aveugle. Aucune importance : elle n'aurait plus à la supporter pendant bien longtemps.

Innsbruck, mars 1495

L'empereur Maximilien était assis devant la cheminée avec un luth à la main et deux chiens couchés à ses pieds. À côté de lui, le grand capitaine d'Aragon observait distraitement les pirouettes du nain Baretta, habillé d'un pourpoint vert sauge et d'un béret à clochettes. Bien que ce fût déjà le mois de mars, il faisait un froid glacial dans le château ; dehors, des rafales de pluie et de grésil lacéraient le ciel. Diego soupira, peinant à maîtriser son impatience. Il venait de passer plusieurs mois à recruter des mercenaires dans les vallées environnantes et à les entraîner. Tout était prêt. Les autres commandants de la ligue étaient prêts, eux aussi : François Gonzague pour la République, Roberto Sanseverino pour le duc de Milan, et Prospero Colonna pour le pape. Les meilleurs capitaines, les meilleurs mercenaires, les meilleurs chevaliers, tous avides de rafler le butin que les Français allaient emporter avec eux. Or, les Français ne bougeaient pas de Naples.

Le bouffon arriva en sautillant, tenant en équilibre une assiette de biscuits crémeux. Maximilien en prit un après avoir posé son luth.

— Vous êtes d'humeur bien sombre ce soir, capitaine d'Aragon. Le climat des Alpes n'est pas pour vous. Je pars bientôt pour Asolo avec une cohorte réduite. Nous allons chasser le loup. Pourquoi ne pas vous joindre à nous ?

Il ajouta distraitement :

— Catherine est ravissante. À Chypre, on l'appelait la Sirène.

Le nain partit d'un rire criard.

— Catherine a mis feu à l'évêque de Nicosie, elle a fait pendre son cousin Venier et mourir de crève-cœur le capitaine Mocenigo. Méfiez-vous des sirènes, majesté.

Les yeux de l'empereur, petits, ronds et noirs comme ceux d'un faucon, retombèrent sur le grand capitaine.

— Combien de temps encore ? demanda-t-il à voix basse.

— Pas longtemps, majesté. Les premières chaleurs aggraveront l'épidémie. Charles sera obligé de quitter Naples. Dans un mois, peut-être deux.

— Ce qui nous laisse assez de temps pour la chasse au loup. Venez à Asolo, capitaine. C'est un ordre. Avant la guerre, le divertissement.

— Merci, majesté, fit Diego en s'inclinant, non sans hésiter.

À la chaleur du feu, son esprit balançait. Asolo. Catherine... Catherine en manteau blanc sur la lagune gelée, Catherine qui caressait Bayard, ses cheveux blonds sur la crinière grise, Catherine qui entrait dans sa tente et laissait tomber en un murmure sa robe verte et argent, qui se lavait le corps avec l'eau de la bassine, ce corps de jeune fille délicat... La voix grave de Maximilien lui parvint.

— Vous ne m'écoutez pas, capitaine d'Aragon. Je disais qu'il y a la peste dans le Tyrol. Évitez les villes, et, surtout, évitez d'y mettre le feu.

L'empereur sourit avec bienveillance. Cela faisait longtemps qu'il avait pardonné à Diego d'avoir détruit l'un de ses bourgs les plus rentables. Ses yeux de rapace parcoururent la pièce à la recherche de Delfina.

— Mais je dois admettre que vous aviez une bonne raison.

Un coup de clairon signala l'heure du dîner. Maximilien se leva, aussitôt suivi par un essaim de courtisans. Seul Diego resta devant la cheminée. Il n'avait pas faim. Ramassant le luth, il joua quelques notes. Le Tyrol. La neige. La peste.

Les souvenirs émergèrent dans le flamboiement jaune intense des flammes.

Une vallée à la frontière austro-italienne, mars, quatre ans plus tôt

Diego d'Aragon, grand capitaine des lansquenets impériaux, menait ses troupes vers le sud. Il neigeait dans la vallée balayée par des rafales de vent glacé. Dans les champs alentour, une désolation totale. La voix de Ghul s'éleva par-dessus la tourmente.

— La peste ! Pas un seul village n'a été épargné. Et nous sommes à court de vivres, capitaine.

À ce moment-là, telle une vision, les murs crénelés d'une petite ville, éclairés par des flambeaux, s'étaient dressés devant eux. Les cloches sonnaient en grand nombre et une longue file de personnes était en train de traverser le pont-levis baissé.

— Il n'y a pas de peste, ici. Nous sommes sauvés ! se réjouit Ghul.

Diego l'envoya parler avec le bourgmestre, qui était tenu de fournir des vivres aux troupes de l'empereur ; en échange, le capitaine lui aurait donné de l'or, un bien dont son armée ne manquait jamais. Un bon moment plus tard, Ghul n'était toujours pas revenu. Diego décida d'entrer dans la ville avec une escouade de lansquenets. Les rues étaient désertes ; les gens qui les remplissaient juste avant semblaient s'être volatilisés. Quelque chose ne tournait pas rond. Le capitaine continua jusqu'à la place. Le spectacle qui l'y attendait resterait à jamais gravé dans sa mémoire.

Un cordon de moines avec des capuches noires traversait la place en récitant une litanie et en agitant des crucifix. Guidé par le bourgmestre et sa femme, un cortège de notables en manteaux de fourrure suivait les religieux. Ils s'installèrent sur une estrade protégée par une tente. Enfin arrivèrent des gardes qui traînaient une petite figure enveloppée d'un suaire blanc.

— Un procès en sorcellerie, capitaine, balbutia Ghul, qui venait de le rejoindre.

La neige tombait drue. Le bourreau peinait à allumer les fagots du bûcher érigé au centre de la place. La foule frémissait d'impatience. Les gardes hissèrent la sorcière sur une planche pour la ligoter.

— Mais c'est une enfant ! cria Diego.

Il éperonna Bayard, qui bondit au galop jusqu'au bûcher. Le bourgmestre se leva d'un coup.

— Comment osez-vous ? Comment osez-vous entrer dans ma ville avec votre soldatesque sans mon autorisation ? Qui êtes-vous ?

Le capitaine porta une main à son cœur.

— Je suis Diego d'Aragon, *señor*.

— Vous êtes un mercenaire au service de l'empereur !

Les lansquenets s'esclaffèrent bruyamment, ce qui eut pour résultat de faire enrager le bourgmestre.

— Les mercenaires sont obligés d'obéir aux lois de l'empereur.

— La loi interdit de conduire des enfants au bûcher, rétorqua froidement Diego.

— Une sorcière reste une sorcière, quel que soit son âge, intervint la femme du bourgmestre en se blottissant dans sa fourrure. Dépêchez-vous, il fait froid.

Diego jeta un coup d'œil à la créature tremblotante ligotée à la planche. Lentement, il retira un gant. C'était un signal que ses ennemis connaissaient bien. En un éclair, ses hommes encerclèrent la place, leurs arquebuses pointées contre la foule.

— À genoux ! ordonna Ghul.

Tous obéirent, y compris les gardes et les moines. Les lansquenets en ordre de bataille inspiraient la terreur.

— Je protesterai auprès de l'empereur ! vociféra le bourgmestre. Il ne vous emploiera plus jamais !

Diego ne changea pas d'expression, mais Ghul sentit que sa colère montait. Le capitaine avança jusqu'aux fagots et, d'un coup de sabre, trancha les liens de la fille. Il la souleva sans effort et la prit avec lui sur son cheval. Dans la foule agenouillée, personne ne pipait mot. Puis Diego galopa avec grâce vers la tribune des notables. Il se pencha vers l'épouse du bourgmestre, sourit, et lui arracha le manteau de fourrure.

— Saccagez la ville, ordonna-t-il sans se retourner. Et si quelqu'un résiste, faites-lui goûter le tranchant de votre lame.

Ghul hocha la tête : le bourgmestre avait insulté le grand capitaine en le traitant de mercenaire. Son maître était un prince qui se battait parce qu'il le désirait, comme tous les princes.

En enveloppant la fille dans la fourrure, Diego remarqua qu'elle portait une amulette en forme de poisson autour du cou, aussi décida-t-il de l'appeler Delfina.

Château d'Innsbruck, mars, quatre ans plus tard

Un tintement de clochettes. Le nain de l'empereur s'était approché du feu en sautillant.

— Comment avez-vous pu, capitaine d'Aragon ? Je me le suis toujours demandé. Mettre à feu et à sang un bourg entier, tuer autant de braves gens… Tout cela pour une sorcière !

Diego daigna tout juste le toiser avec dédain. Il avala une gorgée de vin épicé pour chasser sa nausée.

— Pourquoi agir ainsi ? insista le bouffon d'une voix braillarde.

— Pour mon plaisir. Rien de plus.

Delfina les rejoignit et le nain s'enfuit.

— Capitaine, vous ne devriez pas vous emporter contre Baretta. Il mérite la pitié. Ce n'est pas facile d'être un nain.

— Si je le méprise, ce n'est pas parce qu'il est un nain, mais parce qu'il se comporte en homme ignorant et malveillant qui se délecte des malheurs d'autrui. Le banquet est-il terminé ?

— Presque. Vous n'avez rien mangé, voulez-vous que je vous apporte du rôti ? Sinon, la gélatine de crevettes est excellente. Ou du gâteau, plutôt ?

Delfina le regardait à travers ses longs cils clairs.

— Je vous remercie, mais je n'ai pas d'appétit.

« Ce qui n'est pas tout à fait vrai », ajouta Diego intérieurement. Il était affamé, oui, mais d'une femme qu'il ne pouvait avoir. Peut-être le bouffon avait-il raison : les sirènes faisaient seulement semblant d'aimer. Delfina remplit son verre. Diego lui effleura les cheveux d'une caresse.

— Irez-vous à Asolo, capitaine ?

— Je ne vais nulle part sans invitation. Je ne suis ni courtisan ni bouffon.

Delfina gloussa de son rire discret de petite fille.

— Non. La vérité, c'est que vous avez peur, monseigneur.

Les turquoises de sa pince à cheveux brillaient contre l'or intense des flammes. Diego se rendit compte qu'elle avait raison. S'il n'affrontait pas la Sirène, il allait mourir d'inanition.

— Je vois qu'ils sont en train de servir le canard braisé. Je vais en prendre un morceau. En y réfléchissant, je suis à jeun depuis trop longtemps.

Altivole, printemps 1495

Le loup tournait sur lui-même devant les chevaux terrifiés. Il poussa un hurlement avant de plonger dans les bois. Les rabatteurs de l'empereur lancèrent les limiers à sa poursuite. Le prince Orsini les observait en secouant la tête.

— Drôle de comportement pour un loup, dit-il à voix basse en se penchant vers Diego d'Aragon. C'est un animal très intelligent : j'ai presque cru qu'il était seul. Il va entraîner les chiens dans les ronces, où se tapit le reste de la meute.

— Pourquoi n'avez-vous pas averti les rabatteurs ?

— L'empereur s'amuse. Et puis, les loups aussi doivent se nourrir. Là, vous entendez ? J'avais raison.

Les glapissements désespérés des chiens s'élevèrent dans le maquis.

— Allons-nous-en, fit Diego. Bayard est nerveux.

Ils s'éloignèrent rapidement par un sentier à peine visible qui traversait le cœur de la forêt. Les lévriers du prince, qui étaient jusque-là restés à côté de lui sans bouger, s'élancèrent devant eux.

— Ils connaissent la route, dit Giulio. Nous n'avons qu'à les suivre. Profitons de la cavalcade.

Le sentier serpentait dans la végétation de plus en plus dense et sombre. D'énormes pins et des chênes anciens cachaient le soleil.

— On ne dirait pas la direction du village près d'Altivole, observa Diego au bout d'un moment.

C'est alors qu'il aperçut le loup, ou plutôt le scintillement de ses yeux, au milieu du vert des fougères et des ronces. Bayard s'arrêta net. Diego le sentait trembler sous ses doigts ; pourtant, l'étalon ne bougeait pas, comme s'il mesurait son ennemi. Soudain, le loup poussa un hurlement, et quelque chose dans son cri sauvage et solitaire perça le cœur de Diego. Il écarta Bayard du chemin et le loup jaillit sous ses yeux pour disparaître à nouveau dans la verdure. Le prince Orsini fit claquer son fouet.

— Les chiens se sont enfuis ! Animaux stupides.

— Peut-être que l'odeur du loup les a déroutés. Il nous suivait depuis un bon moment.

— Qu'en savez-vous ? Ah, peu importe ! Quoi qu'il en soit, drôle de comportement pour un loup.

Les cors de chasse résonnèrent à travers le bois. Les rabatteurs rappelaient les cavaliers dispersés. Le prince poussa un soupir de soulagement. Pour la première fois, il avait eu peur en chassant.

— Allons-y. L'empereur et sa meute ne sont pas loin.

Catherine regarda le soleil disparaître au-delà des collines. Tout semblait s'évanouir dans des ténèbres inquiétantes ; au-delà du mur d'enceinte qui protégeait le jardin du reste du monde, les champs et l'étendue indomptée de la forêt étaient enveloppés d'une obscurité impénétrable. Catherine entendit, au loin, l'écho des clairons. Enfin. Les chasseurs étaient de retour.

— Madame.

Catherine se tourna vivement. Couvert de son curieux béret à clochettes, le nain de l'empereur se tenait derrière elle, à moitié dissimulé par les colonnes du portique.

— Madame. C'est terrible. Les gardes-chasse disent que les limiers ont été dévorés par les loups. Mais il y a pire : le grand capitaine d'Aragon et le prince Orsini se sont perdus. Ils ont peut-être été assaillis par des brigands.

— Sottises, l'interrompit Giorgio Cornaro en s'avançant sous l'arcade. Il n'y a pas de brigands à Asolo, et le prince Orsini connaît parfaitement ces bois : il y a souvent chassé. Lui et le grand capitaine se sont certainement attardés pour chevaucher un moment tranquillement.

Le béret à clochettes retourna dans la pénombre.

— Je déteste ce nain, grommela Giorgio. Il est malveillant, profondément malveillant.

L'empereur et sa suite arrivèrent au portail de la villa. Les cavaliers descendirent de cheval ; étant donné qu'ils étaient peu nombreux, une douzaine, on voyait facilement qu'il en manquait deux.

— L'empereur est sûrement de mauvaise humeur, prédit Giorgio. Appelons les musiciens et faisons servir le dîner au plus tôt. Il est toujours affamé après la chasse.

Après quelques secondes, il ajouta :

— J'inviterai Giovanna Morosini à sa table. Maximilien l'adore – et moi aussi, je dois l'avouer. Les femmes si souriantes et si peu bavardes sont rares. Je pourrais également inviter Pandolfo Malatesta : l'empereur le trouve amusant, va savoir

408

pourquoi... Un bal était prévu pour célébrer la battue, mais il vaut peut-être mieux l'annuler, tu ne crois pas ?

Catherine hocha la tête distraitement, le regard toujours plongé dans l'obscurité au-delà des murs.

— Je croyais que, depuis le tournoi, Malatesta préférait éviter le grand capitaine.

— En effet, mais il est venu pour sa servante, une mystérieuse jeune femme prénommée Delfina qui l'a guéri d'une blessure qui paraissait fatale. Il a dû être déçu en voyant le grand capitaine arriver seul.

Catherine se leva. Le portique était désert. Les serviteurs s'empressaient pour dresser le couvert et les courtisans se préparaient pour accueillir Maximilien.

— Il est temps que j'aille voir l'empereur, reprit Giorgio. Comme moi, sa majesté est passionnée par les étoiles ; peut-être qu'observer la voûte céleste lui rendra sa bonne humeur. C'est une nuit magnifique.

Giorgio s'était à peine retiré que Catherine traversa rapidement le jardin, franchit le portail et se dirigea vers les écuries. Ghul était là, une torche à la main, mais la stalle de Bayard était vide.

— Ne vous inquiétez pas, madame. Le grand capitaine aime la nuit. Ce ne serait pas la première fois qu'il chevauche dans l'obscurité, il dit que ça l'aide à réfléchir. Si lui et le prince ne rentrent pas d'ici une heure, je vous promets que j'irai les chercher personnellement.

Catherine acquiesça en silence avant de rebrousser chemin. Une heure... Elle entendait presque son cœur battre dans le noir. L'obscurité aidait à réfléchir, certes, mais réfléchir à quoi ? Les paroles du frère Guglielmo résonnaient dans sa tête : « Un jour, vous aussi connaîtrez cette passion qui anéantit l'honneur et la raison, et elle causera

409

votre perte. » « Frère Guglielmo, songea la reine, j'ai essayé de résister, j'ai essayé, je vous le jure. En vain. »

Elle ouvrit brusquement la porte de sa chambre : Adriana Marcello était courbée sur les lettres amoncelées sur l'écritoire. En voyant Catherine, elle se redressa vivement.

— Majesté… Vous m'avez fait peur. J'étais en train de mettre de l'ordre dans vos papiers.

— À l'avenir, je vous saurais gré de me laisser m'en occuper.

La façade impeccable d'Adriana semblait sur le point de se désagréger. Elle s'inclina et sortit hâtivement. Catherine s'assit devant le miroir pour se brosser les cheveux. Une heure… Les chandelles projetaient leurs reflets sur la surface d'argent. Un bruissement. Quelqu'un était entré dans la pièce. Catherine ne cilla pas ; enfin, l'image apparut dans le miroir.

— Ghul m'a dit que vous vous inquiétiez pour moi.

— Oui, en effet.

Inutile de résister.

— J'en suis navré. Êtes-vous en colère contre moi ?

— Non, au contraire, je vous suis reconnaissante. Grâce à vous, tout est clair.

La musique et les rires des invités qui attendaient l'empereur entraient par la fenêtre. Diego défit les cordons qui retenaient les rideaux de velours ; le lourd tissu retomba sur la fenêtre, coupant les reflets des lumières extérieures sur le miroir.

— Ne nous laissons pas tromper par les reflets, murmura le capitaine. Pour le temps qui nous reste, rien ne doit se glisser entre nous.

410

— L'amour est une ombre, déclama Pietro Bembo par-dessus les aboiements des chiens. Une ombre qui passe outre la caverne dans laquelle nous sommes enchaînés, pour nous laisser encore plus seuls.

Diego éclata de rire. « On dirait un rêve », pensa-t-il, les yeux mi-clos sous le soleil qui s'insinuait à travers la pergola. Les glycines, l'herbe haute, les roses… Un rêve, sauf le parfum bien réel de Catherine. Il aurait volontiers passé le restant de ses jours assis là, sous une pergola, bercé par les voix des demoiselles, la flûte de Demetrio et les vers de Pietro Bembo.

— Qu'y a-t-il de si drôle, capitaine d'Aragon ? demanda Giorgio Cornaro.

— Le fait que l'on puisse considérer la solitude comme une chaîne.

— C'est pourtant vrai : la solitude a beau être agréable, elle n'est pas raisonnable, surtout si l'on veut des enfants.

Giorgio tendit la main vers Giovanna Morosini, qui rougit et baissa la tête. Leur mariage était prévu pour la fin de l'année, juste avant celui de Filippo et Adriana. Catherine se leva et alla embrasser Giovanna.

— J'aurai enfin une sœur.

« Des enfants », « raisonnable »… « Ce n'est pas ainsi que je parlerais à la femme que j'aime », songea Diego. Les cors sonnèrent : comme tous les jours au crépuscule, l'empereur et sa suite rentraient de la chasse. Les courtisans se levèrent pour aller à sa rencontre ; Diego se retrouva seul avec Catherine sous les glycines. Écartant son voile, il lui caressa les cheveux. Cela faisait des heures qu'il désirait la toucher. Il laissa glisser la main dans son dos, la sentit qui cambrait les reins sous ses doigts.

— Combien de temps encore avant la nuit ? susurra-t-il.

Soudain, les hirondelles s'envolèrent : quelqu'un approchait. Le majordome Alvise Gabriel. Il tenait un rouleau de papier à la main, une dépêche. Diego laissa retomber la main. Le temps qui leur était imparti s'écoulait inexorablement.

Diego sortit du lit peu avant l'aube. Catherine dormait, ses cheveux blonds épars sur l'oreiller ; le drap avait glissé par terre, découvrant son corps. « Ce corps de jeune fille, songea Diego, que l'on dirait jamais touché par la main d'un homme. » Catherine ouvrit les yeux et sourit, sans rien dire. Il se pencha pour l'embrasser. Étaient-ce ses silences qui le subjuguaient ? Le jour se levait peu à peu. Dans le jardin, un piétinement de sabots. Ghul faisait trotter Bayard pour lui éviter de se refroidir pendant qu'ils patientaient. Les soldats suisses étaient là, eux aussi. Diego commença à s'habiller sans se presser, avec autant de soin que lorsqu'il se rendait à la cour. Chemise de lin blanc, veste brodée, bottes, épée...

Le vent gonflait les rideaux de la fenêtre et agitait les branchages, qui semblaient frémir tels des animaux. Quelque part, une flûte se mit à jouer une vieille chanson provençale, poignante et passionnée. Catherine se leva à son tour, le dos et les hanches couverts par sa magnifique chevelure blonde. Elle fit une révérence devant le capitaine.

— Dansons.

Lorsque la musique se tut peu après, ils restèrent immobiles, collés, incapables de se séparer.

— Il est tard, finit par murmurer Diego.

— Tard pour quoi ?

— Je suis un homme d'armes. La guerre est mon métier.

Il se dirigea vers la porte, avant de s'arrêter brusquement.

— Qu'attendez-vous de moi, Catherine ?

— Non. Qu'attendez-vous de vous-même, capitaine d'Aragon ?

Fornoue, juillet 1495

Il pleuvait à verse et un manteau de brouillard enveloppait les Apennins. Le messager, vêtu d'une pelisse à capuche qui dégoulinait d'eau, se tenait au centre de la tente. Les capitaines de la ligue, Diego d'Aragon, Prospero Colonna, Roberto Sanseverino et Giovanni Bentivoglio, l'observaient en buvant du vin. Le provéditeur de la République Giorgio Cornaro et le banquier Antonio Pisani frissonnèrent à cause de l'humidité. Le commandant en chef de la ligue, François Gonzague, faisait les cent pas nerveusement. L'homme encapuchonné lui tendit un pli qui portait les sceaux du roi de France.

— Sa majesté veut négocier, marquis. La moitié de son butin en échange du droit de passage pour la France.

Les capitaines buvaient en silence. François Gonzague semblait concentré dans l'examen de la flaque qui se formait autour du messager.

— Charles vous cédera la moitié de ses biens, répéta l'homme, si vous laissez son armée franchir la rivière Taro.

Le banquier Pisani hocha la tête : cela représentait une somme énorme qui couvrirait amplement le crédit accordé à la ligue par sa banque.

— La rivière est en crue, poursuivit l'émissaire du roi à voix basse. Si les Français, en dépit du bon sens, la traversaient de nuit et sans lumière...

— Ils se feront massacrer par mes Suisses sur l'autre rive, monseigneur de Commynes, l'interrompit le grand capitaine en lui offrant une coupe de vin.

— Je suis flatté que vous vous souveniez de moi, capitaine d'Aragon. J'ai eu le plaisir de vous admirer en tournoi, à Venise. Par chance, nous ne nous sommes pas affrontés – par chance pour moi, naturellement.

Diego accepta le compliment d'un signe de tête.

— Réfléchissez, messieurs. La moitié du butin. Sans même lever l'épée.

Giorgio fronça les sourcils pendant que les capitaines chuchotaient entre eux.

— Cela me paraît raisonnable, lâcha Pisani.

François Gonzague eut un geste brutal qui renversa la table, envoyant du vin partout.

— Il n'est jamais raisonnable de passer pour des imbéciles !

Il retrouva un ton plus calme pour s'adresser à Commynes :

— Je suis un homme de guerre, monsieur, et je ne troquerai pas mon honneur contre le fruit des pillages du roi.

Blêmissant, Commynes s'inclina.

— Dans ce cas, puisse la Sainte Vierge nous venir en aide. Adieu, messieurs.

— Plutôt traiter avec la Vierge qu'avec le roi de France, déclara Gonzague après le départ de l'émissaire.

Tout le monde éclata de rire, sauf Pisani et Diego d'Aragon, l'un car il était paralysé de terreur, l'autre parce qu'il n'éprouvait rien. Comme toujours avant de partir au combat, Diego faisait le vide dans son esprit : aucune émotion, aucune pensée. Rien que le silence.

Au crépuscule, tout était déjà terminé. Il n'avait cessé de pleuvoir du début à la fin de la bataille. C'est sous une averse terrible que l'avant-garde française, conduite par Philippe de Commynes, commença à guéer la rivière. La cavalerie de Gonzague chargea, mais les chevaux s'enfoncèrent dans la berge boueuse, désarçonnant de nombreux cavaliers. Encombrés par leurs armures, ils furent massacrés par les fantassins gascons. Les Suisses du grand capitaine d'Aragon se lancèrent à l'attaque. L'affrontement devint extrêmement violent. Alors que les cavaliers de Gonzague se débattaient dans la vase, les Français avancèrent dans la rivière, abandonnant leur campement avec toutes leurs possessions. Sous la pluie, dans la fureur de la mêlée, Commynes se rendit compte que le roi avait disparu. Se précipitant à sa recherche avec la garde royale, il le trouva cerné par les miliciens des Sforza, qui l'avaient reconnu et s'apprêtaient à le capturer. Commynes réussit à le sauver et l'emmener en sécurité sur l'autre rive. Personne ne les pourchassa, les mercenaires étant trop occupés à saccager le campement français.

La bataille prit fin comme par enchantement. Il pleuvait toujours lorsque la nuit tomba. Les Français, décimés et dispersés, n'avaient nulle part où s'abriter. Ils avaient néanmoins réussi à franchir la rivière. François Gonzague fit rappeler Commynes.

— La Vierge ne vous a guère aidés, monseigneur.

— Au contraire, marquis : notre armée a passé la rivière et le roi est sain et sauf.

— Informez-le que son cousin, le connétable de Bourbon, est mon prisonnier. Il est en bonne santé et je souhaite l'échanger contre mon oncle Ridolfo.

Commynes baissa la tête.

— Nous ne savons pas où est le seigneur Ridolfo.

— Comment ? Je l'ai vu de mes yeux se rendre aux Gascons après avoir été désarçonné.

— Les Gascons ne font pas de quartier. Je suis navré.

— Quoi ?

La vérité émergeait lentement dans l'esprit harassé de Francesco.

Ridolfo Gonzague était un condottiere légendaire qui avait victorieusement mené d'innombrables campagnes, et qui, même âgé, conduisait encore lui-même chaque attaque. « La Fortune est mon amante ! » hurlait-il. Les mercenaires l'auraient suivi en enfer.

— Quoi ? répéta François.

— Les archers gascons sont une milice de paysans et de serviteurs, marquis. Au combat, il est impossible de les contrôler. Et ils détestent les cavaliers...

La voix de Commynes mourut dans sa gorge. Même lui paraissait bouleversé. Sous la tente, personne ne pipa mot. Un Gonzague massacré par des vilains... François réfléchissait fébrilement : si la nouvelle se répandait, les mercenaires penseraient que la chance avait tourné le dos à la ligue et ils s'en iraient. Avides et superstitieux – François les connaissait bien. Et avec la cavalerie décimée sur la Taro... Le teint cendreux, le Français ne disait rien. C'était un vrai gentilhomme, après tout.

— Allez avec Dieu, monseigneur de Commynes.

S'adressant ensuite à ses capitaines, il déclara :

— La victoire nous appartient. Les Français sont en déroute. Remercions la Vierge.

Sigismond se dit qu'il avait dû mal comprendre. Le grand capitaine d'Aragon attendait, imperturbable malgré la blessure à son bras qui continuait de saigner.

— Un cheval, monsieur ? Vous m'avez fait appeler pour un cheval ?

— Bayard est mon destrier. Le plus noble et courageux d'entre tous.

Le médecin ne répondit rien : il avait entendu dire beaucoup de choses sur le compte de Diego d'Aragon, mais pas qu'il était fou.

— Je ne m'y connais pas en animaux, excellence. L'empereur m'a convoqué pour que je vous soigne, vous.

« Sans compter les milliers de blessés en train d'agoniser non loin d'ici, au bord de la rivière », termina-t-il en pensée. Un cheval ! Il se retourna pour partir.

— Je vous en supplie.

Il y avait un tel désespoir dans la voix du capitaine que Sigismond s'arrêta malgré lui. Il regarda le sang qui s'écoulait du bras de Diego.

— D'abord, laissez-moi suturer cette balafre.

— Vous ne comprenez pas ! Je dois la vie à mon cheval. Même transpercé par la flèche de ce maudit Gascon, il a résisté assez longtemps pour me porter en lieu sûr.

Trop fatigué pour discuter, Sigismond s'avoua vaincu. Il suivit le capitaine, marchant péniblement dans la boue jusqu'à la rive. Un Suisse géant avec des moustaches rousses et une amulette au cou était accroupi à côté d'un magnifique étalon gris. Il soutenait la tête de l'animal et lui mouillait le museau avec son manteau imbibé d'eau. Sigismond remarqua avec étonnement que le cheval, qui le regardait fixement, avait les iris bleus. Il l'examina attentivement, avant de se relever en secouant la tête.

— La flèche lui a perforé un poumon. Il n'y a rien à faire.

Il mélangea de la poudre à l'eau dans laquelle le géant trempait son manteau : un poison rare et très

417

puissant qu'il utilisait pour épargner la souffrance aux dignitaires de haut rang moribonds. Quelques secondes plus tard, les yeux de Bayard étaient vitreux. Diego tomba à genoux et se mit à susurrer en catalan. Le Suisse avait les larmes aux yeux ; une poignée de lansquenets entoura le capitaine en silence, comme pour lui apporter réconfort.

— Enterrez Bayard avec ses parements de guerre et une fleur jaune.

La scène frappa soudain Sigismond par son irréalité : une fleur jaune… Des morts et des blessés gisaient tout autour, et les lansquenets pleuraient le trépas d'un cheval.

— Votre blessure, excellence, dit-il en parfait catalan.

Diego releva la tête.

— Bayard n'a pas souffert. J'ai une dette envers vous, monsieur. Je ne l'oublierai pas.

— Vous n'avez aucune dette. Mon travail est de soigner, tout comme le vôtre est de tuer.

— Vous n'aimez guère les hommes d'armes. Peu importe, vous pouvez compter sur mon amitié.

Après un moment de silence, Diego reprit la parole.

— Croyez-vous que les animaux ont une âme ?

— Si vous croyez en Dieu, toute créature vivante a une âme, capitaine.

— Les prêtres vous traiteraient d'hérétique.

— Figurez-vous que c'est justement pour échapper à une accusation d'hérésie que j'ai quitté ma ville natale, dans le Tyrol.

— Je connais le Tyrol. Je m'y suis beaucoup amusé pendant ma jeunesse.

Sigismond perçut une note soucieuse dans le ton léger du capitaine. Ils s'en retournèrent au campement, croisant des monceaux de corps sur leur chemin.

— Ce sont quasiment tous des cavaliers, observa Sigismond.

— Oui. Avec l'armure, il est très difficile de se relever une fois désarçonné. Sans Bayard, je serais mort, moi aussi : il m'a ouvert la voie en attaquant les archers à coups de dents et de sabots.

Ils entrèrent sous la tente du capitaine : draperies de soie jaune, coussins, tapisseries, vases et candélabres en argent. La tente d'un prince. Et ce parfum... Le médecin sourit à part lui : de l'encens. Il n'avait plus senti cette odeur depuis l'époque où il vivait dans le Levant. Il se pencha pour examiner la blessure du capitaine. Il choisit une lame dans sa sacoche, puis versa de la poudre dans un calice de vin.

— Extrait d'opium. Pour vous endormir. L'entaille est profonde et ce que je m'apprête à faire sera douloureux.

— Rien ne vaut le sommeil après une bataille. Ne vous inquiétez pas, je ne crains pas la douleur.

— J'ai voyagé dans de nombreux pays et connu toutes sortes d'individus, et chacun d'entre eux, du pire au meilleur, craignait la douleur.

— Je crois plutôt que les pires souffrances sont celles que nous nous infligeons à nous-mêmes.

Sigismond chauffa la lame à blanc et le capitaine ferma les yeux.

Fornoue, juillet 1495, la nuit après la bataille

Giorgio Cornaro se leva en sursaut : le boucan des soldats ivres qui se partageaient le butin était devenu insupportable et couvrait la musique de l'autre côté du campement. Les capitaines de la ligue célébraient la victoire avec un festin et les plus belles des prostituées qui avaient abandonné les Français. Giorgio avait décliné l'invitation de

François Gonzague en disant qu'il ne se sentait pas bien, ce qui était d'ailleurs la vérité : le souvenir des corps mutilés sur les rives de la Taro lui coupait l'appétit. Les bêlements vulgaires d'une femme se mêlaient aux cris des soldats. Giorgio s'installa à son écritoire de camp : il était temps qu'il fît son devoir de la République. Il rédigea quelques lignes succinctes, sans préambule. La vérité.

> « *Illustres sénateurs,*
> *La bataille est terminée, elle a été particulièrement sanglante. Les Français ont réussi à franchir la rivière Taro. Le roi Charles s'est déclaré vainqueur, François Gonzague aussi. Il veut ériger une chapelle en l'honneur de la Vierge, persuadé qu'elle l'a protégé. La Madone de la Victoire. En réalité, sa cavalerie a été massacrée, et ses estradiots ont pillé le camp français au lieu de se battre. Charles VIII rentre en France sans butin, sans le royaume qu'il voulait conquérir, avec une armée réduite à quelques hommes, mais il ne reste personne pour couper sa retraite.* »

Telle était la vérité, froide et crue. Il n'y avait rien à ajouter. Après avoir cacheté la lettre, Giorgio sortit de la tente en quête d'air pur. Dans les premières lueurs de l'aube, un homme solitaire habillé de velours noir était assis devant le feu. Il portait un pendentif d'émeraudes et tenait une flûte à la main.

— Capitaine d'Aragon… Pourquoi n'êtes-vous pas en train de fêter la victoire ?

— Quelle victoire, monseigneur ?

Giorgio baissa la tête.

— Vous avez raison. Mais Gonzague parle de victoire, et il vaut mieux que tout le monde y croie.

— Pourquoi ? Parce que votre République a largement financé cette guerre ?

— Non, pas pour cela. Voyez-vous, les Français ont apporté dans nos contrées la guerre, la famine, la pestilence et la mort. Les Cavaliers de l'Apocalypse. Les gens ont besoin de croire qu'ils ont été vaincus.

— Vous parlez avec sagesse, monseigneur.

Au terme d'un long silence, Giorgio demanda :

— Pour qui portez-vous le deuil ?

— Pour mon cheval. Bayard est tombé aujourd'hui.

— Je suis sûr que François Gonzague vous procurera immédiatement une autre monture.

Diego murmura quelques mots en catalan ; Giorgio y reconnut une prière. « Quel homme étrange », songea-t-il en contemplant la danse des flammes. Si courtois et réservé, amateur de luxe au point d'endosser du velours et des émeraudes après la bataille. Et ces yeux, profonds et insondables comme le ciel nocturne. Pour quelque raison, le grand capitaine lui évoquait un prince maure. On racontait que sa mère était une dame de Valence avec du sang mauresque dans les veines... Soudain, Diego leva la tête.

— J'ai un service à vous demander, *señor*. Remettez ceci à votre sœur Catherine.

Il déposa quelque chose dans la paume de Giorgio, qui écarquilla les yeux de stupéfaction : un rang de perles. Des perles splendides, parfaites, toutes identiques, aux reflets rosés comme l'aube qui pointait.

— C'est la première fois que je vois des perles semblables. Vous m'étonnez, capitaine... Les perles sont les bijoux préférés de ma sœur.

Diego sourit pour la première fois.

— Oui, je sais.

— Qu'allez-vous faire maintenant que la guerre est finie ?

— Le prince Orsini m'a invité à Rome. Il est en train de composer une galerie de tableaux et de statues dans son palais, il m'a demandé conseil. Et vous, *señor* ? Toujours décidé à vous marier ?

— Bien sûr ! Après Noël, dans la villa des Morosini, sur le lac de Garde. Il y fait doux en hiver. Pouvons-nous compter sur votre présence ?

— Qui sait ?

Diego caressa l'instrument qu'il tenait à la main.

— Vous aimez la flûte, *señor* ? Pour les Grecs, c'est l'instrument favori des dieux. Il noie la douleur.

Il commença à jouer et Giorgio ferma les paupières. Bientôt, il n'entendit plus le tapage des soldats ni les rires des catins, seulement les notes de la flûte qui glissaient sur lui, douces comme un baume sur son âme. La mélodie s'estompa peu à peu. Diego posa l'instrument ; son visage éclairé par l'aurore avait une expression singulière.

— Vous ne devriez pas épouser une femme qui n'aime pas la musique.

Rome, automne 1495

Giulio Orsini passa la main sur la grande tapisserie flamande pour apprécier la trame de la soie, puis se tourna vers le cardinal Alvise Cornaro, assis dans un fauteuil avec un chiot sur les genoux.

— Qu'en pensez-vous ?

— Difficile à dire. La facture est certainement admirable, mais le sujet… Les Quatre Cavaliers de l'Apocalypse : Guerre, Famine, Pestilence et Mort. Avez-vous remarqué les chiffres dans le coin ? Six, six, six : le nombre de l'Antéchrist. Qui peut avoir commissionné une telle tapisserie ?

— Le roi de France. On l'a trouvée dans sa tente, à Fornoue.

— Elle ne lui a pas porté chance. Débarrassez-vous-en.

Giulio haussa les épaules et continua son parcours : il avait beaucoup d'œuvres à passer en revue – tableaux, statues, mosaïques, camées... Après les mois en captivité, sa soif de beauté avait crû démesurément. Son regard tomba sur un automate qu'on lui avait apporté le matin même : un monstre ailé qui rugissait et crachait quelque chose de semblable à des flammes. Il activa le mécanisme et le monstre s'anima.

— Si j'avais su que le démon résidait dans votre palais, prince, j'aurais gardé mes distances.

Un petit homme trapu apparut à l'autre bout de la galerie.

— Vous avez peur, excellence ? Vous êtes pourtant confronté au démon quotidiennement ! Vous avez certainement appris comment le traiter.

Lopez de Haro, conseiller et ambassadeur du pape, éclata de rire et s'inclina cérémonieusement.

— Vous devriez surveiller un peu plus votre langage, cardinal Cornaro. Je m'attendais à vous trouver ici, je vous apporte un cadeau. Vous l'apprécierez, j'en suis sûr.

Il tendit à Alvise un parchemin roulé, attaché par un ruban rouge et or.

— Vos nouveaux appartements au Vatican sont prêts, ajouta-t-il, l'air de rien.

En lisant le parchemin, Alvise pâlit.

— Les noms des espions que vous m'aviez demandés, éminence. Désolé que votre cousin Filippo y figure. Les amis, c'est connu, sont toujours les premiers à trahir. Que comptez-vous faire à présent ? Comment vous vengerez-vous ? Quand ?

— En temps et en heure, répondit le cardinal.

Il s'efforça de dissimuler la nausée qui montait en lui. La soif de sang des Catalans était répugnante.

— En temps et en heure. Moi aussi, j'ai un cadeau pour le pape, poursuivit-il en indiquant la tapisserie. Je viens de l'acheter au prince Orsini. Elle appartenait au roi de France, elle possède une grande valeur.

Lopez examina l'œuvre avec convoitise.

— Manufacture flamande… Une soie très fine, et ces couleurs… Magnifique. Le pape en sera touché, éminence. D'ici demain, elle sera accrochée dans ses appartements.

Lopez s'inclina jusqu'à terre et sortit hâtivement, comme s'il redoutait qu'Alvise changeât d'avis.

— Une tapisserie avec le nombre de la Bête, dit Giulio Orsini avec un sourire sans joie. Très adéquat pour le pape.

Dans la lumière du crépuscule, le rose, le cramoisi et le pourpre des manteaux des Cavaliers dessinaient une longue traînée sanguine.

Alvise n'y prêta pas attention : ses yeux étaient fixés sur le parchemin.

— Mon frère et moi ne nous voyons ni ne nous parlons plus. J'aimerais que vous lui remettiez cette liste, Giulio. Ce sera mon cadeau de noces.

— J'ai une meilleure idée : Filippo lui-même va s'en charger. Écrivez-lui. Il ne se doutera de rien.

Après mûre réflexion, le cardinal hocha la tête. Une ride profonde se creusait sur son front.

— Bonne idée. Les Orsini n'ont pas leur pareil en matière de vengeance.

Altivole, août 1495

De grosses corneilles noires croassaient dans les arbres lorsque Diego d'Aragon et Sigismond, suivis par leur escorte, descendirent les collines en direction d'Altivole. Le médecin agita son chapeau pour chasser les oiseaux. « Dans le Levant, songea-t-il, on considérerait cela comme un mauvais présage. » Diego eut un mouvement agacé. Peut-être les corneilles lui rappelaient-elles les corbeaux et les rapaces qui, pendant plusieurs jours, avaient envahi le champ de bataille à Fornoue.

— Voici Altivole, capitaine ! cria Ghul en s'approchant au galop.

Diego se protégea les yeux du soleil avec une main : devant lui, l'azur du ruisseau, l'ocre des chaumières et la tache rouge des roseraies. Tout autour régnait une paix absolue ; les corneilles s'étaient envolées et les autres oiseaux s'étaient remis à chanter. Le pépiement des oiseaux... À quand remontait la dernière fois qu'il l'avait écouté ?

— Ah, les roses de Byzance ! s'exclama le médecin. Les préférées du roi de Chypre.

Diego se rembrunit. Une nuit, il avait entendu Catherine appeler Jacques dans son sommeil. Il en avait éprouvé une telle fureur que, l'espace d'une seconde, il aurait pu la tuer. Au matin, pourtant, il n'avait pas posé la moindre question.

Peut-être craignait-il les réponses. De quoi avait-elle rêvé ? Un songe d'amour ou un cauchemar ? Pendant des mois, Diego n'avait cessé de se le demander, et la jalousie aiguisait son désir. Il avait fini par céder, écrivant au prince Orsini qu'il ne le rejoindrait ni à Rome ni à Sovana, son fief en Maremme, pour les chasses d'automne. Il lui avait dit la vérité : il était incapable de rester loin de Catherine. « Le chant des sirènes ne dure pas longtemps », lui avait répondu laconiquement Giulio.

Ghul poussa le portail du jardin. Les serviteurs accoururent aussitôt.

— Capitaine d'Aragon ! Maître Sigismond ! C'est un miracle que vous soyez ici !

À bout de souffle, le majordome Gabriel haletait à cause de l'émotion.

— La reine est malade. Elle a une forte fièvre.
Du poison ?

Sigismond leva les yeux au ciel. Poison : ils
n'avaient que ce mot à la bouche. Ils entrèrent dans
la villa. Les pièces vides étaient silencieuses ; soit
les courtisans dormaient, soit ils étaient partis.
Arrivé devant la chambre de Catherine, le grand
capitaine s'arrêta net.

— Sauvez-la, Sigismond, je vous en conjure.

Il saisit la main du médecin, à qui la scène parut
soudain incroyablement familière : un matin enso-
leillé, Famagouste, une chambre avec des rideaux
roses, le plafond orné de nymphes, les cheveux
blonds en désordre sur l'oreiller, un homme qui lui
agrippait la main. « Sauvez-la, je vous en conjure. »

Le capitaine général Mocenigo.

— Maître Sigismond.

Il se retourna en sursaut : l'incarnation vivante
des nymphes de la fresque se tenait sur le seuil.

— Pouvez-vous la guérir ? Je suis Adriana Marcello, dame de compagnie de la reine.

Sigismond se pencha sur le lit, le visage grave.

— C'est une fièvre contagieuse, mademoiselle.
Sortez d'ici.

— La fièvre tierce ?

— Non, une infection pulmonaire. Très avancée.
J'arrive bien tard.

— Trop tard ?

— Nul ne peut le dire. On ne peut jamais prévoir
la réaction d'un patient aux soins, ni même s'il
réagira. Chacun d'entre nous est un univers à part.

Adriana se retira dans l'ombre. Un univers à
part… Qu'allait-elle écrire à la dogaresse ? Et à
Pisani ?

Le bruit des cloches qui sonnaient à toute volée entrait par les fenêtres ouvertes du palais ducal, couvrant la mélodie des violes, harpes et mandolines qui égayaient le banquet du doge en l'honneur de François Gonzague. Assis à la droite de la dogaresse, Antonio Pisani n'était pas en veine de célébrations. Henri VII tardait à rembourser la première tranche de son crédit. Par le biais d'un représentant à Londres, Pisani l'avait harcelé de rappels, obtenant pour seul résultat l'éviction dudit représentant de la cour d'Angleterre. Que fallait-il en conclure ? Une seule chose : la banque Pisani était à la merci des humeurs du roi anglais. Un frisson lui parcourut l'échine. Sans ce remboursement, la banque ne pourrait pas payer les intérêts aux prêteurs. Antonio dressa mentalement la liste des gens auxquels il devait de l'argent : Venise tout entière, des commerçants aux grandes familles. Quand la nouvelle avait commencé à circuler que les Cornaro avaient souscrit au prêt, tout le monde s'était rué pour en faire autant. Antonio jeta un coup d'œil vers Giorgio Cornaro, assis face à lui à la table d'honneur. Lui aussi semblait de mauvaise humeur, mais ce ne pouvait pas être à cause d'Henri VII, puisque personne ne se doutait encore de rien. La maladie de sa sœur, sûrement... À ce moment-là, Gonzague brandit son verre.

— Trinquons à la victoire !

« Il est déjà éméché », remarqua Pisani avec dédain. Et puis, de quelle victoire parlait-il ? Celle des lansquenets et des capitaines qui s'étaient partagé le butin. Il s'empressa néanmoins de lever son verre. Dommage que Diego d'Aragon ne fût pas présent : il était le seul dont les lansquenets avaient suivi les ordres. Il s'était excusé auprès du doge sous prétexte qu'il portait le deuil ; personne n'avait eu le courage de révéler au doge que l'objet du deuil était un cheval.

— Vous n'avez pas touché à votre assiette, monsieur Pisani.

La dogaresse, toujours plus hâve, le visage ressemblant de plus en plus à un crâne, se pencha vers le banquier.

— La faute à vos musiciens, dame Elisabetta : ils jouent tellement bien qu'on en oublie de manger.

— Le marquis Gonzague ne semble pas partager votre avis. C'est curieux, ne trouvez-vous pas ? Une telle gloutonnerie alors que sa cavalerie a été fauchée sur la Taro. Ah, la guerre !... Même notre provéditeur a perdu l'appétit.

— Monsieur Cornaro est probablement inquiet pour sa sœur malade.

— Ou bien pour les placements financiers de la famille, répondit la femme squelettique en souriant.

Antonio Pisani laissa tomber sa fourchette.

Altivole, hiver 1495

Delfina sortit sans un bruit de la chambre de la reine. Catherine venait de passer sa première nuit tranquille : la fièvre chutait. Il avait commencé à neiger et les flocons candides recouvraient peu à peu le jardin. Diego d'Aragon entraînait son nouveau cheval sur le pré, à quelques pas du lévrier de Catherine qui se roulait dans la neige. « Curieux comme les animaux savent instinctivement choisir leurs amis », pensa Delfina. « À l'inverse des hommes. » Elle referma son manteau et descendit dans le jardin. Dès qu'il l'aperçut, le grand capitaine mit pied à terre et vint à sa rencontre, le sourire aux lèvres.

— Sigismond m'a dit que Catherine se porte mieux.

— Elle sera bientôt complètement guérie. Mon travail ici est terminé.

Diego caressa l'encolure puissante de sa monture. C'était un étalon gris qui ressemblait beaucoup à Bayard, bien qu'il fût encore méfiant et agité.

— Il vous plaît ? François Gonzague prétend l'avoir refusé au roi d'Angleterre : un tel destrier entre les mains d'un barbare ! C'est peut-être vrai. Le marquis ment à propos de tout, sauf de ses chevaux.

— Vous ne m'écoutez pas, capitaine.

Delfina s'arrêta brusquement entre les rosiers couverts de flocons. La neige ouateuse étouffait le moindre bruit dans le jardin désert ; si les quelques courtisans restés à la villa ne s'étaient pas encore montrés, les paysans venaient déposer devant le portail des cadeaux pour la reine : un panier de coings, des œufs, des fleurs séchées, des herbes aromatiques pour sa chambre. « Les humbles n'oublient jamais les faveurs qu'ils reçoivent, songea Delfina, contrairement aux puissants. » L'espace d'un instant, le visage exsangue de Pandolfo Malatesta lui revint en mémoire : pour la remercier de lui avoir sauvé la vie, il avait lancé une rumeur qui faisait d'elle une sorcière.

— Je vous demande la permission de partir avec Sigismond pour Innsbruck.

— Le Tyrol ?

Le sourire de Diego s'effaça de son visage.

— Pourquoi ?

— Pour apprendre l'art de la médecine.

— Et vous retrouver à nouveau sur le bûcher.

Delfina baissa la tête, Diego comprit qu'il ne pourrait pas la dissuader.

— À votre guise. Vous êtes libre. Vous l'avez toujours été, Delfina.

Il posa son manteau sur les épaules de la jeune femme.

— Vous tremblez. C'est la première fois que je vous vois trembler depuis cette nuit-là.

Il remonta en selle et s'éloigna au galop dans le silence cotonneux de la neige. Seulement alors Delfina éclata-t-elle en sanglots.

Venise, la veille de Noël 1495

« *Mon bien-aimé cousin Filippo,*
J'espère que vous aurez plaisir à recevoir comme cadeau de noces une paire de faucons rares. Pour votre épouse, madame Adriana Marcello, j'ai choisi un chiot : c'est une race chinoise qui fait fureur chez les courtisanes de Pékin, à ce qu'on m'a dit. C'est un chien de compagnie qui lui sera à n'en pas douter d'un grand réconfort dans les années à venir. Je vous envoie également un parchemin précieux, mon cadeau de noces pour mon frère Giorgio. Ayez l'amabilité de le lui remettre personnellement. Votre dévoué,
Cardinal Alvise Cornaro. »

Filippo tendit le message à Adriana, avant de poser le parchemin sur la cage des faucons.

— Magnifiques, murmura-t-il.

Le petit chien, une boule de poils noire et baveuse, se mit à japper furieusement.

Adriana, d'humeur exécrable, poussa un soupir : elle s'attendait à un bijou ou une bourse d'argent. Elle et Filippo étaient les hôtes du palais Cornaro pour les derniers préparatifs en vue du mariage de

Giorgio, qui précéderait le leur de quelques jours. Adriana était en train de meubler la maison où elle habiterait avec Filippo : malgré la modestie des lieux, les dépenses avaient dépassé ses prévisions. Ses économies s'amenuisaient à vue d'œil.

— Un animal pour me tenir compagnie dans les années à venir... Plutôt insultant, ne trouvez-vous pas ?

— Mais non ! Vous connaissez Alvise, il adore plaisanter. Gardez-le quelque temps, puis revendez-le. Un chien venu de Chine... Les dames vénitiennes en raffoleront.

— Oui, bonne idée.

Adriana prit le chiot dans ses bras et se mit à marcher en rond dans la pièce.

— Ah, si seulement j'avais un collier de perles avec ma robe de mariée ! J'ai vu celui que le grand capitaine a offert à la reine. Une vraie merveille. Il faisait partie du trésor que le roi de France a abandonné à Fornoue.

— Le fruit d'un vol. Un collier n'est pas une raison suffisante pour envier quelqu'un.

« Vraiment ? » se demanda amèrement Adriana. Catherine était belle, riche et libre, aimée par un homme puissant comme le capitaine d'Aragon.

— J'ai également vu l'habit de noces de Giovanna Morosini. Soie blanche et dentelle pour mettre en valeur ses fameuses émeraudes.

Filippo réprima un bâillement.

— La Morosini sait à peine lire et écrire, et mon cousin Giorgio accorde plus d'attention à ses affaires qu'à sa fiancée. Il n'y a pas de quoi l'envier, elle non plus. Nous, en revanche, nous sommes heureux, mon amour.

Il caressa les cheveux d'Adriana, qui consentit enfin à sourire. Elle deviendrait bientôt une Cornaro, après tout, ce n'était pas rien. Son regard se posa sur le parchemin que Filippo avait abandonné négligemment sur la cage : le cadeau de mariage du cardinal pour son frère Giorgio.

— Attention à ne pas l'abîmer. Il s'agit certainement d'un manuscrit rare.

Dans son bureau sur la rive du Canal Grande, qui appartenait jadis à son père, Giorgio Cornaro terminait de faire ses comptes avec Quirino, son vieux secrétaire. Quirino était entré au service de la famille à l'adolescence et lui était resté fidèle, faisant preuve d'une surprenante habileté en matière d'administration. « Tout change, hormis les chiffres », aimait-il à répéter. En son for intérieur, il pensait également que les chiffres étaient désormais la seule chose qui unissait encore les frères Cornaro, Alvise et Giorgio.

— Le pape tarde à rembourser le prêt de son éminence le cardinal.

— Si seulement il rembourse un jour, Quirino, si seulement il rembourse. En plus, Alvise a été obligé de financer les appartements d'Alexandre VI. Vous savez comment vont les choses à Rome.

Quirino n'en savait rien du tout.

— Une somme pareille, et sans intérêts...

— L'intérêt, c'est de garder la vie sauve, l'interrompit impatiemment Giorgio.

Le secrétaire se demanda comment les deux frères faisaient pour se comprendre aussi bien sans se voir ni se parler.

— De toute façon, cher Quirino, il y a un moyen simple de compenser nos pertes. Les actions de la banque Pisani sont au plus haut, n'est-ce pas ? Vendez-les immédiatement.

— Avec plaisir, monseigneur. Votre père disait toujours...

— De ne jamais prêter d'argent à un roi. Je sais. Et pourtant, lui aussi a fait une exception pour Jacques de Lusignan.

— Une exception malheureuse, monsieur. Sans votre intervention…

Il se tut d'un coup et devint rouge comme une écrevisse en remarquant Catherine sur le pas de la porte.

— Vous devriez avoir honte, Quirino. Vous ne pensez qu'aux affaires ! N'êtes-vous pas fier d'avoir jadis tenu une reine sur vos genoux ?

Elle éclata de rire et le visage de Quirino s'illumina : il avait connu Catherine enfant et la trouvait toujours aussi ravissante.

— Dois-je vendre également vos actions, madame ?

— Cela va sans dire. Je viens de rendre visite à la dogaresse, qui est malade et passe le temps avec son astrologue. L'horoscope d'Antonio Pisani est exécrable : il mourra pauvre et en exil.

— Vous n'allez pas croire à un devin, madame Catherine !

— Peut-être pas, mais je crois à la dogaresse : le roi d'Angleterre n'a toujours pas remboursé la première échéance. Elle tient l'information de son mari.

— Les Pisani vont faire faillite ! Seigneur…

Quirino ramassa hâtivement ses papiers et s'en alla fort agité. Les papes et les rois… Des escrocs, tous autant qu'ils étaient.

Villa Morosini, jour de l'an 1496

Giovanna n'en revenait pas d'être désormais une femme mariée. L'épouse de son excellence le podestat de Brescia et provéditeur de la République Giorgio Cornaro. Elle promena le regard sur les coffres qui débordaient de vêtements, châles et fourrures : son trousseau. Naturellement, son père s'était lamenté à propos de la dépense, mais

Giorgio avait coupé court à ses protestations en disant qu'il voulait une femme, pas une nonne. Fini, les robes grises et les bonnets. Giovanna se laissa faire par la camérière, qui ôta son voile et la coiffa pour le festin de noces. Dans le salon, les musiciens étaient déjà en train d'accorder leurs instruments. Les chantres flamands étaient prêts, les poètes révisaient les vers qu'ils avaient composés pour le mariage. Giorgio entra dans la pièce sans frapper. Son reflet apparut dans le miroir derrière Giovanna : il portait un habit de velours couleur crème, avec un col en dentelle et une chaîne en or au pendentif d'ivoire. Giovanna lui sourit dans la glace.

— Quel médaillon magnifique... Ces figures taillées, qui représentent-elles ?

— Dionysos et Ariane.

Devant l'expression blanche de Giovanna, Giorgio réprima un soupir : évidemment, ces noms ne lui disaient absolument rien.

— C'est un mythe grec. Le médaillon représente le moment où Dionysos découvre Ariane sur un récif et en tombe amoureux.

Il enleva le pendentif et le posa sur la paume de Giovanna.

— Le voulez-vous ?

— Oh, non ! Ils sont nus...

Giorgio retira la main.

— Il est très ancien. Venez, madame, il se fait tard.

Peut-être Giovanna était-elle encore trop jeune, songea-t-il en la conduisant vers la salle du banquet. Peut-être apprendrait-elle, avec le temps, à apprécier le zèle et la dévotion de celui qui avait ciselé dans l'ivoire ces corps dénudés, et peut-être serait-elle plus émue par la perfection d'un tel ouvrage que par ses émeraudes les plus grosses. Peut-être, avec le temps.

Adriana Marcello aurait voulu que la nuit ne s'achevât jamais. Bien qu'elle eût trop bu, trop dansé et trop ri, elle n'avait aucune intention d'arrêter. C'était une fête somptueuse. Autour d'elle, dans cette salle, étaient réunis les gentilshommes et les dames les plus nobles et influents de toute la péninsule. L'ambassadeur courtaud du pape, Lopez de Haro, était en train de flatter la duchesse de Milan, Béatrice Sforza, une femme menue et gracile. Sa sœur Isabelle Gonzague de Mantoue, majestueuse avec sa coiffe de perles et plumes, dansait quant à elle avec l'émissaire du roi de France, Philippe de Commynes, l'homme dont les archers, à Fornoue, avaient mis en pièces la cavalerie de son mari François. Mais la guerre appartenait au passé : Français et Vénitiens étaient désormais alliés. Adriana but une autre gorgée de vin.

— Méfiez-vous, le vin de Chypre est très fort.

— Monsieur Pisani.

Adriana esquissa une révérence. C'était la première fois qu'il lui parlait en public.

— Aimeriez-vous danser, mademoiselle ?

Adriana chercha Filippo du regard : la dernière chose qu'elle voulait, c'était danser avec Pisani. Il lui répugnait ; elle était incapable de le regarder sans penser à un rat. Cependant, il lui avait donné beaucoup d'argent et, à l'avenir, il lui en faudrait encore plus. Elle vit Filippo qui s'approchait de la table des mariés avec le parchemin, le précieux cadeau du cardinal Alvise. Ce n'était pas le moment de l'appeler.

— Avec plaisir, monsieur Pisani.

Les mariés coupèrent le gâteau, ce qui signifiait, selon l'usage, qu'ils allaient bientôt se retirer. La musique accéléra et, au rythme endiablé des fifres et des tambourins, les invités entourèrent Giorgio et Giovanna pour les entraîner dans leur danse. Filippo tendit le parchemin à Giorgio.

Le marié prit Giovanna par la main, se dégageant à grand-peine de la foule de convives. Lopez de Haro s'imposa devant eux.

— Vous n'aimez pas la mauresque, excellence ? demanda-t-il avec un sourire matois.

— Je ne connais pas les danses espagnoles, illustrissime.

— Oh, mais la mauresque est une danse de séduction sarrasine, particulièrement adaptée à une nuit de noces…

Giorgio secoua la tête en souriant et entraîna Giovanna loin de là.

— Attendez, je vous en prie !

Filippo se fraya un chemin au milieu de l'agitation.

— Juste un instant ! Laissez-moi vous remettre le cadeau du cardinal Alvise.

Giovanna disparut en haut des escaliers, vers le lit nuptial ; Giorgio la suivit après avoir empoigné le parchemin scellé. Un groupe d'amis passablement ivres l'accompagna en chahutant jusqu'à la chambre à coucher, où ils prétendirent le déshabiller et le mettre au lit. Giorgio dut argumenter pendant un bon moment avant de s'en débarrasser. Il ouvrit la porte. Il faisait sombre à l'intérieur ; Giovanna était allongée sur le grand lit blanc, seulement vêtue d'une chemise de soie immaculée. Le tissu léger soulignait ses seins et ses hanches. Les cheveux peignés jusqu'à en devenir luisants encadraient son délicieux visage. Ce n'est que lorsqu'il se pencha pour l'embrasser que Giorgio remarqua qu'il tenait encore le parchemin.

— Qu'est-ce que c'est ? murmura Giovanna.

— Le cadeau d'Alvise.

Il décacheta le rouleau sous le regard curieux de son épouse.

— Ce n'est qu'une liste de noms, dit-elle.

Giorgio eut l'impression que le sol se dérobait sous ses pieds. Les noms des espions. Adriana Marcello, Lisa Priuli et Filippo Cornaro. Filippo... Il se leva brusquement du lit.

— Pardonnez-moi. Je reviens tout de suite.

Adriana plongea un doigt dans ce qui restait du gâteau, le glissa dans sa bouche et le lécha avec volupté.

— Les mariés n'y ont quasiment pas goûté. Quel dommage.

Elle avait l'impression que tous les regards étaient posés sur elle et Filippo. Des regards envieux, évidemment. Commynes, l'élégant cavalier français, dansait avec Lisa Priuli, qui était encore plus ravissante que d'habitude dans sa robe bordée de renard – de la même couleur que ses cheveux –, mais c'était Adriana qu'il regardait. Celle-ci leva sa coupe dans sa direction. Même Lopez de Haro l'épiait à la dérobée tout en circulant au milieu des demoiselles, faisant ondoyer sa cape rouge flamboyante. « Luxe et pouvoir », observa Adriana. Les meilleurs aphrodisiaques, malgré la laideur du Catalan. Peut-être à cause du vin de Chypre, il lui semblait que même les femmes suivaient chacun de ses mouvements. Elle eut soudain envie d'être seule.

— J'étouffe, glissa-t-elle à l'oreille de Filippo.

Ce dernier l'entraîna à l'écart et, comme elle s'y attendait, se mit à la caresser, mais lui aussi avait trop bu. Malgré l'heure tardive, la fête battait toujours son plein : les chantres ne montraient aucun signe de fatigue, les musiciens enchaînaient une danse après l'autre, le brouhaha des voix frisait l'insupportable. Il se produisit alors une chose étrange : elle vit Giorgio Cornaro en haut des escaliers. Une seconde à peine. Adriana plissa les yeux en se demandant si elle n'avait pas rêvé. Elle se tourna vers Filippo, mais il avait disparu.

Antonio Pisani se lança dans une autre danse ; l'aube approchait et il était tellement ivre qu'il en avait oublié tous ses soucis. Il avait remarqué que chaque fois qu'il s'inclinait devant une demoiselle, les yeux de celle-ci brillaient d'allégresse. Il ne se faisait aucune illusion quant à son pouvoir de séduction : il était petit, chauve et malingre, bien qu'il s'efforçât de le cacher avec des vêtements fastueux. Dans cette salle, les invités croyaient qu'il était l'homme le plus riche de Venise. Rien d'étonnant à ce que les femmes accueillent sa compagnie avec entrain.

Du coin de l'œil, il vit Adriana Marcello qui s'éloignait avec son fiancé : si son immense beauté ne s'était pas accompagnée d'une telle superbe, il lui aurait donné bien plus qu'un peu d'argent. Le ciel s'éclaircissant, la maison commença lentement à se vider. Catherine s'était retirée sans un mot. Pisani ricana : quelle indélicatesse aux noces de son propre frère... Il s'approchait d'un serviteur muni de rafraîchissements lorsqu'un jeune homme se planta devant lui.

— Je vous prie de me suivre, monsieur.

Demetrio, le page de Catherine. Elle l'avait donc gardé à son service, quelle impudence ! Pisani fut parcouru d'un frisson d'anticipation : une entrevue secrète aux petites heures du jour, il s'agissait forcément d'une question importante. Le page l'escorta dans un couloir mal éclairé, puis à travers plusieurs pièces tout aussi sombres. La villa Morosini était vaste, le vacarme de la fête s'estompa peu à peu. L'étourdissement du vin céda la place à un malaise diffus. Demetrio... Il se rappela soudain qu'il avait écrit de sa propre main la lettre anonyme accusant Catherine. Et si c'était un piège, une vengeance ? Des assassins… Cela n'aurait pas été la première fois. On avait bien assassiné un homme après un bal au palais Cornaro. Quand le page s'arrêta enfin devant une porte, Pisani se rendit compte qu'il tremblait.

La pièce, grande et dépouillée, ne contenait qu'une longue table et des étagères pleines de documents. La reine et son frère étaient assis à côté d'un vieil homme. Pisani le reconnut aussitôt : Quirino, leur administrateur. Pas d'assassins. Il poussa un soupir de soulagement. Giorgio Cornaro portait encore son costume de mariage.

— Ce doit être important pour que vous abandonniez votre lit nuptial, excellence.

Pisani eut un sourire malicieux.

— En effet, c'est important, surtout pour vous. Je tenais à vous informer que les Cornaro ont vendu toutes leurs actions de la banque Pisani. Quirino ne fait aucune confiance aux régnants. Ma sœur non plus.

— Les actions des Cornaro, vendues ! C'est impossible, je m'en serais aperçu.

— Vous sous-estimez l'ingéniosité de Quirino, monsieur.

Catherine se leva et avança vers le banquier ; elle aussi portait encore sa robe de cérémonie couleur pourpre. « Le rouge ne lui va pas », pensa incongrûment Pisani.

— Majesté, réfléchissez… Quand la nouvelle de votre retrait se sera répandue, ma banque fera faillite.

— Elle a déjà fait faillite, monsieur. Vous savez aussi bien que moi que le roi ne remboursera jamais son emprunt.

Pisani sentait le sang lui battre aux tempes. Il imagina la foule hurlant devant son palais, exigeant la restitution de son argent. Si seulement il lui restait un peu de temps… Maudits Cornaro.

C'était pire qu'être assassiné. La pulsation du sang se transforma en un rugissement implacable. « Il s'est passé quelque chose cette nuit », songea-t-il. Quelque chose qui lui avait échappé pendant qu'il buvait et dansait en bonne compagnie. Il entendit encore la voix de Giorgio.

— Adieu, monsieur. Vous êtes un homme rusé, mais pas suffisamment.

— Pourquoi ? s'écria Adriana.

Sous leurs yeux, le jour naissant parait le lac d'une lueur féerique. De fines volutes de fumée argentée s'élevaient des flambeaux à demi éteints qui entouraient l'annexe de la villa. Adriana se dit que c'était forcément un rêve. Un rêve atroce.

— Pourquoi ?

Filippo la regarda comme s'il ne la reconnaissait pas.

— Giorgio et Catherine sont mes cousins. Ils m'ont porté secours lorsque je n'avais plus rien. Ils m'ont accueilli et rendu mille services. Et maintenant, ils me prennent pour un traître. À cause de vous.

— Je n'ai donné à Pisani qu'une poignée de lettres sans valeur !

— Si elles étaient sans valeur, il ne les aurait pas payées si cher. Vous mentez. Vous m'avez toujours menti.

— Je l'ai fait pour vous, balbutia-t-elle avant d'éclater en sanglots.

— Pour moi ? J'ai perdu mon honneur. Mes amis. Ma dignité. Tout cela à cause de vous. Adieu.

Filippo fit signe au batelier qui patientait devant les gradins du palais. En montant sur la barque, il se retourna pour regarder une dernière fois la femme qui, jusqu'à un instant plus tôt, allait partager sa vie. Adriana avait baissé sa capuche et les premiers rayons de l'aube éclairaient son visage, ce visage qui, même strié de larmes, restait unique et fascinant. La bouche, les dents, les lèvres, et ces mains tendues vers lui dans l'espoir de le retenir. Tout en elle était unique.

— Adieu, répéta Filippo d'une voix brisée.

Rome, huit ans plus tard, été 1503

« Le cauchemar est fini », se réjouit Alvise Cornaro. Rodrigo Borgia, le pape Alexandre VI, était mort. Alvise se rappela leur dernière conversation, quelques jours plus tôt, dans les appartements pontificaux du Vatican.

« Je veux faire en sorte qu'un jour, la papauté revienne à mon fils César », avait dit Borgia. Alvise sourit à part lui.

— Qu'est-ce qui vous amuse, éminence ? demanda Tullia Farnese en s'épongeant le front avec un mouchoir de byssus.

Il faisait une chaleur telle que l'air manquait dans la pièce aux rideaux tirés.

Alvise continua à sourire : ce qui l'amusait le plus, c'était le retour de Tullia. L'amante du pape, pâle et éplorée comme Marie-Madeleine, était venue demander sa protection ; elle avait également ramené Burkhard, qui avait abandonné Alvise pour devenir le grand cérémoniaire d'Alexandre VI. Il n'avait perdu ni son allure de lansquenet ni son accent allemand, et encore moins son sens pratique.

— Les serviteurs sont en train de saccager les quartiers des Borgia au Vatican, éminence. Ils ont tout volé, jusqu'aux bréviaires. Quand je pense à l'argent que Sa Sainteté a dépensé pour ces appartements...

— Je sais exactement combien il a dépensé, l'interrompit jovialement Alvise. Une bonne partie de cet argent est sortie de mes poches.

— Ces pillages, ce n'est que le début, pleurnicha Tullia. Bientôt, la ville tout entière sombrera dans le chaos.

Elle portait une robe noire et un voile qui touchait presque terre. À l'image d'une veuve. Ou de Marie-Madeleine. Et c'était probablement ainsi qu'elle se voyait.

— Je vous en supplie, Alvise, protégez-moi. Votre palais est le seul endroit sûr de Rome.

Le cardinal considéra cette femme qu'il avait jadis désirée au-delà de la raison et de l'honneur, et qui ne lui inspirait plus désormais que la pitié.

— Tout ce que vous voudrez, Tullia, comme toujours. Et vous, Burkhard ? Préférez-vous entrer à mon service, ou à celui du prochain pape ?

— Ni l'un ni l'autre, éminence. Je retourne dans ma patrie. Je suis venu vous dire adieu et vous apporter un cadeau.

Il posa un manuscrit finement relié sur la table.

— Mon journal de cérémoniaire du pape : je l'ai fait reproduire par un copiste. Tout y est exact, vous avez ma parole.

En se dirigeant vers la porte, il ajouta :

— J'ai toujours regretté de ne pas être resté avec vous.

— Bonne chance, répondit le cardinal en soupirant.

Burkhard était à peine sorti qu'Alvise s'empara du journal, incapable d'en différer la lecture. Un coup de tonnerre ébranla les vieilles poutres du plafond, arrachant un cri effrayé à Tullia. Alvise ne leva même pas la tête. Incroyable... Le journal s'ouvrait sur une liste de noms et de propriétés avec leur valeur actualisée, dictée personnellement à Burkhard par le pape et son fils César. Quasiment tous ces individus étaient morts, et leurs biens devenus propriété de l'Église. Les rumeurs sur le poison des Borgia étaient donc fondées. Alvise se rendit compte qu'il tremblait. Dehors, une lumière pâle zébrée d'éclairs enveloppait la ville. Une odeur putride montait jusqu'à la fenêtre. Le Tibre était en crue.

Tullia fit le signe de croix.

— Le pape a été empoisonné et Dieu déchaîne la tempête, comme à la mort du Christ.

C'en était trop. Alvise lui lança le journal.

— Lisez. Il y a votre nom sur cette liste, avec vos célèbres bijoux. Il ne manque que les perles que je vous ai offertes et que vous avez données à Lucrèce pour sauver la vie du prince Orsini. Et c'est la seule raison pour laquelle, à mon tour, je sauve la vôtre.

Un autre coup de tonnerre, un autre grincement au plafond. Alvise quitta la pièce sans se retourner. Cette ville lui répugnait : ses fièvres, son fleuve nauséabond, son peuple et ses nobles assoiffés de sang, ses courtisanes et ses prêtres corrompus, toute la violence dont elle était imprégnée. Écœurant. Il était temps qu'il retrouve sa République, sa lagune, et cette lumière pareille à nulle autre.

Venise, palais Cornaro, été 1503

— Il est mort ? demanda Giorgio au prêtre qui sortait de la chambre de la parturiente.

— Malheureusement, oui, excellence, mais j'ai eu le temps de le baptiser. Son âme innocente se trouve désormais aux côtés de notre Rédempteur.

Giorgio baissa la tête. Ce n'était pas juste. À peine né, son premier enfant mâle avait cessé de vivre. Ce n'était pas juste… Une main lui effleura l'épaule.

— Vous ne devez pas vous tourmenter ainsi, monseigneur, dit la voix apaisante de Maria Bragadin. Peut-être cet enfant n'était-il pas destiné à

443

ce monde. Et Dieu vous a donné un autre fils : Marco vous ressemble de plus en plus chaque jour.

« Sage et douce Maria », pensa Giorgio. Sa seule véritable amie, depuis le jour où il l'avait rencontrée à Chypre. Une fois encore, elle avait raison : Marco démontrait chaque jour qu'il était un Cornaro, quoi qu'ait pu en dire Floriani dans son ultime lettre.

— Madame Giovanna vous attend, monseigneur, chuchota Maria.

Avec un soupir, Giorgio ouvrit la porte de la chambre à coucher. Enveloppée de couvertures brodées, avec une coiffe en dentelle sur ses cheveux impeccablement arrangés, Giovanna ressemblait à une poupée. Après avoir donné naissance à deux filles, elle en était à son troisième enfant. Giorgio adorait ses filles, mais il savait combien sa femme tenait à avoir un garçon, afin que le bâtard, comme elle l'appelait, perdît ses droits. « Ce qui, de toute façon, n'arrivera pas », pensa Giorgio. « Jamais. »

— C'est terrible, se lamenta Giovanna, allongée. Souffrir autant, en vain. Et pourtant, le devin m'avait assuré que…

Giorgio n'écoutait déjà plus. Il regarda les tableaux qu'il avait choisis et accrochés aux parois. Leur beauté allégea quelque peu la tristesse qui l'accablait.

— C'est sa faute ! s'emporta soudain Giovanna. Cette sorcière voilée ! Emmenez-la hors d'ici. Je ne veux plus la voir !

— Monseigneur, murmura la sage-femme. Madame est très fatiguée.

« Fatiguée, se dit Giorgio, vraiment ? » Son ignorance, sa superstition, ses devins, son indifférence à l'art… La fatigue pouvait-elle expliquer tout cela ? Il se leva et décrocha soigneusement le portrait du mur.

— Aimeriez-vous passer l'été à Altivole, Giovanna ? lui demanda-t-il d'un ton prévenant. L'air salutaire des collines vous redonnera des forces. En outre, une période de fête est prévue pour l'installation du nouveau podestat d'Asolo à la place de feu Bovolini. Il y aura des banquets, des bals, des comédies… Et des invités illustres.

Comme prévu, le visage de Giovanna s'illumina. Les festivités supposaient de nouveaux vêtements, peut-être même un bijou pour la consoler. « Le bonheur des femmes ne tient pas à grand-chose », se dit Giorgio, se sentant gagné par la mélancolie.

— Me feriez-vous le plaisir de prier Catherine d'inviter Sigismond ? Il pourra m'instruire sur la manière de concevoir un autre garçon.

— Il n'existe aucune manière pour cela, répondit Giorgio d'un ton las.

— Oh, Sigismond connaît beaucoup de choses qu'il garde secrètes. Il a peur. Il a failli être brûlé vif pour sorcellerie dans son village au Tyrol.

Après que Giovanna se fut assoupie, Giorgio sortit dans le couloir, où Maria Bragadin l'attendait.

— L'ambassadeur du roi de France est arrivé. Il veut vous féliciter. Il n'est pas au courant.

Giorgio hocha la tête. Au fil des ans, Philippe de Commynes était devenu son ami. Les yeux de Maria se posèrent sur le tableau qu'il tenait dans les bras comme s'il s'agissait d'un enfant.

— Giovanna est superstitieuse, expliqua-t-il. Elle est persuadée que la *Dame voilée* porte malheur. C'est mieux ainsi. Je le mettrai dans mon bureau.

Une voix à l'accent français prononcé s'éleva au bout du couloir.

— Je vous l'achèterais bien volontiers, monsieur Cornaro.

— Jamais, Commynes. Croyez-le ou pas, je suis tombé amoureux de cette inconnue, je ne peux m'en séparer.

— Amoureux, vous ?

L'ambassadeur s'approcha, sourire aux lèvres. Autrefois sombre et humide, le couloir était lumineux depuis que Giorgio y avait fait percer deux grandes fenêtres qui donnaient sur le canal. La poussière dorée qui flottait devant les yeux énigmatiques de la *Dame voilée* les faisait paraître vivants.

— Regardez-la, Commynes : elle est amusée. À Byzance, les gens croyaient que les images pouvaient enfermer l'âme. C'est pour cela qu'ils les détruisaient. À votre avis, avaient-ils raison ?

— Peut-être. Après tout, il y a des représentations de saints et de la Vierge qui accomplissent des miracles.

— Comme la Madone de la Victoire de Gonzague.

Giorgio sourit pour la première fois.

— Votre présence me fait grand plaisir, Commynes. Malheureusement, je n'ai rien à fêter. Mon fils n'a pas survécu.

— Un garçon… Je suis navré.

Ils entrèrent dans le bureau inondé de lumière et encombré par les objets que Giorgio collectionnait avec passion : des manuscrits et des miniatures, des statuettes provenant de temples, des instruments de musique et, partout, des livres.

Maria servit le vin, qu'ils burent en silence pendant un instant.

— Le vin de la Commanderie, dit finalement Giorgio. Puissant et délicat. À ce qu'on m'a dit, la vigne n'existe plus. Elle appartenait aux Templiers. Je n'aurais jamais dû convaincre Catherine d'abandonner Chypre, ajouta-t-il à voix basse, le regard fixé sur le portrait.

446

— Vous n'aviez pas le choix, monseigneur, intervint Maria.

— Vraiment ? Vous êtes trop indulgente. En dehors des maladies, le remords et la trahison sont les seuls véritables maux de l'existence. Savez-vous qui est le nouveau podestat d'Asolo ? Antonio Venier, un parent de l'homme pendu à Chypre. Fallait-il vraiment qu'ils aillent chercher un Venier ?

Commynes soupira.

— Cela ne serait jamais arrivé du vivant du doge Barbarigo et de la dogaresse Elisabetta.

— Danses et festins en l'honneur de quelqu'un que l'on déteste. Promettez-moi de venir à Asolo, Commynes.

— Aucune promesse ne me serait plus agréable, mon ami.

Sovana, fief des Orsini, été 1503

Dans la chaleur caniculaire de cette année-là, les collines sauvages et boisées de Toscane conservaient une fraîcheur revigorante. Après une journée entière de chasse au sanglier, le crépuscule trouvait Giulio et le grand capitaine d'Aragon assis seuls devant une ferme, en train de se restaurer avec le vin et le fromage des paysans. Le cardinal Hippolyte d'Este et les autres invités du prince étaient déjà repartis au château.

— Vous avez marché toute la journée, Giulio, et pourtant je ne vous ai pas entendu vous plaindre de votre jambe.

— Depuis la mort du pape, elle ne me fait plus mal, répondit Orsini en souriant.

C'était faux, mais la joie qu'il éprouvait dépassait la douleur. Il contempla les canards sauvages qui nageaient dans l'étang voisin, au milieu du coassement presque assourdissant des grenouilles.

Profiter des derniers rayons de cette journée parfaite en compagnie de Diego était un véritable bonheur ; le prince les savourait presque goutte à
goutte, lentement, comme le vin généreux du
paysan.

— Que comptez-vous faire à présent ? demanda
Diego. Sans haine, la vie devient parfois ennuyeuse.

— Il me reste le fils, César. C'est lui qui a tout
manigancé. Chaque jour, il venait discuter avec
le geôlier du château Saint-Ange pour savoir
comment je réagissais à la torture. Cerveteri lui
appartient désormais.

— Plus pour longtemps. Il paraît que César est
mourant : il aurait avalé son propre poison en
buvant par erreur le vin destiné à l'un de ses
ennemis. Ironie suprême, non ?

Leurs regards se croisèrent et les deux hommes
éclatèrent de rire. « Il se tisse toujours un lien
unique entre les hommes capables de se regarder
droit dans les yeux », songea Orsini. La rage aveugle
qui s'emparait de lui chaque fois qu'il entendait le
nom des Borgia retomba dans la paix du crépuscule.

— Les plaies se sont rouvertes, observa Diego
en indiquant la jambe du prince, appuyée sur un
tabouret. Vous devriez abandonner la chasse,
Giulio. Je pars pour Altivole demain, ajouta-t-il.
Venez donc avec moi.

— Altivole, Catherine... Pourquoi pas ? J'ai la
nostalgie des lieux et de la reine. Et je suis curieux
de rencontrer le nouveau podestat, Antonio Venier.

Diego fronça les sourcils. Le soleil avait disparu
derrière les arbres, l'étang exhalait des vapeurs
blanchâtres dans l'obscurité naissante. Un Venier...
Les canards s'envolèrent, emportant avec eux la perfection de cette journée.

— Oui, la famille du traître que Catherine a fait
pendre à Chypre.

— Vous êtes un expert en matière de haine, Giulio. Combien de temps croyez-vous que cela puisse durer ?

Le prince ne répondit pas. Les plaies de sa jambe suppuraient. D'un geste nonchalant, il versa dessus le reste du vin. La douleur le fit tressaillir. Combien de temps ?

Asolo, été 1503

Catherine eut l'impression de voir un fantôme. Un fantôme jeune et séduisant, l'air hautain, blond aux yeux bleus, qui traversait la salle à grandes enjambées. Il portait un habit bleu clair et un chapeau de plumes colorées. Hasard ? Coïncidence ?

— Marco, murmura Catherine à part elle.

Il ne s'agissait pas de Marco Venier, bien sûr, mais d'Antonio, le nouveau podestat. Il s'inclina devant elle en lui tendant un parchemin. C'était sa nomination par le sénat. Catherine n'entendait pas ce qu'il disait. Elle ne voyait que les plumes ondoyant dans la lumière pâle qui entrait par les fenêtres. Dehors, la tempête faisait rage ; les flammes des chandelles vacillaient dans les courants d'air du vieux château. Le tonnerre retentissait avec fracas.

— Majesté, dit Pietro Bembo en lui présentant une plume. Le parchemin.

Catherine apposa sa signature d'une main tremblante. À l'ombre du chapeau, les yeux d'Antonio Venier guignaient le moindre de ses mouvements.

La cérémonie était terminée. La ville d'Asolo tenait son nouveau podestat.

Giovanna Cornaro plissa les yeux sous l'éclat du soleil qui s'insinuait entre les glycines. Elle aurait aimé que l'été durât pour l'éternité : la vie à Asolo était un long cortège de délices. Les paupières fermées, elle imaginait qu'elle se trouvait dans le paradis terrestre – c'était ainsi que Pietro Bembo avait surnommé le jardin de Catherine.

À cette heure matinale régnait un calme profond. Les courtisans étaient partis chasser. Au-delà des murs s'élevait le chant des femmes qui travaillaient la terre et le martèlement sourd des chevaux lancés au galop : le capitaine d'Aragon et le prince Orsini joutaient dans le pré. Catherine était en train de poser pour un peintre. Le frottement du pinceau se mêlait au gazouillis des oiseaux. Les yeux toujours fermés, Giovanna soupira de bonheur. Mieux valait ne pas se fatiguer : la fête en honneur du nouveau podestat Venier allait commencer dès le coucher du soleil, et Giovanna comptait bien danser jusqu'à l'aube. Encore une fois, Giorgio s'était absenté sous prétexte que ses devoirs de provéditeur l'obligeaient à voyager aux quatre coins de la République. Giorgio et ses éternelles questions ne lui manquaient pas : pourquoi s'adonnait-elle aux tarots au lieu de lire ? Pourquoi n'apprenait-elle pas à jouer d'un instrument ? Et pourquoi consacrait-elle si peu de temps à leurs filles ? Requêtes, exigences…

— Que vous êtes belle, ce matin, madame. C'est incroyable : vous devenez plus belle de jour en jour.

Giovanna rouvrit les yeux. Catherine se tenait devant elle. Le soleil était déjà haut dans le ciel et le peintre s'était retiré. Elle avait dû somnoler. Giovanna sourit à sa belle-sœur, qui la couvrait d'attentions : un petit cadeau sans raison, les biscuits de Giacinta servis dans sa chambre dès le réveil, sa danse préférée, la pavane, quand venaient les musiciens. Elle voulait la consoler de la perte de son fils ; Catherine elle-même avait perdu un garçon et, d'après Giorgio, ne s'en était jamais remise. Cependant, Giovanna n'était pas stérile, contrairement à la reine. Elle s'était à peine levée en bâillant qu'un chien très laid au poil revêche lui sauta dessus. Elle s'en éloigna vivement, juste à temps pour éviter qu'il léchât la dentelle de sa robe.

— N'ayez pas peur, c'est le bâtard de Sigismond. Il l'a recueilli Dieu sait où, blessé et affamé. Depuis, la pauvre bête ne le quitte plus.

— Sigismond est arrivé ?

— Oui, la nuit dernière, accompagné de Delfina.

— Cette sorcière... Pourquoi avez-vous accepté qu'il l'amène à Altivole ?

— Parce que j'ai une dette envers elle. Elle m'a soigné d'une fièvre contagieuse. C'est une guérisseuse, pas une sorcière. Pandolfo Malatesta n'aurait pas dû répandre ces calomnies à son sujet : sans elle, lui aussi serait mort.

Giovanna s'empressa d'acquiescer. Elle ne connaissait que trop bien ce ton ; il n'était pas sage de contrarier un Cornaro qui l'employait.

— Peut-être que Pandolfo est jaloux. Delfina est la servante du grand capitaine, et donc son amante.

— Regardez ! s'exclama Catherine en prétendant n'avoir rien entendu. Voilà Alvise.

Elle se leva pour aller à sa rencontre, suivie par l'horreur à quatre pattes. Giovanna, restée seule sous la pergola, haussa les épaules. Un ballet réglé à la perfection : un frère arrivait à l'instant où l'autre partait. Les brouilles fraternelles... Pietro Bembo approchait, des papiers à la main – des poèmes, à n'en pas douter. Giovanna s'éclipsa hâtivement, de peur qu'il l'aperçût.

— Quelles nouvelles de Rome, cardinal Cornaro ? demanda Giulio Orsini en grignotant le biscuit que lui avait proposé la naine.

Ses pâtisseries étaient tellement exquises qu'elles lui faisaient oublier les élancements de douleur dans sa jambe. Depuis que Sigismond lui avait interdit de monter à cheval, les journées s'égrenaient paresseusement dans la chaleur assommante. Dans la pièce aux rideaux tirés, même les nymphes au plafond semblaient assoupies.

— Le nouveau pape, Jules II, est un della Rovere : orgueil, rigueur, et une passion immodérée pour les arts. Il collectionne les sculptures romaines et les livres de prière.

Giulio rit doucement.

— Et madame Tullia ? demanda-t-il.

— Elle persiste à porter le deuil. Léda déguisée en bonne sœur... Vous imaginez ?

— Non, je préfère rester sur l'image de Léda embrassant le cygne.

— Le destin se montre sans pitié avec les courtisanes lorsqu'elles vieillissent.

— Sauf pour Tullia, grâce à votre générosité, prince.

S'il y avait bien un reproche que l'on ne pouvait pas faire aux Orsini, songea Alvise, c'était d'être des ingrats.

— Parlez-moi des acteurs de ce soir, dit Giulio en changeant de sujet. Que vont-ils nous présenter, Plaute ou Térence ?

— Plaute.

— Je me souviens de l'acteur principal, excellence, observa Giacinta en leur offrant d'autres biscuits. Je l'ai vu jouer au château d'Asolo, il y a quelques années de cela. Il avait le visage maquillé en noir et blanc. Sa femme disait la bonne

452

aventure. Après la représentation, elle a tiré les cartes pour dame Luisa.

— Lui a-t-elle prédit qu'elle finirait sa vie au couvent ? demanda sèchement Alvise.

Pauvre Luisa… Une autre nymphe devenue bonne sœur. À cause de Giorgio.

Le bruit d'un carrosse leur parvint par la fenêtre ouverte. Le podestat et sa suite entraient dans la cour.

— Il est en avance, maugréa Alvise. Pardonnez-moi, prince, mais je dois malheureusement aller l'accueillir.

Il se leva à contrecœur.

— Courage, ne soyez pas si pessimiste. Peut-être que ce Venier est différent du traître de Chypre.

— Peut-être.

Alvise parti, Giulio alla écarter les rideaux pour observer le nouveau venu : élancé, blond, séduisant, chapeau à plumes… Il tenait un perroquet en cage.

Malgré la chaleur, le prince eut l'impression de percevoir quelque chose de glacé dans l'air. Catherine lui avait raconté qu'elle possédait un perroquet à Chypre. Un cadeau de Marco Venier.

— Ah, les secrets ! lut Pietro Bembo à voix haute. Plus ils vous rongent, vous piquent et vous tourmentent, plus grand devient le plaisir de l'existence.

Les demoiselles applaudirent avec enthousiasme. Les courtisans se rafraîchissaient sous les glycines avec le vin léger des collines, tandis que dans le ciel le soleil achevait sa course. Demetrio entama une ballade et Commynes, distrait par la musique, interrompit la lettre qu'il était en train d'écrire à son roi. Plus loin, dans le potager situé au pied de l'enceinte, Sigismond cueillait des herbes aromatiques qu'il déposait au fur et à mesure dans le panier de Delfina. Son chien aboyait contre Giovanna, qui montrait les rosiers au podestat. Catherine et Diego d'Aragon se trouvaient devant le labyrinthe de buis à peine achevé. Les cyprès pliaient dans la brise du crépuscule, dessinant des ombres étranges dans le ciel.

— Quelle merveille, soupira l'une des demoiselles. On se croirait dans le paradis terrestre.

— Même le paradis était infesté de serpents, ma chère. Ne l'oubliez pas.

Le prince Orsini sourit distraitement. Catherine et Diego lui firent signe de les rejoindre. Le prince n'aimait pas les labyrinthes, peut-être parce qu'il n'était plus capable d'y poursuivre les femmes, ou peut-être parce qu'ils lui rappelaient trop de situations sans issue. Le grand capitaine et la reine disparurent derrière le mur vert des buis. Ils l'appelèrent à nouveau et Giulio pénétra dans le dédale. Il eut bientôt l'impression que les haies gagnaient en hauteur tandis que le sentier rétrécissait et les bruits s'amenuisaient. Le murmure de l'eau lui rappela qu'une fontaine se dressait au centre. Où étaient Diego et Catherine ? Le soleil qui brillait sur la verdure éclatante, le chant régulier d'un rossignol, la sensation d'aller nulle part, le bourdonnement dans sa tête, les battements fatigués de son cœur...

Et soudain, Diego était là, devant lui, assis avec Catherine sur le marbre de la fontaine.

— Qu'y a-t-il, mon prince ? Vous tremblez.

— Je n'aurais jamais dû m'aventurer ici.

Catherine lui saisit la main. Elle l'entoura de ses bras jusqu'à ce que les tremblements cessent. Ils restèrent longuement dans les bras l'un de l'autre, au bord de la fontaine, dans un isolement presque irréel ; peu à peu, le reflet du soleil perdit sa violence, le chant du rossignol s'évanouit.

— Si seulement nous pouvions toujours demeurer ainsi, murmura Giulio. Tous les trois, et personne d'autre.

— Pour toujours ? fit Diego en souriant dans l'ombre. Je ne sais pas. Je suis un homme d'armes, la mort nous guette à chaque bataille.

— La mort n'existe pas. Ce n'est qu'une illusion, comme tout le reste.

Diego et Catherine contemplèrent le prince en silence. Étrange atmosphère : au centre d'un labyrinthe, on se sentait presque au centre du monde. Un flamboiement de torches. Des voix. On appelait leurs noms.

— La fête. Le temps passe vite.

— Ah, le temps ! Une autre illusion.

— Vous êtes d'humeur bizarre, mon prince. À moins que vous ayez perdu la raison.

Giulio éclata de rire. Lentement, en boitant, il s'enfonça entre les haies.

Il faisait nuit noire lorsque Giorgio Cornaro atteignit Altivole. Il ouvrit la porte de la chambre à coucher de Giovanna et la trouva vide. « Tant mieux », pensa-t-il en s'asseyant sur le lit. « Un peu de silence. » Il était éreinté. Après avoir voyagé toute la journée dans la chaleur et la poussière afin d'arriver à temps pour rencontrer le podestat, il avait eu la mauvaise surprise de reconnaître l'attelage de son frère dans la cour. Il était persuadé qu'Alvise serait resté à Venise, accaparé par son statut d'envoyé papal.

Le chat de Giovanna sauta sur le lit en miaulant et Giorgio s'en écarta aussitôt. Il détestait les chats, surtout celui-là, un gros persan gris aux yeux couleur topaze. Après avoir enlevé sa veste et sa chemise, Giorgio commença à se laver avec l'eau parfumée de la bassine. Il lui tardait de regarder Antonio Venier en face. Quelque chose ne tournait

pas rond. Sa nomination par le Sénat était inter-
venue trop hâtivement, presque en secret. Il enfila
des vêtements propres et se mit à la fenêtre,
soucieux : le jardin fourmillait d'invités. Alvise
conversait tranquillement avec une jeune femme,
pendant que le podestat, le visage caché sous un
chapeau, se promenait avec un perroquet perché
sur l'épaule. Catherine discutait avec un gitan au
visage moitié blanc, moitié noir. Non, ce n'était pas
un gitan, il portait un costume d'acteur. Giorgio
avait déjà vu cet homme. Bien sûr… Sa première
nuit avec Luisa. Il se détacha de la fenêtre. Il avait
beaucoup de choses à faire avant de repartir pour
Venise dès l'aurore. « Des choses, pensa-t-il, des
choses qui en entraîneront d'autres, dans une folle
spirale jusqu'à l'acte final. » Un sentiment de profonde lassitude s'empara de lui. Était-ce le souvenir de Luisa ? Un léger bruit le fit sursauter. Il y
avait quelqu'un derrière lui. Il pivota sur lui-même
en portant la main au poignard accroché à sa ceinture. Il vit alors que l'intrus était une femme ; la
pénombre dissimulait son visage, mais ses cheveux
attachés resplendissaient comme une auréole d'or
rouge.

— Je suis désolée, monseigneur, je ne voulais
pas vous surprendre. La reine m'a envoyée chercher dame Giovanna. La comédie va débuter d'un
instant à l'autre.

Giorgio changea d'expression.

— C'est moi qui suis désolé. C'est bizarre, je n'ai
pas remarqué votre reflet dans la vitre.

Delfina tira les rideaux.

— Les reflets sont trompeurs.

Ils demeurèrent un instant en silence à écouter
les notes des flûtes qui montaient du jardin.
Giorgio était hypnotisé par la couronne de cheveux
roux qui nimbait Delfina, hypnotisé par son châle
écarlate. Elle eut un mouvement imperceptible qui

fit glisser le châle à terre. Son dos était parfait, blanc et délicat. Tout en elle était parfait, délicat comme les notes de musique, se dit Giorgio, pris soudain de vertiges. Il avait l'impression d'avoir déjà vécu ce moment, déjà connu cette femme. Un souvenir qui affleurait à la surface, aussi ténu et pénétrant que la mélodie qu'ils écoutaient. Delfina lui effleura la joue, ce que Giorgio n'avait jamais accepté d'aucune femme. Il caressa son dos, l'attira contre lui et l'embrassa. Delfina lui rendit son baiser avec une passion qui lui coupa le souffle.

— Qui êtes-vous ?

Elle secoua la tête et l'auréole rouge se défit sur ses épaules. Elle portait une tunique légère, presque impalpable, qu'elle laissa tomber sur le lit. Dehors, quelque part, la musique continuait. Giorgio approcha lentement. Il avait le sentiment d'avoir franchi un seuil au-delà duquel rien, dorénavant, ne serait plus pareil. Son corps blanc éclos sur le châle rouge qui recouvrait le lit, Delfina le fixait avec les mêmes yeux topaze que le chat.

— Je n'ai jamais appartenu à aucun homme, susurra-t-elle.

La comédie était terminée. L'actrice principale salua. Vêtue d'une robe transparente mais le visage caché derrière un voile, elle avait offert une splendide prestation. Elle garda le voile même devant les acclamations des spectateurs. Le rideau était à peine tombé qu'elle se déroba aux regards de l'assistance. Le podestat Venier l'envoya chercher, mais c'est le chef de la compagnie qui se présenta devant lui et se confondit en excuses. Déçu, Venier se consola en dansant avec la plus belle femme de la fête, Giovanna Cornaro.

Par cette nuit de pleine lune, la lumière s'échouait sur le ruisseau qui coulait en contrebas du jardin. Quelques demoiselles batifolaient le long de la rive en s'éclaboussant mutuellement, pendant que des jeunes hommes essayaient de les attraper dans l'obscurité. Les musiciens étant partis, Demetrio était seul à jouer de la mandoline. Le podestat et Giovanna dansaient, le cardinal Alvise et monseigneur de Commynes s'entretenaient à voix basse sous la pergola, Sigismond essayait d'amadouer le perroquet en cage tandis que son chien, jaloux, aboyait furieusement.

— Où est l'actrice principale ? Où est... se lamentait un homme fin soûl.

Giulio Orsini suivit le cours du ruisseau jusqu'à trouver enfin le silence. Il avait envie de solitude. Ignorant les conseils de Sigismond, il avait insisté pour danser et la plaie s'était rouverte. Un filet de sang chaud coulait sur sa cuisse. Rien n'y faisait : la racine de mandragore, l'abandon de la danse et de la chasse, le temps... Rien. Cette vie qu'il voyait jadis comme une sphère aux merveilles scintillante ne lui réservait plus que douleur. En réalité, la sphère n'était qu'un stupide carrousel, et les merveilles, une farandole inepte d'illusions et de corps en attente de l'horreur finale : la déchéance, la maladie, la mort. Le bâtard de Sigismond s'approcha du ruisseau et, après avoir lapé un peu d'eau, vint s'allonger à côté du prince. Les animaux percevaient souvent les pensées des hommes. Giulio s'étendit sur l'herbe : la lune s'était couchée, le ciel avait retrouvé sa couleur d'encre. Même la musique s'était tue, le monde entier paraissait noyé dans un silence terrifiant. Quelqu'un avait écrit que l'heure la plus sombre de la nuit était celle qui précédait l'aube. Les lumières de la villa moururent, les fenêtres s'éteignirent, sauf une, où deux silhouettes nues dansaient sur le rideau blanc. Giulio savait à qui elles appartenaient et son désespoir en devint si profond qu'il implora Dieu de le laisser mourir.

— Seigneur, murmura-t-il. Seigneur !

Il ferma les yeux. Lorsqu'il les rouvrit, tout autour de lui avait changé. Le ciel n'était plus d'un noir tourbeux, mais d'un bleu insondable bouleversant ; les ténèbres regorgeaient de vie, le silence débordait d'une sérénité absolue. Et soudain, dans un éclair de beauté poignant, Giulio vit le carrousel : ce n'était pas un jeu dénué de sens mais un merveilleux tourbillon d'âmes qui montait vers la lumière. Un instant seulement, et ce fut tout – mais rien ne serait plus comme avant. Giulio savait que, dans cet instant-là, son regard avait dépassé la caverne, dépassé ses chaînes. Il se leva, caressa la tête du chien et rebroussa chemin vers la villa. Heureux. Le désespoir qui avait failli le détruire n'avait pas plus de substance que la douleur, la peur de la mort n'était qu'un épouvantail pour les hommes immatures, la mort elle-même était une illusion. Il ne redoutait plus le destin : dans son passé comme dans son avenir proche, tout avait un sens.

L'aube éclaircissait peu à peu les cimes des cyprès. Le chien lui lécha la main en remuant la queue.

Épilogue

LE CARDINAL ORSINI TRAÇA le signe de croix en l'air. La confession de Catherine était terminée. Pas la sienne. La lumière hésitante du jour qui commençait à poindre glissait sur les toits humides de pluie. Catherine s'était endormie. Giulio s'assit à son écritoire pour terminer sa lettre au roi de France. Après avoir apposé son cachet, il ouvrit la porte. Commynes patientait dehors, accoudé à la balustrade qui surplombait la salle de bal.

— Le jour se lève. Voici la lettre.

Commynes la prit sans rien dire.

— Vous ne me demandez pas ce que j'ai décidé ?

— Je le sais déjà. Vous ne voudrez jamais être pape, cardinal Orsini.

Un grincement, une bourrasque. La grosse porte d'entrée claqua.

— Vous attendez quelqu'un d'autre ?

— Vous croyiez vraiment que les choses se termineraient ainsi, Commynes ? Filippo Cornaro, le cousin de la reine, était innocent, et vous le saviez. Lopez de Haro vous a raconté la vérité, que vous avez ensuite rapportée à votre roi, mais pas à Catherine. Pourquoi ?

— Je ne voulais pas qu'il épouse Adriana. J'étais amoureux d'elle. Un geste ignoble, n'est-ce pas ?

Giulio haussa les épaules.

— Inutile, surtout. Certaines choses ne peuvent être changées. Les Grecs l'ont compris il y a fort longtemps.

Commynes s'appuya sur la balustrade. Une silhouette se découpait sur le fond azur du canal. Une femme. Le Français la reconnut aussitôt : ce visage inoubliable, unique, encore superbe malgré l'empreinte du temps. Adriana. Elle avança dans le salon, regardant autour d'elle comme si elle cherchait la musique, les parfums, les couleurs d'autrefois. Elle portait un voile gris argent sur le visage ; ses cheveux aussi étaient argentés, et pourtant elle se déplaçait encore avec la même grâce sensuelle et altière, cette grâce que Commynes avait toujours trouvée irrésistible. Il vit alors Filippo marcher à sa rencontre. Sur son poing fermé, un faucon aux plumes mouchetées : une femelle d'autour, sa préférée. Il tendit les bras vers Adriana et l'oiseau s'envola par la porte ouverte.

Le Français se tourna vers Giulio Orsini.

— Avant que je m'en aille, bénissez-moi, éminence, je vous en conjure.

— Que Dieu vous accompagne, maintenant et pour toujours, mon ami.

Après que le silence était retombé dans le palais, le cardinal regagna la chambre de Catherine en traînant la jambe. Les yeux ouverts, elle l'attendait. Le moment était venu de répondre à la dernière question, la plus cruciale : celle pour laquelle il était venu. Orsini s'assit au bord du lit et inspira profondément. Il était prêt.

— Dites-moi la vérité.

Catherine suivait du regard le faucon qui décrivait des cercles majestueux dans le ciel.

— La vérité, répéta Giulio. Je vous en supplie.

Une tempête violente s'était abattue sur la ville. Trempé jusqu'aux os, le podestat Antonio Venier traversa la salle d'audience, sa cape traçant un sillage humide derrière lui. S'il tremblait, ce n'était pas à cause du froid, mais de l'émotion intense que lui procurait ce moment. Il le savourait à la manière du vin rare et précieux d'un vignoble défunt. Il marchait sans se presser, promenant son regard dans la pièce. Toute la suite au grand complet : la naine, le page, les poètes, les artistes. Chevaliers, demoiselles, notables… La cour de Catherine, son aura. Il sentait leurs yeux posés sur lui comme s'il était une créature bizarre. Ils le détestaient, ce qui rendait l'instant d'autant plus délectable. Oui, ils étaient vraiment tous là, y compris l'illustrissime Giorgio Cornaro, sans la noble dame qu'il avait épousée mais avec la sorcière qui partageait désormais sa vie, la belle Delfina. Venier s'arrêta à un pas du trône ; il avait toujours aimé l'aspect barbare de ce siège qui appartenait au roi de Chypre. Peut-être l'ajouterait-il aux curiosités de son bureau. Il se racla la gorge.

— Majesté, au nom du sénat de Venise, je vous ordonne d'abandonner Asolo immédiatement.

Les courtisans le dévisagèrent comme s'il était non seulement bizarre, mais fou à lier. Le crépitement de la pluie s'était transformé en véritable déluge.

— Les lansquenets du grand capitaine d'Aragon ont percé nos défenses au nord et ne tarderont pas à s'abattre sur la ville. Tous les soldats de la Sérénissime sont avec Bartolomeo d'Alviano. Il ne reste personne pour défendre Asolo.

Catherine ne cilla pas.

— Ne comprenez-vous donc pas, madame ? Ils vont saccager la ville.

— Non, cela n'arrivera pas. Je ne le permettrai pas.

— Ah, oui ? Et comment ?

— J'ai écrit à l'empereur Maximilien. Je lui ai offert tout ce que je possède à condition qu'il ordonne à Diego d'Aragon d'épargner Asolo.

— Altivole ? s'exclama Giorgio par-dessus le martèlement de la pluie. La vaisselle en or, les manuscrits, les statues, les tableaux... Tout ?

— Maximilien est un collectionneur.

Dans la salle, personne ne bougeait. Gentils-hommes et demoiselles, poètes, artistes, notables, et même les serviteurs : tous semblaient paralysés d'horreur.

— Quel trait de génie, murmura Giorgio dans un souffle.

Seulement alors le podestat comprit-il qu'Asolo, petit bourg insignifiant, allait apporter la gloire à Catherine. On se rappellerait non pas l'humiliation d'un règne mis à sac, mais le sacrifice ultime d'une reine. Le Sénat, le doge et Venise tout entière allaient s'émouvoir de son geste : d'abord Chypre, et à présent, toutes ses richesses... Aucune récompense ne serait trop grande pour une femme pareille.

— Un trait de génie, répéta Venier, pris de nausée.

Sa vengeance, la vengeance de sa famille, réduite à néant. Il tira sa révérence et rebroussa chemin tel un automate dans la longue salle étroite. En sortant, il bouscula une retardataire : Giovanna Cornaro. Elle était tellement séduisante que Venier esquissa malgré lui un sourire.

Après un instant d'hésitation, Giovanna sourit à son tour.

Le vent apportait des nuages noirs chargés de pluie. Diego d'Aragon s'arrêta devant le fleuve en crue, considérant avec dédain le cavalier qui venait de le rejoindre : Leonardo Trissino. Un traître condamné à mort par la République, venu lui apporter un message de l'empereur. Diego se saisit de la lettre et la parcourut. Ses traits se durcirent. Trissino lui lança un regard acerbe.

— Vous semblez contrarié, monsieur. Vous devriez pourtant savoir mieux que quiconque que la villa d'Altivole contient plus de trésors que tout Asolo, cette bourgade de pouilleux.

Diego ne prit pas la peine de répondre. Les commandants des lansquenets s'étaient réunis autour de lui, attendant les ordres. Il les regarda dans les yeux : il le faisait toujours avant de prendre une décision, et c'était pour cela qu'ils ne l'avaient jamais abandonné, même quand la solde tardait.

— Épargner Asolo et piller Altivole. Qu'en pensez-vous ? leur demanda-t-il en espagnol.

Seul Ghul secoua la tête. Il l'avait souvent accompagné à Altivole : si cela n'avait tenu qu'à lui, disait l'expression sur son visage, ils seraient passés outre. Les terres de la République regorgeaient de villes et de domaines pleins de richesses. Or, les yeux des autres commandants scintillaient : la réputation du modeste palais de Catherine avait franchi les Alpes. Diego tenta une autre approche.

— Padoue et Trévise sont à quelques jours de marche. Pourquoi perdre du temps ?

Les lansquenets continuaient de le fixer en silence : ils venaient de passer un hiver difficile dans les vallées, ils avaient besoin d'or.

— Si vous voulez, *señor*.

Diego se rendit compte qu'il avait perdu. Il ôta un gant.

— D'accord, en route pour Altivole.

Avec un geste imperceptible, il tourna son cheval et partit au galop vers le gué.

Trissino le rejoignit.

— Padoue et Trévise vous ouvriront leurs portes sans combattre, capitaine. Je m'en porte garant.

— Qu'est-ce qui vous permet de l'affirmer ?

— Les gens ne supportent plus de payer des taxes aux Vénitiens.

— Préféreraient-ils en payer à l'empereur ? Ou peut-être aux Turcs ?

Trissino s'éloigna comme si un serpent l'avait mordu. L'armée atteignit le gué : charrois, canons et couleuvrines, machines de siège, cavaliers et fantassins s'étendaient à perte de vue dans la verdure de la vallée. Bartolomeo d'Alviano n'avait que quatre mille hommes, pensa Diego, même s'ils étaient bien entraînés. Il se rappela brusquement ce que lui avait dit Catherine un jour : « Quoi qu'il se passe, Dieu n'abandonnera jamais notre République. » Il en éprouva un sentiment de peine déchirant. Peut-être le Sénat avait-il renoncé à envoyer des troupes à Asolo afin d'économiser ses forces. Ou peut-être l'avait-il fait dans le but de reprendre le royaume à la fin de la guerre. Peut-être. Ghul s'approcha de lui.

— Le fleuve est en crue, capitaine. Il faut construire un pont de barques pour transporter les canons. Cela prendra du temps. Altivole est à une journée de cheval d'ici, ajouta-t-il rapidement en allemand pour ne pas être compris de Trissino, qui tendait l'oreille.

Diego resta parfaitement immobile pendant quelques secondes, puis il éperonna son cheval vers les eaux limoneuses du fleuve.

Ghul et son escorte le suivirent au galop.

Le portail de la villa d'Altivole était grand ouvert. Le long du mur d'enceinte blanc, le ruisseau miroitait de reflets argentés. Sur la pelouse brillante de pluie, les premières roses s'épanouissaient en une flamboyante explosion de couleurs. Diego descendit de cheval, ordonnant à Ghul et ses hommes d'abreuver les chevaux. Un livre à la main, Catherine était assise à l'ombre mauve des glycines. À ses pieds, Demetrio jouait de la flûte et Giacinta brodait. Le capitaine avança sans se presser parmi les rosiers, s'attardant de temps en temps pour en respirer le parfum. Probablement pour la dernière fois. Les roses de Byzance... Une femme avec un chapeau de paille accourut vers lui.

— Delfina.

Elle enleva le chapeau, montrant à Diego ce visage qui, pour lui, était encore celui de l'enfant qu'il avait arrachée au bûcher. Un visage splendide et innocent.

— Cela fait une éternité que je vous attends, capitaine d'Aragon.

— Mes lansquenets sont en train de franchir le fleuve. Il ne reste plus beaucoup de temps.

Haut dans le ciel, une paire de faucons tournoyait autour d'un vol de corneilles. Contemplant l'azur intense, la poussière dorée qui traversait les nuages, et enfin la figure de Catherine à l'ombre des glycines, Diego éprouva un sentiment de paix immense.

Dans la lumière qui soudain paraissait transparente, un halo bleuâtre nimbait les plantes, les fleurs et les objets. Il aurait aimé prolonger cet instant à l'infini, jusqu'à se perdre dans sa perfection : Catherine, les glycines, la flûte, le friselis de l'eau, le manteau de roses rouges... Avec un cri strident, l'un des faucons plongea sur le vol de corneilles. Le temps touchait à sa fin. Levant la tête,

Catherine l'aperçut. Elle marcha vers lui, il entendit sa voix mais pas ses paroles. Les mots n'avaient plus aucune importance. Il s'agenouilla devant elle et, selon l'antique tradition des chevaliers, se mit la main sur le cœur.

— Madame, murmura-t-il, je vous demande le privilège de vous aimer, vous servir et vous rester fidèle jusqu'à la mort.

Catherine lui tendit les bras. La poussière d'or faisait resplendir son visage et ses cheveux, l'éclat carmin des roses était presque insoutenable. Diego plissa les yeux.

— Allez à Venise, Catherine. Attendez-moi là-bas. Je vous rejoindrai bientôt, je vous le jure.

Il parlait à voix basse, en espagnol. « Une langue tellement persuasive, songea-t-il, tellement adaptée aux mensonges. » Ils se promenèrent lentement jusqu'au ruisseau. La pluie avait charrié beaucoup de pierres, libérant une source qui arrosait à présent la pelouse.

— Et Giulio ? Que dois-je dire au cardinal Orsini ?

— Rien. Remettez-lui simplement ce message. Après la bataille.

La lettre ne portait aucun sceau. Catherine la prit, avant d'enlever le collier de perles que Diego lui avait offert.

— Vous me les rendrez à Venise.

Diego serra les perles en silence.

— Adieu, madame.

Post-scriptum

Rome, automne 1510

« Le cardinal Giulio Orsini, prince de Sermoneta, Cerveteri et Sovana,
à son excellence Giorgio Cornaro, provéditeur de la Sérénissime République de Venise.

Vous voulez savoir, monseigneur, comment se sont déroulées les dernières heures de la reine, votre sœur. Savoir si elle est morte paisiblement, sans souffrir et dans la grâce de Dieu.

Jugez par vous-même, car je vous donne ma parole que ce qui suit n'est rien d'autre que la vérité.

Après que tout le monde était reparti, Commynes, dame Adriana Marcello, votre cousin Filippo, et enfin vous-même avec Delfina et le cardinal Alvise, je retournai dans la chambre de Catherine. Je me souviens qu'un faucon aux ailes mouchetées tournoyait devant la fenêtre ; son cri perçant résonnait parfois, comme un appel. À part cela, tout n'était que silence.

"La lettre, madame, demandai-je en tendant la main. La lettre de Diego d'Aragon. C'est pour cela que je suis venu." C'était un mensonge, mais je ne m'en rendais pas compte alors. Catherine indiqua un pli sur la table. Il avait toujours été là, toute la nuit, posé devant moi alors même que je rédigeais ma réponse au roi de France.

"À qui de nous deux est-elle adressée ?" murmurai-je sans toucher le papier.

Les Grecs, monseigneur, pensaient que les dieux offusquent l'esprit de ceux qu'ils veulent détruire. Ils avaient raison. À ce moment-là, j'avais l'impression que les nœuds de mon existence allaient m'étrangler. Raison, passion, honneur... Qu'est-ce qui l'avait emporté chez le grand capitaine ? La raison qui nous unissait, lui et moi, ou sa passion pour Catherine ? À moins que l'honneur l'ait poussé à rejeter l'une et l'autre ? J'étais incapable de quitter la lettre des yeux.

"Lisez-la pour moi, madame. Je vous en prie."

Elle me sourit ; ce sourire tellement irrésistible, vous vous rappelez ? Le sourire d'une sirène.

"J'ai soif, Giulio. Versez-moi encore un peu de vin."

Le vin contenait une drogue rare et très forte, cadeau d'un prince turc que j'avais accueilli chez moi, à Rome. Catherine le savait aussi bien que moi. J'hésitai. La drogue diminuait la douleur, mais elle risquait d'entraîner la mort, une mort semblable au sommeil. Je lui fis boire une gorgée, monseigneur, une seule gorgée. Votre sœur commença à lire. Je vous retranscris la lettre mot pour mot, bien que cela me coûte un effort indicible. Elle n'était adressée à personne.

"Je suis seul dans ma tente. J'ai devant moi le portrait peint à Cerveteri par cet artiste qui se mit ensuite à construire des automates et perdit la raison. Il y a bien longtemps de cela... Ce chevalier à la cuirasse d'argent et au col d'un blanc immaculé, c'est moi : ce visage sombre m'appartient, cette bouche au pli cruel m'appartient, ces yeux noirs comme des charbons m'appartiennent. Suis-je

vraiment cet homme ? Le portrait me parle, raconte des choses que je préférerais ignorer. Il me parle de passion, de bataille, de courage et d'honneur, mais je ne vois aucune trace de miséricorde sur ce visage. Ni les émotions ni la pitié qui font les grands hommes. Et soudain, je l'aperçois : une lumière fulgurante traverse l'obscurité derrière l'homme du portrait. Une étincelle parmi les plumes de son chapeau, une étincelle qui ne va nulle part, pure lumière.

Et je comprends enfin. L'amour. Comme la lumière, peu importe la destination de l'amour, ou son destinataire. Ce qui compte, c'est cette étincelle dans les ténèbres de l'âme.

C'est cela que le peintre voulait m'enseigner. Dommage que je ne l'aie compris qu'à la fin.

Un jour, peut-être, dans un autre monde, une autre vie, nous nous retrouverons. Nous serons à nouveau ensemble, tous les trois, et tout redeviendra comme avant."

La lecture avait épuisé Catherine. Elle fit un geste vers le vin qui restait dans la coupe, mais je secouai la tête.

"Je vous en conjure, Giulio. Faites-le par amitié, faites-le par amour."

Ainsi l'aidai-je à boire le reste de la drogue et la caressai-je pendant qu'elle observait le vol du faucon par la fenêtre.

"Vous voyez, Giulio ? Le roi est venu me chercher."

Ce furent ses dernières paroles. Je serrai sa main jusqu'à ce que le gel de la mort s'en empare. Et je fermai ses paupières. J'ai fait tout cela par amitié et par amour.

Voilà toute la vérité de ce qui s'est passé, excellence, quoi que l'on dise ou écrive par la suite.

Le grand capitaine d'Aragon n'a jamais choisi entre Catherine et moi, ce qui n'étonnera pas un homme de science tel que vous. Depuis l'aube des temps, les savants considèrent que trois est le chiffre parfait, celui qui renferme le mystère de la création et de la vie, qui ne sont rien d'autre qu'amour.

Nul autre que vous ne connaît la vérité, monseigneur. Vous et Delfina.

Voyez, nous sommes trois à nouveau. Que nous réserve l'avenir ? »

Catherine Cornaro fut enterrée en grande pompe dans l'église des Saints-Apôtres de Venise, en présence des membres de sa cour.

En son hommage, les sénateurs ordonnèrent que tous les clochers de Saint-Marc sonnent neuf fois, un honneur réservé aux méritants de la République.

À la fin du XVIe siècle, sa dépouille fut transférée dans l'église San Salvatore et déposée dans un magnifique sépulcre en marbre, œuvre de Bernardino Contino.

Dans son testament, Catherine nomma son frère Giorgio légataire universel, non sans réserver une donation considérable à son cousin Filippo et aux pauvres de la ville.

Avant de tomber aux mains des Turcs malgré la défense héroïque d'Antonio Bragadin, le royaume de Chypre traversa une courte période de prospérité sous le régime vénitien.

10749

Composition
PCA à Rezé

Achevé d'imprimer en Espagne (Barcelone)
par BLACKPRINT CPI IBERICA
le 4 mai 2014

Dépôt légal mai 2014
EAN 9782290055434
OTP L21EPLN001260N001

ÉDITIONS J'AI LU
87, quai Panhard-et-Levassor, 75013 Paris

Diffusion France et étranger : Flammarion